Libertés publiques
et
droits de l'homme

Arlette HEYMANN-DOAT

*Professeur émérite de droit public
à l'Université de Paris-Sud*

Gwénaële CALVÈS

Professeur de droit public à l'Université de Cergy-Pontoise

Libertés publiques
et
droits de l'homme

9e édition

L.G.D.J

lextenso éditions

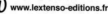

Retrouvez tous nos titres
Defrénois - Gualino - Joly
LGDJ - Montchrestien
sur notre site
@ www.lextenso-editions.fr

© 2008, LGDJ, Lextenso éditions
33, rue du Mail, 75081 Paris Cedex 02
ISBN 978.2.275.03334.1   ISSN 0987.9927

SOMMAIRE

INTRODUCTION

Le statut des libertés publiques en France s'est formé par sédimentations successives. Il ne s'agit ni d'une évolution linéaire, ni d'un progrès continu. Mais certains apports, qui ont été le fruit de revendications passées, sont restés comme éléments constitutifs du régime des libertés publiques. Il est important, alors même que ces textes sont toujours en vigueur, de les situer dans leur contexte historique, pour comprendre leur portée. Cette formation historique des libertés publiques explique qu'il n'y ait pas une définition théorique unique de celles-ci. Il n'y a pas un texte constitutif, mais des textes successifs, qui correspondent à des conceptions diverses, voire opposées, des libertés ou de la liberté.

Le terme de « libertés publiques », auquel le droit positif en vigueur fait une certaine place (article 34 de la Constitution de 1958), a été parfois utilisé au singulier (par exemple dans l'Acte additionnel aux Constitutions de l'Empire, du 22 avril 1815). Les termes de « libertés individuelles » (1) ou de « droits individuels » (2) ont eu, curieusement, un sens voisin.

Un autre terme a connu une fortune historique variable : celui de « droits de l'homme ». Le 26 août 1789, l'Assemblée nationale adopte la « Déclaration des droits de l'homme et du citoyen », à laquelle se réfère aujourd'hui le Préambule de la Constitution de 1958. La même expression a été retenue par l'Assemblée générale de l'ONU (« Déclaration universelle des droits de l'homme » du 10 décembre 1948) et par le Conseil de l'Europe (« Convention de sauvegarde des droits de l'homme et des libertés fondamentales » du 4 novembre 1950).

---

(1) M. Hauriou, *Précis de droit constitutionnel,* 2ᵉ éd., 1929 ; G. Jèze, « Signification juridique des libertés publiques », *Annuaire de l'Institut international de droit public,* 1929, p. 162.
(2) A. Esmein, *Éléments de droit constitutionnel français et comparé,* 3ᵉ éd., 1903.

Dans les textes fondateurs français, droits de l'homme et droits du citoyen sont liés, de même que dans le Pacte international relatif aux droits civils et politiques, adopté par l'Assemblée générale des Nations unies le 16 décembre 1966.

Le terme de « droits fondamentaux » a bénéficié d'une nouvelle promotion à la fin du XXe siècle, pour deux raisons : il se développe en droit international, sur le modèle de la loi fondamentale allemande (par exemple, la Charte des droits fondamentaux de l'Union européenne, proclamée le 7 décembre 2000) et il met l'accent, en droit interne, sur la source constitutionnelle des droits. Le terme de « droits humains » (ou « droits de la personne humaine ») a une autre finalité : il veut marquer la volonté de ne pas exclure les femmes.

Les contours de la notion de liberté publique ont varié, au point qu'il est difficile de délimiter aujourd'hui exactement et le domaine et le régime des libertés publiques.

Cet ouvrage n'est pas un panorama général des droits ainsi garantis. Il procède de la modeste ambition de fournir des clés pour la compréhension de leur origine et de leur évolution.

Cette 9e édition, comme la précédente, a été actualisée et partiellement remaniée, par Gwénaële Calvès.

PREMIÈRE PARTIE
L'AFFIRMATION DES LIBERTÉS

CHAPITRE 1
LA RÉVOLUTION

La Révolution marque, sinon l'invention philosophique, du moins l'avènement de la notion de droits de l'homme. Et elle en donne une formulation originale.

Section 1 Le principe d'une Déclaration des droits

D'une part, les révolutionnaires accueillent la notion même de droits de l'homme, qui est issue de plusieurs courants philosophiques et qui est l'objet de revendications exprimées dans les cahiers de doléances. D'autre part, ils marquent le souci de les proclamer sous forme de Déclaration.

§ 1. LES DROITS

La doctrine du droit naturel fait l'« unanimité » (1) à la fin du XVIIIe siècle. On a pu lui donner des origines lointaines, dans la philosophie grecque ou la doctrine chrétienne. Au XVIIIe siècle, elle oppose la raison au surnaturel : « le droit naturel naît d'une philosophie » : celle qui nie le surnaturel, le divin, et substitue l'ordre immanent de la nature à l'action et à la volonté personnelle de Dieu (2).

Les droits de l'homme sont l'expression du droit naturel. Selon cette doctrine, l'homme est naturellement libre. L'Encyclopédie

---

(1) C. Nicolet, *L'idée républicaine en France (1789-1924), essai d'histoire critique,* Gallimard, 1982.
(2) P. Hazard, *La crise de la conscience européenne, 1680-1715,* Boivin, 1935.

exprime cette idée communément reçue sous le titre de « liberté naturelle (droit naturel) » : « Le premier état que l'homme acquiert par la nature et qu'on estime le plus précieux de tous les biens qu'il puisse posséder est l'état de liberté. » C'est la fameuse première phrase du « contrat social » de Rousseau : « L'homme est né libre, et partout il est dans les fers. » À cette proposition fait écho l'article 1er de la Déclaration des droits de l'homme et du citoyen de 1789 : « Les hommes naissent et demeurent libres et égaux en droit. »

Puisque l'homme est naturellement libre et raisonnable, la doctrine du droit naturel affirme donc l'illégitimité du pouvoir arbitraire. Le pouvoir doit être limité, par référence même à l'existence de la liberté originaire. Rousseau modifie un peu cette proposition. La société a pour vocation même, par le contrat social qui la crée, de conserver les droits originaires : article 2 de la Déclaration de 1789 : « Le but de toute association politique est la conservation des droits naturels et imprescriptibles de l'homme. »

On trouve encore le droit naturel, comme fondement de la doctrine des physiocrates, auxquels on a pu attribuer une influence sur les révolutionnaires (3). Les physiocrates, tel Quesnay, voulaient la liberté économique, qu'ils fondaient sur la théorie des droits naturels.

Des revendications très concrètes se trouvent dans les 40 000 cahiers de doléances. Le tiers état y demande une Constitution, l'abolition des privilèges et du système féodal, une juste répartition des impôts, une réforme de la justice.

Le tiers état y demande aussi une Déclaration des droits.

§ 2. UNE DÉCLARATION

L'idée d'une déclaration solennelle se répand à la fin du XVIIIe siècle. Les cahiers demandent une Déclaration des droits, peut-être à cause de l'exemple américain. Rabaud de Saint-Étienne le dit à l'Assemblée nationale constituante, le 18 août 1789 : « Vous avez adopté le parti de la Déclaration des droits parce que vos cahiers vous imposent le devoir de le faire ; et vos cahiers vous en ont parlé, parce que la France a pour exemple l'Amérique. »

En effet, après la Déclaration d'indépendance des États-Unis d'Amérique, du 4 juillet 1776, marquée par le droit naturel, plusieurs États ont adopté une Déclaration des droits, placée en tête de leur

(3) V. Marcaggi, *Les origines de la Déclaration des droits de l'homme de 1789,* thèse, Aix-Marseille, 1904.

Constitution. Des Déclarations des droits ont déjà été adoptées au XVIIe siècle en Angleterre (Pétition des droits, 1628 ; Bill of rights, 1689). Le juriste allemand Jellinek a voulu voir là l'origine unique de la Déclaration française de 1789. On lui a opposé le caractère universaliste des déclarations françaises. Alors que les colons américains faisaient la liste des griefs qu'« ils pouvaient formuler contre le roi de Grande-Bretagne », qui voulait « l'établissement d'une tyrannie absolue » sur les États américains, et rappelaient les libertés coutumières dont ils bénéficiaient, les constituants français voulaient dire « des vérités de tous les temps et de tous les pays ».

Les membres de l'Assemblée nationale constituante voulurent inscrire une Déclaration en tête de la Constitution, pour rappeler le but de la Constitution qui est de protéger les droits des hommes. C'est un souci pédagogique qui les animait, quand ils souhaitaient une déclaration « courte, simple et précise ».

Ainsi fut adoptée, le 26 août 1789, la Déclaration qui devait être placée en tête de la Constitution du 3 septembre 1791. La Constitution du 24 juin 1793 fut précédée d'une nouvelle Déclaration. La Constitution de l'an III fut, elle, précédée d'une Déclaration « des droits et des devoirs ».

Section 2 La formulation des droits

Ils se définissent par la structure qui les fonde et par leur objet.

§ 1. LA STRUCTURE JURIDIQUE

La loi est le fondement de la liberté, en même temps qu'elle en trace les limites. Mais l'exercice des droits qu'elle définit est assorti de garanties, qui peuvent même jouer contre le législateur.

A. LA LOI, FONDEMENT DE LA LIBERTÉ

La loi est la définition même de la liberté. Être libre, c'est agir selon les lois. L'Encyclopédie définit la liberté civile comme « le droit de faire tout ce que les lois permettent » ; « la liberté civile est donc fondée sur les meilleures lois possibles ; et dans un État qui les aurait en partage, un homme à qui on ferait son procès selon les lois et qui devrait être pendu le lendemain serait plus libre qu'un pacha ne l'est en Turquie ».

Ainsi, le contenu de la loi est relativement indifférent. La liberté est ce que la loi dit. Elle a donc un sens variable. Il n'y a pas de signification éternelle de la liberté. Et la Constitution même n'est pas éternelle : « un peuple a toujours le droit de revoir, de réformer et de changer sa Constitution. Une génération ne peut assujettir à ses lois les générations futures » (article 28 de la Déclaration de 1793).

Pourquoi la loi est-elle ainsi fondatrice ? Parce qu'elle est « l'expression de la volonté générale ». On reconnaît la définition donnée par Rousseau dans le Contrat social. Elle est générale en deux sens. D'une part, elle est la même pour tous ; donc personne ne peut avoir intérêt à édicter une loi oppressive. L'égalité est inhérente au principe de légalité. D'autre part, « tous les citoyens ont le droit de concourir personnellement, ou par leurs représentants, à sa formation » (article 6 de la Déclaration de 1789). La liberté civile s'appuie donc sur la liberté politique. Autrement dit, la loi est protectrice de la liberté civile parce qu'elle est le produit de la liberté politique. Parce que tous les citoyens concourent à la formation de la loi, celle-ci peut être le fondement de la liberté de tous. La Déclaration de 1793 dit encore dans son article 9 : « la loi doit protéger la liberté publique et individuelle contre l'oppression de ceux qui gouvernent. »

Mais, en même temps qu'elle fonde les libertés, la loi définit leurs limites. Pour Béla Farago, ces limites mêmes sont constitutives des libertés dans la conception de Rousseau, reprise par les constituants révolutionnaires (4) alors que, pour Blandine Barret-Kriegel, la conception de la liberté, comme créée par le droit positif, est une réduction de celle-ci (5). En réalité, les révolutionnaires ne distinguaient pas entre droit naturel et droit positif. Ils avaient opposé le droit naturel à l'arbitraire du pouvoir. Par le droit positif, ils voulaient fonder un pouvoir non arbitraire.

Seule la loi peut fixer des limites : « ces bornes [à « l'exercice des droits naturels de chaque homme »] ne peuvent être déterminées que par la loi » (article 4 de la Déclaration de 1789). La Déclaration va plus loin que l'*Encyclopédie* : la liberté devient la règle, la limitation l'exception. Comme l'écrit Gérard Soulier, « avec la Révolution, la perspective s'inverse : la liberté est le droit de faire tout ce que les lois n'interdisent pas » (6) : « tout ce qui n'est pas défendu par la

---

(4) B. Farago, *L'état des libertés,* Aubier, 1981.
(5) B. Barret-Kriegel, « Les droits de l'homme et le droit naturel », *Mélanges Duverger,* PUF, 1987, p. 3.
(6) G. Soulier, « Le sens de la Déclaration des droits de l'homme », *Le français aujourd'hui,* n° 62, juin 1988.

loi ne peut être empêché, et nul ne peut être contraint à faire ce qu'elle n'ordonne pas » (article 5 de la Déclaration de 1789).

Quelles limites ? La première limite est la réciprocité : que chacun ait « la jouissance des mêmes droits » (article 4 de la Déclaration de 1789). La limite est encore définie comme « les actions nuisibles à la société » (art. 5), « l'ordre public » (art. 10) ou « l'abus » (art. 11). Dans tous les cas, c'est la loi qui détermine ces limites, qu'il s'agisse de l'ordre public, « établi par la loi », ou de l'abus, « dans les cas déterminés par la loi ».

Donc, par définition ces limites seront variables, comme peut l'être la volonté générale, exprimée par le législateur.

Ce principe de légalité s'applique aux délits et aux peines (art. 8), comme à la liberté d'opinion (art. 10).

Un corollaire de ce principe est ce qu'on appelle le régime répressif, par opposition au régime préventif. Certains projets de rédaction de l'article 11 de la Déclaration de 1789, relatif à la liberté d'expression, prévoyaient les cas où il faudrait « restreindre » cette liberté, lorsqu'elle nuirait au droit d'autrui. Mirabeau expliqua qu'il ne fallait pas employer le terme « restreindre », mais celui de « réprimer » : « on vous laisse une écritoire pour écrire une lettre calomnieuse, une presse pour un libelle ; il faut que vous soyez puni quand le délit est consommé : or tout est répression et non restriction ; c'est le délit que l'on punit, et on ne doit pas gêner la liberté des hommes, sous prétexte qu'ils peuvent commettre des délits ». Le principe de légalité signifie donc que dès lors que la liberté existe, seul son abus peut être sanctionné, *a posteriori*, par le juge, en application de la loi.

Si la loi est l'ossature même de la liberté, les constituants révolutionnaires ont néanmoins prévu un système de garanties des droits.

B. LA GARANTIE DES DROITS

On a opposé la tradition anglo-saxonne, attachée aux garanties, et la tradition française. Pourtant, les constituants révolutionnaires ont attaché beaucoup d'importance à la question de la garantie des droits. La sûreté fait partie des droits naturels et imprescriptibles de l'homme, selon l'article 2 de la Déclaration de 1789. Elle est définie à l'article 8 de la Déclaration de 1793, comme « la protection accordée par la société à chacun de ses membres pour la conservation de sa personne, de ses droits et de ses propriétés ». La Constitution de l'an III précise : « la sûreté résulte du concours de tous pour assurer les droits de chacun » (art. 4).

a) La notion de garantie

1. Dans la Déclaration de 1789

Les articles 12 à 16 ont pour objet de préciser ce qu'est la garantie des droits. C'est d'abord la force publique qui est la garantie des droits des uns par rapport aux autres : « la garantie des droits de l'homme et du citoyen nécessite une force publique ».

Se pose alors le problème de la garantie des droits à l'égard de la puissance publique. Les constituants révolutionnaires ont ressenti la nécessité d'un contrôle par les citoyens de l'exercice du pouvoir, qui n'est lui-même institué que pour protéger leurs droits. Ils présentent comme un enchaînement logique les éléments suivants : la force publique, nécessaire, comme nous l'avons vu, pour protéger les droits, requiert la perception d'un impôt, destiné également à couvrir les dépenses d'administration. Les citoyens doivent consentir à l'impôt. Pour des raisons symboliques, les constituants ont préféré employer le terme de « contribution », qui est voulue par les citoyens, et non imposée par le pouvoir. Ils formulaient ainsi les mêmes revendications que les barons anglais, à l'origine de la Grande Charte de 1215.

Ainsi l'impôt ne diminue pas les propriétés, mais au contraire constitue « une portion des biens des citoyens mise en commun ». Donc, il faut contrôler l'emploi de ces biens, qui sont affectés à la protection des droits. Le pouvoir n'est pas libre de les utiliser à sa guise. « La société a le droit de demander compte à tout agent public de son administration » (art. 15).

C'est le principe de la responsabilité de tous les agents publics qui est ainsi posé. Le contrôle s'exerce d'abord dans un but comptable ; il s'exerce aussi pour éviter l'abus de la force publique contre les citoyens. Le principe du contrôle de l'action des agents publics par la société est donc fondamental.

En cours de discussion, la nécessité de la séparation des pouvoirs fut accolée à celle de la responsabilité des agents publics. Toutes deux doivent aller dans le sens de la limitation du pouvoir. « Sans la séparation des pouvoirs, il n'y a que despotisme », dit le chevalier de Lameth, disciple, là, de Montesquieu.

Mais, pour les constituants, c'était à la Constitution de préciser les conditions d'exercice de la garantie des droits, c'est-à-dire la fixation de l'impôt, les modes de mise en jeu de la responsabilité des agents du pouvoir exécutif et « la ligne de séparation entre la force exécutrice et la force législatrice ». Ainsi l'article 16 dispose : « toute société dans laquelle la garantie des droits n'est pas assurée ni la séparation des pouvoirs déterminée, n'a point de constitution ».

2. Dans les Constitutions de 1791 et de 1793

La Constitution de 1791 contient elle-même une garantie des droits. C'est l'objet du titre 1er : « Dispositions fondamentales garanties par la Constitution. » Elle garantit les droits contre le pouvoir législatif : « Le pouvoir législatif ne pourra faire aucune loi qui porte atteinte et mette obstacle à l'exercice des droits naturels et civils consignés dans le présent titre et garantis par la Constitution. »

La Constitution de 1793 contient également une garantie des droits. Ce sont ses derniers articles (122 à 124). La Constitution est elle-même garantie par les vertus. La République française « remet le dépôt de sa Constitution sous la garde de toutes les vertus » (art. 123). Comme Montesquieu, les Montagnards pensent que la République est fondée sur la vertu.

3. Dans la Déclaration de 1793

La Déclaration, placée en tête de la Constitution de 1793, fait mention d'une garantie qu'elle qualifie de « sociale » : « la garantie sociale consiste dans l'action de tous pour assurer à chacun la jouissance et la conservation de ses droits ; cette garantie repose sur la souveraineté nationale » (art. 23). Et elle ajoute les deux conditions déjà posées de « limites des fonctions publiques clairement déterminées par la loi » et de responsabilité des fonctionnaires (art. 24).

Ainsi la garantie reposerait, en dernière analyse, sur l'attribution même du pouvoir. C'est la détention du pouvoir par la Nation qui fonde la garantie des droits. De même que la force publique n'est pas instituée pour l'utilité particulière de quelques-uns, c'est l'ensemble des citoyens qui est garant des droits de chacun. Ni la force, ni le pouvoir, ni la garantie des droits ne peuvent être attribués à une « portion du peuple ».

b) La résistance à l'oppression

La résistance à l'oppression participe du même sentiment. Elle est affirmée par l'article 2 de la Déclaration de 1789 comme un droit naturel et imprescriptible, au même titre que la liberté, la propriété et la sûreté. La Déclaration de 1793 précise qu'elle est la conséquence des autres droits de l'homme et elle en fait même non seulement « le plus sacré des droits », mais « un devoir ». La définition qu'elle donne de l'oppression repose sur la vision de la nécessaire unité de la société, de son indivisibilité. Peut-être est-ce la définition de ce qu'on appellera plus tard la fraternité ou la solidarité : « il y a oppression contre le corps social, lorsqu'un seul de ses membres est opprimé. Il y a oppression contre chaque membre lorsque le corps social est opprimé » (art. 34).

Non seulement les Déclarations, mais la législation révolutionnaire devaient consacrer les autres droits fondamentaux.

§2. L'OBJET DES DROITS

On a dit que les révolutionnaires étaient marqués par l'individualisme. C'est vrai en ce sens qu'ils affirment d'abord la liberté individuelle. Mais ils ne séparent pas l'homme du citoyen. Et ils ébauchent les contours de droits sociaux.

A. LES DROITS DE L'HOMME

a) *La liberté individuelle*

La Déclaration de 1789 lui consacre les articles 7, 8 et 9. La Constituante s'attache à des réformes législatives d'envergure, puisqu'elle procède à une refonte complète de la procédure pénale et élabore un véritable code pénal.

1. Les Déclarations

Le terme de liberté individuelle n'apparaît ni dans la Déclaration de 1789, ni dans la Constitution de 1791. Pourtant, selon la loi des 25 septembre-6 octobre 1791, la liberté individuelle est la « base essentielle de la Constitution française ». On peut trouver sa définition dans le titre I de la Constitution de 1791, comme étant la « liberté à tout homme d'aller, de rester, de partir, sans pouvoir être arrêté ni détenu que selon les formes déterminées par la Constitution ». Ce sont les termes de l'article 7 de la Déclaration des droits de l'homme : « nul homme ne peut être accusé, arrêté ni détenu que dans les cas déterminés par la loi et selon les formes qu'elle a prescrites ».

C'est la condamnation des lettres de cachet, c'est-à-dire des arrestations et détentions arbitraires, abolies par les États Généraux dès le 23 juin 1789. La condamnation de l'arbitraire ne signifie pas que les arrestations et détentions sont proscrites, mais qu'elles doivent s'effectuer conformément à la loi.

Ce principe de légalité s'applique aussi aux délits et aux peines. Il a pour corollaires le principe de non-rétroactivité de la loi pénale et le principe de l'égalité des peines pour les mêmes délits : « nul ne peut être puni qu'en vertu d'une loi établie et promulguée antérieurement au délit, et légalement appliquée » (art. 8).

Le deuxième principe fondamental est la présomption d'innocence. Elle est issue d'un projet de Duport qui dénonce « un usage barbare de punir les coupables lors même qu'ils ne le sont pas encore déclarés », dans « les cachots de la Bastille et la prison du Châtelet ». C'est cette peine subie de façon arbitraire, avant tout jugement, que proscrit l'article 9 : « tout homme étant présumé innocent jusqu'à ce qu'il ait été déclaré coupable, s'il est jugé indispensable de l'arrêter, toute rigueur qui ne serait pas nécessaire pour s'assurer de sa personne doit être sévèrement réprimée par la loi ». On peut voir là encore une condamnation des lettres de cachet.

Duport réclame de façon générale « des lois douces et humaines » contre les coupables. « La loi ne doit établir que des peines strictement et évidemment nécessaires » (art. 8).

Enfin, la Déclaration garantit le respect du principe de légalité : « ceux qui sollicitent, expédient, exécutent ou font exécuter des ordres arbitraires (d'accusation, d'arrestation, de détention) doivent être punis » (art. 7). On voit que la responsabilité s'étend même à ceux qui sollicitent des ordres arbitraires.

2. La procédure pénale

La loi des 16-29 septembre 1791 établit une nouvelle procédure pénale. La procédure pénale de l'Ancien Régime était inquisitoire. Elle trouvait son origine dans l'« Inquisition ». Le juge y mène une enquête secrète, qui ignore les droits de la défense et peut comporter des tortures. Montesquieu, Beccaria s'élevèrent contre ces pratiques. De façon générale, les partisans d'une réforme au XVIIIe siècle louaient l'Angleterre, où était en vigueur un régime de procédure accusatoire. La loi des 16-29 septembre 1791 établit ainsi une procédure pénale de type accusatoire.

Les droits de la défense avaient déjà été organisés par une loi des 8-9 octobre 1789, qui avait permis à l'accusé de se faire assister d'un conseil, dès sa première comparution.

La loi des 16-29 septembre 1791 procède à une démocratisation de la justice criminelle, qui correspond à l'idée de procédure accusatoire, tandis que la procédure inquisitoire repose sur la puissance des juges professionnels. Les juges eux-mêmes sont élus, comme le sont tous les juges depuis le décret des 16-24 août 1790. Deux jurys sont institués, un jury d'accusation et un jury de jugement, tous deux formés d'électeurs. C'est le jury d'accusation qui décide qu'« il y a lieu à accusation » et donc à saisine du tribunal criminel.

Un extrême découpage des fonctions entre la poursuite, l'instruction et le jugement est opéré. L'accusateur public, également élu, est chargé de poursuivre ceux que le jury d'accusation a remis à la justice.

La responsabilité de ceux qui commettent des actes arbitraires, prévue par la Déclaration des droits de l'homme, est organisée par la loi des 25 septembre-6 octobre 1791. Elle punit « tout attentat contre la liberté individuelle, base essentielle de la Constitution française », c'est-à-dire toute arrestation arbitraire. La formule sera reprise dans le Code du 3 brumaire an IV.

3. Le droit pénal

C'est également le droit pénal qui est réformé dans son ensemble, par les lois des 19-22 juillet 1791 et 24 septembre-6 octobre 1791. Elles constituent un véritable code pénal, rédigé par Le Pelletier de Saint-Fargeau.

Ces lois suppriment les peines corporelles, limitent l'application de la peine de mort et posent le principe de l'égalité de la répression, qui est, en même temps, une application stricte du principe de légalité. En matière criminelle, les peines sont fixes. Le juge est tenu, pour une incrimination donnée, de prononcer une peine, dont le quantum est défini par la loi.

Quatre années plus tard, la Convention, sur le point de terminer ses travaux, adopte le Code des délits et des peines du 3 brumaire an IV, qui reprend et précise les principes révolutionnaires libéraux.

Entre-temps, pendant un an, une juridiction d'exception avait fonctionné, de mars 1793 à juillet 1794 : le Tribunal criminel extraordinaire, devenu le Tribunal révolutionnaire, dont les membres étaient nommés par la Convention, et qui jugeait, sans respect des droits de la défense, les « conspirateurs », après la loi du 22 prairial an II, dite loi des suspects (10 juin 1794).

b) L'inviolabilité du domicile

C'est dans un décret relatif à l'organisation de la police municipale et correctionnelle, des 19-22 juillet 1791, que l'inviolabilité du domicile est affirmée. Il s'agit d'une protection vis-à-vis des autorités et agents de police. « Nul officier municipal, commissaire ou officier de police municipale ne pourra entrer dans les maisons des citoyens. »

Mais des exceptions sont prévues, de quatre ordres. La première exception est particulièrement restrictive de la liberté et n'a pas survécu : il s'agit de la confection de registres, annuellement mis à jour, identifiant tous les habitants, non seulement par leur état civil, mais par leurs moyens de subsistance. Ceux qui n'en ont aucun sont notés comme « gens sans aveu », ceux qui refusent toute déclaration sont notés comme « gens suspects ». La seconde exception est l'exécution des lois sur les contributions directes. La troisième exception est l'exécution des jugements. Enfin, la quatrième exception est le secours de la force publique invoqué de l'intérieur, par le cri de citoyens.

Le principe de l'inviolabilité du domicile est à nouveau affirmé, dans la Constitution de 1791 (titre IV, art. 9) et dans la Constitution de l'an III. Celle-ci qualifie la maison d'« asile inviolable ». Elle fait une distinction nouvelle entre jour et nuit. Les exceptions d'ordre de la loi ou d'une autorité publique ne valent que pendant le jour. Pendant la nuit, seuls des cas de force majeure, incendie, inondation, ou une réclamation venant de l'intérieur de la maison, permettent d'y entrer.

La Constitution de l'an VIII, guère libérale par ailleurs, reprendra ces termes, avec même une certaine extension de l'inviolabilité, à « toute personne habitant le territoire français » et non plus seulement à « chaque citoyen ».

c) La liberté d'opinion

La question posée est celle de la liberté religieuse : « Nul ne doit être inquiété pour ses opinions, même religieuses, pourvu que leur manifestation ne trouble pas l'ordre public établi par la loi » (art. 10).

Mirabeau s'éleva contre la possibilité de restriction de la liberté pour trouble à l'ordre public, car cela ouvrait la voie à un culte dominant, c'est-à-dire le culte catholique.

Le décret du 24 décembre 1789 déclara les non-catholiques admissibles à tous les emplois civils et militaires « sans entendre rien préjuger relativement aux juifs ». Il s'appliquait donc essentiellement aux protestants. Le décret du 28 janvier 1790 reconnut les droits de citoyen français aux juifs avignonnais, espagnols et portugais. Le décret des 27 septembre-13 novembre 1791 étendit cette reconnaissance à tous les juifs.

d) La liberté d'expression

Nous avons vu que c'est à son sujet que Mirabeau traça la frontière entre régime répressif et régime préventif. Seul le premier est adapté au principe de liberté, par opposition à la censure de l'Ancien Régime : « La libre communication des pensées et des opinions est un des droits les plus précieux de l'homme » (article 11 de la Déclaration de 1789).

e) Les libertés de réunion et d'association

Réunion et association sont confondues par les révolutionnaires, en ce sens que les associations, essentiellement politiques, se manifestent par des réunions.

La liberté de réunion est affirmée par le décret des 13-19 novembre 1790, à propos de la dissolution, par la ville de Dax, de la Société des amis de la Constitution : « tous les citoyens ont le droit de se réunir paisiblement et sans armes. » En conséquence, la municipalité de Dax ne pouvait dissoudre une association.

La Déclaration de 1793 affirme le « droit de s'assembler paisiblement » (art. 7) et la Constitution garantit le « droit de se réunir en sociétés populaires ». Il s'agit bien d'associations à caractère politique qu'on a appelées « clubs ». Ceux-ci ont été combattus après le 9 Thermidor. Un décret du 25 vendémiaire an III interdit les affiliations, agrégations, fédérations entre sociétés populaires. La Constitution de l'an III interdit les sociétés populaires (art. 361) et les sociétés s'occupant de questions politiques (art. 362).

D'autres associations, les associations professionnelles sont, elles, proscrites, car elles rappellent les corporations de métiers de l'Ancien Régime, supprimées par le décret des 2-17 mars 1791. La loi Le Chapelier des 14-17 juin 1791 interdit la formation d'associations d'ouvriers.

Pour les autres associations, il n'y a pas de législation. Et on peut donc admettre que leur liberté ne connaissait pas d'entraves, puisque seule la loi, nous l'avons vu, pouvait limiter la liberté.

f) Le droit de propriété

En même temps que les révolutionnaires considèrent le droit de propriété comme fondamental, ils prévoient les principes du régime d'expropriation. Le droit de propriété fait partie des droits naturels et imprescriptibles de l'homme, selon l'article 2 de la Déclaration de 1789. Le dernier article de cette Déclaration précise, d'une part, qu'il s'agit d'un droit inviolable et sacré, et prévoit, d'autre part, les conditions dans lesquelles on peut en être privé. Il faut que « la nécessité publique légalement constatée l'exige évidemment » et une juste et préalable indemnité (art. 17).

La Déclaration de 1793 donne une définition du droit de propriété qui préfigure le Code civil : « le droit de propriété est celui qui appartient à tout citoyen de jouir et de disposer à son gré de ses biens, de ses revenus, du fruit de son travail et de son industrie » (art. 16).

La Constitution de l'an III ajoute, au titre des devoirs, que « c'est sur le maintien des propriétés que reposent la culture des terres, toutes les productions, tout moyen de travail et tout l'ordre social ».

g) Liberté du commerce et de l'industrie et liberté du travail

Certains ont attribué la paternité de la Déclaration de 1789 aux physiocrates. Ceux-ci s'opposaient au système de l'Ancien Régime, aussi bien à la réglementation des activités économiques, dans le cadre corporatif, qu'à la limitation de la circulation, par des douanes, extérieures et intérieures.

Pourtant c'est un décret à finalité fiscale, le décret d'Allarde, des 2-17 mars 1791 qui, dans son article 7, édicte : « il sera libre à toute personne de faire tel négoce, ou d'exercer telle profession, art ou métier qu'elle trouvera bon » ; il ajoute aussitôt la condition :

« mais elle sera tenue de se pourvoir auparavant d'une patente, d'en acquitter le prix, suivant les taux ci-après déterminés ». L'État, pressé de besoins financiers, établit un impôt nouveau, la patente, et supprime, en contrepartie, les maîtrises et jurandes, organisations corporatives, dont il fallait faire partie pour exercer un métier de l'artisanat et du commerce.

Selon le rapporteur du comité des contributions publiques, le député d'Allarde, « votre comité a cru qu'il fallait lier l'existence de cet impôt à un grand bienfait pour l'industrie et le commerce, à la suppression des jurandes et maîtrises ».

On a, par la suite, fondé sur ce même texte la liberté du travail en général.

La Déclaration de 1793 contient des termes assez larges, qui couvrent la liberté du travail en général : « nul genre de travail, de culture, de commerce, ne peut être interdit à l'industrie des citoyens » (art. 17).

h) L'égalité

L'égalité est d'abord une caractéristique interne des droits de l'homme. Ces droits sont également attribués à chacun.

C'est aussi un corollaire du principe de légalité. La loi « doit être la même pour tous, soit qu'elle protège, soit qu'elle punisse » (article 6 de la Déclaration de 1789).

La Déclaration de 1793 modifie un peu la perspective, en faisant de l'égalité un droit et, même, le premier des droits (art. 2) et non plus seulement une caractéristique des droits.

Elle ajoute à l'égalité devant la loi l'idée de l'égalité naturelle : « tous les hommes sont égaux par la nature et devant la loi » (art. 3).

En application du principe d'égalité, les révolutionnaires suppriment l'esclavage, par un décret du 16 pluviôse an II, qui « abolit l'esclavage des nègres des colonies ». Il sera rétabli par Napoléon.

On a vu que les révolutionnaires avaient reconnu l'égalité des droits au profit des juifs, des protestants... et des comédiens.

B. LES DROITS DU CITOYEN

La doctrine de la loi, expression de la volonté générale, implique les droits du citoyen. Cela signifie que « tous les citoyens ont le droit de concourir personnellement, ou par leurs représentants à sa formation ». L'affirmation des droits de l'homme est, dès l'origine, intrinsèquement liée à celle des droits du citoyen.

Une définition large du citoyen est adoptée. Selon la Constitution de 1791, sont citoyens, non seulement ceux qui sont nés en France, d'un père français ou d'un père étranger, ou sont nés à l'étranger d'un père français, mais ceux qui, nés à l'étranger, de parents étrangers, résident en France depuis cinq ans et y travaillent ou ont acquis des immeubles ou ont épousé une Française. La Constitution de 1793 retient une définition encore plus large. Une année de résidence en France suffit. Et d'autres titres sont admis : devient citoyen celui qui adopte un enfant ou nourrit un vieillard ou « tout étranger qui sera jugé, par le Corps législatif, avoir bien mérité de l'humanité ».

Deux conceptions se sont succédé. La Déclaration de 1789 et la Constitution de 1791 affirment le principe de la souveraineté nationale (la souveraineté « appartient à la nation »), tandis que, selon la Constitution de 1793, la souveraineté « réside dans le peuple ». On a pu dire que la théorie de la souveraineté nationale conduisait à constituer « la souveraineté du pouvoir politique » (7), à l'encontre de ce que souhaitait Sieyès, qui voulait limiter le pouvoir politique. La Constitution de 1791 se dit représentative. Les représentants expriment, seuls, la volonté générale. La Constitution de 1793, jamais appliquée, limite, elle, le pouvoir du corps législatif. Il « propose » seulement la loi, dont l'adoption est subordonnée à l'absence de « réclamation » d'une majorité d'assemblées primaires des départements.

À cette diversité de définitions de la souveraineté correspondit une diversité de définitions du corps électoral. La Constitution de 1791 permettait à tous les citoyens d'élire des officiers municipaux, chargés de gérer les affaires particulières de la commune, mais réservait aux citoyens « actifs » la participation à l'élection (à deux degrés) des représentants au Corps législatif. Pour être citoyen actif, il fallait avoir payé une contribution directe, au moins égale à la valeur de trois journées de travail. Les citoyens actifs élisaient des électeurs, qui devaient être propriétaire, usufruitier ou locataire d'un bien ou d'une habitation d'une valeur variant entre 100 et 400 journées de travail.

Après le 10 août 1792, la Convention est élue quasiment au suffrage universel, les femmes et les domestiques restant seuls exclus du suffrage. La Constitution de 1793 institutionnalise le suffrage universel masculin.

Le principe de l'élection est appliqué de façon large par les révolutionnaires. On a vu que les juges étaient également élus.

Tous les citoyens sont également admissibles « à toutes dignités, places et emplois publics selon leur capacité et sans autre distinction que celle de leurs vertus et de leurs talents » (article 6 de la Déclara-

---

(7) C. Clavreul, « Sieyès et la genèse de la représentation moderne », *Droits,* nº 6, 1987, p. 45.

tion de 1789). Il s'agit à la fois d'une conséquence du principe d'égalité et d'un droit du citoyen, qui s'affirme par opposition à la division en ordres et aux privilèges qui marquaient l'Ancien Régime.

L'ensemble des garanties des droits que nous avons vues sont des droits du citoyen, qu'il s'agisse du contrôle exercé sur les actes des agents publics ou de la résistance à l'oppression. En effet, ce sont des garanties relatives à l'exercice du pouvoir. On peut encore noter ici le droit de pétition garanti par la Constitution de 1791, comme la « liberté d'adresser aux autorités constituées des pétitions signées individuellement » et qui même ne peut être limité, selon la Déclaration de 1793 (article 32). Il a pourtant été limité par la Constitution de l'an III, en réaction à son usage à l'époque de la Convention.

C. LES DROITS SOCIAUX

On a noté que la Déclaration de 1789 ne mentionnait pas de tels droits. Mais la Constitution de 1791 prévoit la création d'institutions destinées à l'aide sociale et à l'instruction publique. « Il sera créé et organisé un établissement général de secours publics, pour élever les enfants abandonnés, soulager les pauvres infirmes, et fournir du travail aux pauvres valides qui n'auraient pu s'en procurer. Il sera créé et organisé une instruction publique commune à tous les citoyens, gratuite à l'égard des parties d'enseignement communes à tous les hommes... ». C'est l'apparition des droits-prestations. L'État « organise » les secours à l'égard des plus défavorisés et l'instruction de tous. Plus exactement, ces actions ne sont exprimées sous forme de droits, droits-créances, qu'avec la Constitution de 1793 : « Les secours publics sont une *dette* sacrée. La société *doit* la subsistance aux citoyens malheureux, soit en leur procurant du travail, soit en assurant les moyens d'exister à ceux qui sont hors d'état de travailler. »

C'est la première formulation du droit au travail et de l'alternative qu'il constitue avec le droit aux secours.

CHAPITRE 2
LE XIXᵉ SIÈCLE

Le XIXᵉ siècle s'entend ici comme la période qui va de 1799, année de l'avènement de Bonaparte comme Premier consul, à 1914. C'est la période d'installation des institutions libérales contemporaines. Pourtant, les libertés ont une existence cahotée au cours de ce siècle. Entre la répression et les revendications, apparaît un compromis, celui de la IIIᵉ République.

La répression

Elle a été institutionnalisée sous le Premier et le Second Empire. On a pu dire que sous le règne de Napoléon 1ᵉʳ (1799-1814), la France était « militaire jusque dans ses moelles » (1). En 1810, un décret sur les prisons d'État rétablit les lettres de cachet. De simples soupçons permettent à l'exécutif, en l'absence de toute procédure judiciaire, d'emprisonner un individu. Une « commission sénatoriale de la liberté individuelle » ne limite aucunement l'arbitraire. Selon son président, « la commission a considéré que, si la liberté individuelle est le premier besoin des hommes en société, la sûreté de l'État est le premier besoin des gouvernements ». Elle se borne à transmettre au ministre de la police les plaintes des détenus et à s'informer des causes de leur détention.

Le Sénat conservateur ne se résout à considérer que Napoléon a violé les lois sur les libertés, avant de prononcer sa déchéance, que le 3 avril 1814, après la capitulation de Paris et l'arrivée du tsar et du roi de Prusse.

Une institution a survécu à cette époque : le Code d'instruction criminelle.

Napoléon III (1851-1870) a été élu, puis plébiscité, au nom de l'ordre, contre l'anarchie que représentait, aux yeux de ses électeurs, la République. Le coup d'État du 2 décembre 1851 est suivi aussitôt

---

(1) M. Bonot, *La liberté individuelle et les mesures d'exception sous le second Empire*, thèse, Paris, 1908.

par la création de commissions mixtes (préfet, commandant militaire, procureur) qui, à huis clos, sans témoins, sans défenseur, sans appel, décident la « transportation » à Cayenne ou en Algérie, l'expulsion ou l'internement, de plus de 26 000 personnes. La presse est soumise au régime de la « compression », c'est-à-dire de la censure. Là encore, le Sénat « gardien des libertés publiques » selon la Constitution est un gardien très peu vigilant.

Si des régimes ont été caractérisés par la répression, on a assisté, de façon quasi périodique, sous les Républiques même, à la répression armée de soulèvements populaires.

Le maréchal Soult est chargé de réprimer la révolte des canuts de Lyon en 1831. Des barricades élevées par des républicains à Paris, en 1834, provoquent le « massacre de la rue Transnonain », perpétré par la troupe commandée par le général Bugeaud, sur ordre de Thiers, ministre de l'Intérieur. À la suite de la fermeture des Ateliers nationaux, la révolte de juin 1848 provoque une répression militaire commandée par le général Cavaignac. Plus de 1 500 insurgés sont tués. Plus de 15 000 personnes sont arrêtées à Paris, 4 000 transportées en Algérie. La Commune, soulèvement de Paris, à la suite de la défaite infligée par les Prussiens, est écrasée en mai 1871 par Thiers, chef du gouvernement. L'autorité militaire fait état de 17 000 tués dans Paris même, et de 38 000 arrestations. Les Conseils de guerre prononcent plus de 13 000 condamnations, dont 8 000 déportations en Nouvelle-Calédonie.

Les revendications

Elles jalonnent l'histoire du XIXᵉ siècle. Elles prennent des formes qui ne sont pas toujours violentes. Les revendications libérales sont modérées. Pour P.-F. Moreau, au XIXᵉ siècle après l'essor de la pensée libérale du XVIIIᵉ siècle, « le libéralisme, lui, arrive quand tout est fini, il a donc peu à démontrer ; plutôt à tracer des limites » (2). De nouvelles revendications se font jour. Ce sont les revendications sociales d'une nouvelle classe, celle des ouvriers ou prolétaires, exprimées par des théoriciens socialistes ou utopistes.

Les formes des revendications peuvent ainsi différer. Il y a ce qu'on peut appeler la revendication de forme parlementaire. La Révolution a amené l'institutionnalisation d'un Parlement, qui procède plus ou moins de l'élection, qui existe même dans les régimes les plus autoritaires, mais qui n'a pas de grands pouvoirs. Dès lors, les parlementaires revendiquent le pouvoir, qui doit se traduire par un contrôle de l'exécutif, c'est-à-dire un régime parlementaire. Cette revendication s'exprime par des discours à la Chambre reproduits

(2) P. F. Moreau, *Les racines du libéralisme*, Seuil, 1978.

dans *Le Moniteur*, des « interpellations » du gouvernement, des « adresses » en réponse au discours du trône (les débats sur l'adresse ont pu durer jusqu'à un mois), ou la discussion de pétitions présentées par des particuliers dans les Assemblées, pétitions visant des actes de l'administration. Les députés trouvent également une tribune dans la presse, qui se développe considérablement au cours du siècle et constitue largement une presse d'opposition. À la fin du second Empire, le tirage global de la presse quotidienne approche le million.

Faute de liberté d'association, des sociétés secrètes se créent ; elles fomentent éventuellement des complots, comme la Charbonnerie, sous la Restauration, la Société des droits de l'homme, la Société des saisons, sous la monarchie de Juillet. Une forme originale de manifestation, la campagne des banquets, entraîne la chute de la monarchie de Juillet.

Moins bourgeoises que les banquets sont les manifestations qui ont lieu lors de l'enterrement d'un étudiant libéral, Lallemand, tué par la garde royale, en 1820, ou bien lors de l'adoption des lois de septembre 1835, limitant la liberté de la presse, ou encore lors de l'enterrement du journaliste Victor Noir, tué par un cousin de Napoléon III, en février 1870. Des barricades, dressées par des insurgés, marquent les révoltes populaires.

L'exigence libérale a été suffisamment forte pour avoir entraîné la chute de Charles X. C'est la suspension du « régime constitutionnel » par quatre ordonnances du 25 juillet 1830 (suspension de la liberté de la presse, dissolution de la Chambre avant qu'elle eût siégé, et donc, atteinte aux droits de la Chambre, suppression du droit de vote des patentés, c'est-à-dire des commerçants et industriels) qui provoque le soulèvement des journées des 27, 28, 29 juillet 1830, appelées les Trois Glorieuses. Celles-ci conduisent au départ de Charles X et à l'avènement de Louis-Philippe.

Protéiforme, la revendication n'aboutit longtemps qu'à des succès éphémères. Le régime parlementaire, plus ou moins établi sous la monarchie de Juillet, ne survit pas à celle-ci. Les droits nouveaux, affirmés par la IIᵉ République, sont aussitôt remis en question. La loi du 31 mai 1850 limite le suffrage universel. La loi du 16 juillet 1850 limite la liberté de la presse. Il faut attendre la IIIᵉ République pour aboutir à un compromis stable, compromis entre l'ordre et la liberté, compromis qui privilégie le centre aux dépens des extrêmes, qu'ils soient communards, anarchistes ou royalistes. C'est enfin le triomphe du régime parlementaire et l'adoption des fameuses lois libérales.

Le compromis, qui a permis la reconnaissance de certaines libertés, s'est d'abord fait sous la forme du régime constitutionnel.

Section 1 Le régime libéral

Le régime libéral est fait de limites. Benjamin Constant souhaite même limiter la souveraineté du peuple, pour limiter son pouvoir. Il fonde la liberté sur la limitation et s'oppose ainsi à Rousseau. Si les révolutionnaires voulaient prendre le pouvoir, les libéraux du XIXe siècle veulent le limiter.

Les libéraux veulent, bien sûr, d'abord limiter le pouvoir de l'exécutif, c'est-à-dire, au début du XIXe siècle, du roi. Mais ils veulent aussi poser des limites à l'exercice même des libertés.

§ 1. LIMITATION DE L'EXÉCUTIF

C'est la continuation même de l'esprit de la Révolution, opposée à la monarchie absolue. C'est aussi une réaction aux régimes autoritaires qu'a connus le XIXe siècle même, c'est-à-dire aux deux périodes napoléoniennes.

Deux moyens sont envisagés pour limiter le pouvoir de l'exécutif : la Constitution et le Parlement.

a) La Constitution

Un régime constitutionnel est, dans l'esprit du XVIIIe siècle, incarné par les révolutions américaine et française, un régime libéral, c'est-à-dire un régime qui pose des limites à l'exercice du pouvoir.

Ces limites tiennent à l'organisation des pouvoirs et à l'inscription dans les Chartes de 1814 et de 1830 d'un « droit public des Français », composé de douze articles dans la Charte de 1814, onze, dans celle de 1830, qui constitue une sorte de Déclaration des droits. La Constitution de 1848 contient un chapitre II, intitulé : « droits des citoyens garantis par la Constitution ».

Sous la Restauration, les « constitutionnels » ont pour programme l'application de la Charte de 1814, qui doit limiter le pouvoir du roi. Ils s'opposent aux « ultras », pour lesquels toute constitution est un régicide.

C'est parce qu'il s'oppose au régime constitutionnel que Charles X est renversé. Ses ministres, signataires des ordonnances du 25 juillet 1830, seront jugés, en application de la Charte, pour avoir commis le crime de trahison, prévu par l'article 56 de la Charte.

Ce sont les droits du Parlement que Charles X a bafoués.

b) Le Parlement

Les libéraux veulent rendre le Parlement indépendant du Gouvernement et le Gouvernement dépendant du Parlement.

1. Le Parlement indépendant du Gouvernement

La « réforme parlementaire » est revendiquée tout au long de la monarchie de Juillet. Les libéraux veulent établir une incompatibilité entre le mandat de député et la qualité de fonctionnaire, car les fonctionnaires sont soumis aux ordres du Gouvernement qui les nomme. Le refus de cette réforme, ainsi que de la réforme électorale, par Louis-Philippe, entraîne sa chute, à l'issue de la campagne des banquets.

2. Le Gouvernement dépendant du Parlement

Le régime parlementaire ne sera vraiment établi qu'avec la IIIᵉ République. Il aura connu tout au long du XIXᵉ siècle des vicissitudes.

Sous la Restauration, il n'y avait pas véritablement de responsabilité politique des ministres devant le Parlement, même s'ils étaient responsables selon la Charte. On pensait plus à une responsabilité pénale, sur le modèle anglais de l'« impeachment ».

Sous la monarchie de Juillet, on a pu dire que le tiers des départs ministériels fut provoqué directement par le Parlement ; les autres le furent par le roi. Louis-Philippe voulait gouverner lui-même et usa de nombreuses prérogatives vis-à-vis des chambres, telles que les fournées de pairs, la convocation et la clôture des sessions, la dissolution, systématiquement avant la fin de la législature, de la Chambre des députés. C'est le régime parlementaire orléaniste ou dualiste.

La IIᵉ République abandonna le principe du régime parlementaire, en instituant une séparation des pouvoirs législatif et exécutif. Mais ce fut rapidement un échec, l'exécutif, le prince-président Louis-Napoléon Bonaparte s'attribuant la totalité du pouvoir.

Selon la Constitution du 14 janvier 1852, les ministres ne dépendent que du Président. À la fin du second Empire renaît la revendication d'un régime parlementaire. Dans son célèbre discours sur « les libertés nécessaires », en 1864, Thiers, ancien ministre de la monarchie de Juillet, opposant à Napoléon III, fait du pouvoir du Parlement, selon le modèle anglais, la pierre angulaire du régime libéral. Outre l'abolition de la loi de sûreté générale, qui frappe les opposants politiques, et la liberté de la presse, il réclame la liberté électorale, c'est-à-dire l'abandon du système de la candidature officielle, et donc la véritable autonomie des députés, la liberté de la représentation nationale, c'est-à-dire le droit d'interpellation du Gouvernement par les députés, et la liberté pour la majorité de diriger la marche du Gouvernement.

L'Empire ne devient « libéral » ou « parlementaire », les deux termes étant bien synonymes, qu'avec le ministère Émile Ollivier du 2 janvier 1870, conforme à la majorité issue des élections de mai 1869, qui ont exprimé la montée de l'opposition à l'Empereur.

Les constituants de la IIIe République sont, par avance, acquis à un régime parlementaire. Mais, au début, la plupart sont royalistes et favorables à un régime parlementaire dualiste. Mac-Mahon est mis en place comme Président de la République, pour conserver une place qu'il doit être prêt à céder à un roi. Mais la crise du 16 mai 1877 retire tout pouvoir au chef de l'État. La victoire électorale des républicains, dirigés par Gambetta, oblige Mac-Mahon à « se soumettre », c'est-à-dire à prendre un gouvernement dans la majorité parlementaire, puis à « se démettre », à la suite d'un conflit avec le gouvernement. Il cède la place à un nouveau Président de la République, Jules Grévy. Le droit de dissolution ne sera plus utilisé sous la IIIe République. C'est ce qu'on a appelé la Constitution Grévy. Seules les chambres font et défont les ministères. Le Parlement a triomphé.

C'est aussi le triomphe du radicalisme, c'est-à-dire d'une certaine conception des libertés, qui tend à les limiter, au nom de l'ordre.

§2. LIMITATION DES LIBERTÉS

Les constituants révolutionnaires limitaient la liberté par la liberté. « La liberté consiste à pouvoir faire tout ce qui ne nuit pas à autrui : ainsi l'exercice des droits naturels de chaque homme n'a de bornes que celles qui assurent aux autres membres de la société la jouissance de ces mêmes droits » (article 4 de la Déclaration de 1789).

En même temps qu'ils réclament la liberté contre les régimes autoritaires, les libéraux du XIXe siècle sont inquiets de la montée des mouvements populaires. Le socialisme leur fait peur. Pour Édouard Laboulaye, auteur, en 1863, d'un ouvrage sur « le parti libéral, son programme et son avenir », le libéralisme doit être « le vaccin du communisme, du socialisme, du jacobinisme et de tous les fléaux en isme qui nous affligent depuis soixante-dix ans ».

Les libéraux confisquent les journées de Juillet 1830. Ils répriment les émeutes provoquées par la fermeture des Ateliers nationaux en juin 1848. Thiers, symbole du libéralisme orléaniste, mène la répression de la Commune en 1871. Les libéraux veulent associer liberté et ordre. La pensée libérale même est sur la défensive. Tocqueville, dans *De la Démocratie en Amérique* (1835-1840), redoute par-dessus tout l'anarchie, à laquelle mène la passion de l'égalité, selon lui. Édouard Laboulaye expose : « Quand donc comprendrons-nous que le pouvoir et la liberté ne sont pas deux ennemis, que chacun a son domaine et son règne à part et qu'en rentrant chacun dans ses limites, la liberté enrichit et fortifie le pouvoir, le pouvoir assure et fortifie la liberté. » Alain (1868-1951) reprendra en écho : « La liberté ne va pas sans l'ordre, l'ordre ne va pas sans la liberté. »

Cet ordre correspond à un souci d'inégalité. Benjamin Constant refuse l'attribution de droits politiques à la « classe laborieuse ». Certes, elle a « le courage de mourir pour son pays », mais seule la propriété rend capable de bien connaître ses intérêts. Pour Guizot, l'inégalité est une loi naturelle.

L'ensemble même des libertés est marqué par l'idée qu'il y a deux catégories d'hommes, les « honnêtes hommes » et les « misérables ». Par exemple, l'emprisonnement individuel est prévu par la loi du 5 juin 1875 : il vise à éviter tout contact entre un « honnête homme », « jeté par une erreur de police pour quelques jours en prison », et des « misérables », qui pourraient le « traiter de camarade ». Le droit est là pour tracer la limite entre les uns et les autres.

Les libéraux ne sont pas nécessairement démocrates et encore moins socialistes ; ils se crispent sur les privilèges que constituent les droits politiques, mais ils ne pourront les retenir. L'évolution se fera dans le sens de l'attribution à tous des droits politiques. À la fin du XIXᵉ siècle, tous les hommes participent par leurs représentants à l'élaboration de la loi.

Mais la notion d'ordre restera et elle sera développée, éventuellement pour aller contre la loi, par le juge.

Il restera une autre limitation, celle des libertés dans le temps, fondée sur l'idée qu'il y a une dualité droit commun/exception. D'abord chaque accident politique sécrète sa législation d'exception. Ainsi l'assassinat du duc de Berry, en 1820, entraîne le rétablissement de la censure et la suppression des garanties pour l'arrestation. Le ministre de l'Intérieur explique alors que la nécessité exige l'abandon du droit commun, qu'elle exige l'arbitraire, la légalité n'étant faite que pour les temps ordinaires. Il y aura donc, pour les temps ordinaires, les garanties des libertés, telles que l'indépendance de la magistrature, les garanties judiciaires, la liberté de la presse et, pour les temps extraordinaires, la suppression des garanties. La définition de la nécessité publique exceptionnelle est elle-même éminemment arbitraire.

La législation d'exception peut être institutionnalisée. C'est l'état de siège prévu par la loi du 9 août 1849, après une manifestation du 13 juin 1849, contre l'intervention militaire française à Rome en faveur du pouvoir temporel du pape. L'état de siège peut être déclaré, non seulement en cas de guerre étrangère, mais en cas de guerre civile, « péril imminent pour la sécurité intérieure », selon la loi de 1849, « insurrection à main armée », selon la loi du 3 avril 1878, qui y apporte des modifications. En principe, sa déclaration est de la compétence du Parlement, sauf s'il n'est pas en session. L'autorité militaire se substitue à l'autorité civile dans l'exercice des pouvoirs de police générale. Les tribunaux militaires deviennent compétents pour les crimes et délits contre la sûreté de l'État. « La jouissance de certains droits est suspendue » : la liberté du domicile, la liberté de la presse et la liberté de réunion sont concernées. L'autorité militaire a le droit :

1) de faire des perquisitions de jour et de nuit dans le domicile des citoyens,

2) d'éloigner les repris de justice et les individus qui n'ont pas leur domicile dans les lieux soumis à l'état de siège,

3) d'ordonner la remise des armes et munitions et de procéder à leur recherche et à leur enlèvement,

4) d'interdire les publications et les réunions qu'elle juge de nature à exciter ou à entretenir le désordre.

Section 2 La conquête des libertés

On peut, à la fin du XIXe siècle, dresser une liste des libertés publiques, qui ne bougera quasiment plus. C'est une sorte de catalogue standard des libertés publiques dans une démocratie libérale.

Benjamin Constant oppose la liberté des Anciens à celle des Modernes. La liberté des Anciens fut l'exercice par les Grecs de la démocratie directe ; la liberté moderne est la liberté individuelle. Il peut être considéré comme prophétique, quand il emploie l'expression de « vie privée » et qu'il en fait même la propriété de tout citoyen (sur la « privatisation » des libertés et sa critique, cf. B. Farago). Mais c'est à la conquête des libertés politiques, des libertés liées à l'action politique, que se lance le XIXe siècle. La liberté individuelle, telle que nous l'avons vue définie dans les déclarations révolutionnaires, ne connaît pas de réels progrès. La notion juridique de liberté individuelle subit plutôt des altérations.

Les libertés religieuses ne sont pas conçues comme des libertés individuelles, libertés de la vie privée, mais comme des « libertés sociales », puisque l'enjeu essentiel est la liberté de l'enseignement.

Des libertés sociales se détachent ce qu'on appelle aujourd'hui les droits sociaux.

§ 1. LES LIBERTÉS POLITIQUES

On a vu que les libéraux se sont battus pour que le Parlement domine la scène politique. C'est ce qu'ils ont aussi appelé le régime représentatif. La possibilité d'intervenir dans le débat politique ne s'est pas limitée au droit de vote. Un ensemble de libertés publiques a été conçu comme des libertés politiques, qui devait permettre une expression politique. De façon plus évidente encore, elles ont été perçues comme telles par le pouvoir, qui, pour cette raison-là, a tenté de les limiter, voire de s'opposer à leur existence.

A. LE DROIT DE VOTE

Le XIXe siècle, après être revenu sur le suffrage universel révolutionnaire, le consacre, mais celui-ci ne devient libre, véritablement, qu'à la fin du siècle. De plus, son champ d'application, des fonctions nationales, aux fonctions locales, est également soumis à des variations.

a) Le suffrage universel masculin

La Convention avait déjà institué le suffrage universel. Napoléon le priva de portée, par deux moyens. D'une part, en application de la Constitution de l'an VIII, les électeurs ne procédaient pas véritablement à des élections. Ils établissaient des listes de confiance à plusieurs degrés : listes de confiance communales, composées d'un dixième des citoyens ; listes de confiance départementales, établies par les citoyens inscrits sur les listes communales, composées d'un dixième des leurs ; liste de confiance nationale, établie par les citoyens inscrits sur les listes départementales, composée d'un dixième des leurs. Et c'était le Sénat, nommé par les Consuls, puis par cooptation, qui choisissait sur ces listes les membres du Corps législatif et du Tribunat.

D'autre part, les assemblées ne possédaient pas véritablement le pouvoir législatif. Le Tribunat discutait et ne votait pas, le Corps législatif votait et ne discutait pas.

Avec la Restauration, le suffrage devint censitaire. Il n'y eut plus que 90 000 électeurs et 15 000 éligibles. De plus, la loi du 29 juin 1820 instaura le double vote pour les électeurs les plus imposés. Ceux-ci votaient deux fois pour l'élection des députés. La lutte des propriétaires fonciers contre les commerçants et industriels aboutit à une des ordonnances du 25 juillet 1830, qui ne retint, pour le calcul du cens, que l'impôt foncier.

La monarchie de Juillet conserva le principe du régime censitaire, en abaissant seulement le cens, doublant le corps électoral.

Ce ne fut que par décret du 5 mars 1848 que le Gouvernement provisoire de la IIe République prévit que les élections à l'Assemblée constituante se feraient au suffrage direct et universel, ce que confirma l'article 24 de la Constitution du 4 novembre 1848. Mais la loi du 31 mai 1850 réduisit le corps électoral de près d'un tiers, « le nombre d'électeurs passant, en gros, de 9 600 000 à 6 800 000 » (3). Pour aboutir à ce résultat, elle posait une nouvelle condition pour être électeur : avoir un domicile dans une commune depuis trois ans au moins. Thiers expliqua que la loi voulait éloigner la « multitude de vagabonds », la « vile multitude », « la partie dangereuse des grandes populations agglomérées ». C'était un retour à une sorte de suffrage censitaire, que l'opposition de gauche dénonça, comme contraire à la Constitution.

Le Second Empire ne revint pas officiellement sur le principe du suffrage universel. Au contraire, Napoléon III se présenta comme l'élu du peuple, responsable devant lui. Comme Napoléon Ier, il utilisa le plébiscite, pour l'approbation des réformes constitutionnelles... après que toute opposition eut été muselée. Pour les élections législatives, le suffrage universel fut canalisé, grâce au système de la candidature officielle. Le candidat officiel, soutenu par l'administration, a droit à l'affiche blanche, couleur des communications officielles ; tous les fonctionnaires, le préfet en tête, font campagne pour lui et infligent, aux éventuels opposants, des tracasseries administratives et judiciaires.

L'élection de l'Assemblée nationale le 8 février 1871 se fit en application de la loi électorale de 1849. La IIIe République adoptait le suffrage universel, tel qu'il avait été proclamé par la IIe République, à ses débuts.

b) Les élections locales

Pour les auteurs du XIXe siècle, il était clair que la décentralisation était l'expression d'une liberté politique. La Révolution avait généralisé l'élection pour les fonctions locales. Napoléon, par la loi du 28 pluviôse an VIII, adopte le parti inverse. Tous les fonctionnaires locaux, aussi bien les préfets que les conseillers de préfecture ou les maires, sont nommés par le Premier consul. Le préfet nomme les conseillers municipaux et les maires des villes de moins de 5 000 habitants.

C'est la monarchie de Juillet qui amorce le renouveau du mouvement décentralisateur. La loi du 21 mars 1831 prévoit l'élection des conseillers municipaux, la loi du 22 juin 1833, celle des conseillers généraux. Les maires sont toujours nommés, mais choisis au sein du conseil municipal.

---

(3) M. Agulhon, *1848 ou l'apprentissage de la République, 1848-1852*, Seuil, Points, 1973.

La IIᵉ République organise l'élection des maires des communes de moins de six mille habitants.

Le Second Empire rétablit la nomination discrétionnaire des maires par le gouvernement.

La IIIᵉ République revient à l'élection des maires, avec une loi du 28 mars 1882.

B. LA LIBERTÉ DE LA PRESSE

Il faut attendre la loi du 29 juillet 1881, pour que la liberté de la presse, dans le sens que lui donnent les combats du XIXᵉ siècle, soit véritablement reconnue. Il s'agit bien de combats, pour l'opposition, comme pour les gouvernements successifs. La presse est, au XIXᵉ siècle, considérée comme un moyen de lutter contre le pouvoir, et la liberté est l'absence d'entraves apportées par le pouvoir politique. Le pouvoir craint la presse. Pour le gouvernement Polignac, dans son rapport au roi précédant l'ordonnance du 25 juillet 1830, « à toutes les époques, la presse périodique n'a été, et il est dans sa nature de n'être, qu'un instrument de désordre et de sédition ». Rouher, ministre d'État, en réponse à Thiers, en 1864, dit la même chose : les journaux « jettent le désordre et la perturbation ».

Il est vrai que la presse a pu avoir un rôle politique. On a écrit que *Le National* avait promu la Révolution de 1830 et « inventé » la solution orléaniste (4).

La liberté de la presse est un enjeu essentiel. Après la crise de 1830, elle est la cause indirecte de la dernière crise institutionnelle du XIXᵉ siècle, celle du 16 mai 1877. La crise fut ouverte parce que Mac-Mahon, tenant de l'ordre moral, reprocha à Jules Simon de ne pas s'être opposé à un accroissement de la liberté de la presse, qui était, en l'espèce, une augmentation de la compétence du jury. La compétence du jury, c'est-à-dire de la Cour d'assises, faisait partie des exigences libérales du XIXᵉ siècle.

À la presse périodique est lié le sort des écrits en général et donc la « police de la presse » concerne aussi l'imprimerie, la librairie et la vente des ouvrages et périodiques. Il est, au XIXᵉ siècle, un autre moyen d'expression que les gouvernants craignent : le théâtre. Comme la presse, il est soumis à un contrôle. On a vu que la Révolution avait posé le principe du régime répressif, par opposition au régime préventif, en matière de presse. Tout au long du XIXᵉ siècle,

_____

(4) M. Deslandres, *Histoire constitutionnelle de la France, 1, de 1789 à 1870*, A. Colin/Sirey, 1932-1937, p. 150.

les gouvernements voulurent un régime préventif, auquel ils furent obligés, finalement, de renoncer.

a) Le régime préventif

Toutes les techniques du régime préventif furent employées par les gouvernements du XIXe siècle. Elles peuvent toucher à l'existence des journaux ou périodiques ou à leur contenu.

1. L'existence

La solution la plus radicale fut expérimentée à la fin du Premier Empire. Il n'y eut plus de journaux privés. La propriété de tous les journaux fut transférée à l'État, par les décrets des 18 août et 17 septembre 1811. Napoléon fut peut-être aussi l'inventeur de la notion de propagande. Déjà, depuis le décret du 3 août 1810, il avait placé les journaux sous l'autorité des préfets.

L'autorisation préalable constitue une technique plus sélective. Elle subordonne toute création de journal au pouvoir discrétionnaire de l'autorité administrative. Le premier projet de loi présenté à la Chambre des députés sous la Restauration institue l'obligation d'autorisation préalable pour les journaux et écrits périodiques. Ce fut la loi du 21 octobre 1814, alors que la Charte prévoyait que les lois ne pourraient que « réprimer » les abus de la liberté de la presse. Les opposants firent donc valoir l'inconstitutionnalité de cette mesure, car elle était préventive, et non répressive.

2. Le contenu

La loi du 21 octobre 1814 institue aussi la censure préalable pour les écrits de moins de 30 feuilles.

La censure fut établie, de façon non pas permanente, mais cyclique, sous la Restauration, dès qu'un événement causait au régime des inquiétudes sur sa pérennité. Ce fut le cas, en mars 1820, après l'assassinat du duc de Berry, héritier du trône, entre août et septembre 1824, alors que Louis XVIII était près de mourir et, enfin, en juillet 1830.

La Charte de 1830 prévoit que « la censure ne pourra jamais être rétablie ». Mais, dès septembre 1835, est instituée la censure des dessins et caricatures. Louis-Philippe avait été choqué d'être transformé en poire par le caricaturiste Philipon, dans le journal *Le Charivari*.

La saisie administrative correspond au même but que la censure. Il s'agit de saisir des ouvrages ou périodiques, pour empêcher leur diffusion. Napoléon fit saisir l'ouvrage de Mme de Staâl, *De l'Allemagne*. La saisie des ouvrages est également prévue sous la Restauration, comme sanction du non-respect de formalités administratives ou « si l'ouvrage est déféré aux tribunaux pour son contenu ».

Le Second Empire pratiqua un système préventif original, celui des avertissements. Un journal pouvait être suspendu par décision ministérielle, après deux avertissements « motivés » (décret du 17 février 1852). Il pouvait aussi être supprimé, par décret, après une suspension, ou par « mesure de sûreté générale ». La presse fut ainsi étroitement surveillée. Ce fut ce qu'on a appelé la compression.

Des *contraintes financières* se sont combinées avec les techniques juridiques. Le décret du 17 février 1852, sur la presse, consacre son titre I au cautionnement, son titre II, au timbre. Le cautionnement est une somme qu'il faut consigner pour pouvoir publier un journal. On a pu dire qu'il jouait le même rôle que le cens électoral, réservant à un petit nombre la publication de journaux. Établi sous la Restauration, par la loi du 9 juin 1819, il a été justifié, comme étant la garantie du paiement d'éventuelles amendes.

De plus, les journaux devaient acquitter un impôt spécifique, le droit de timbre, qui fut tellement lourd que le tirage des journaux décrut sous la monarchie de Juillet. Le Gouvernement provisoire de la IIe République le supprima, en mars 1848, mais une loi du 16 juillet 1850 le rétablit. Le Gouvernement provisoire de la IIIe République le supprima, à nouveau, en 1870, cette fois définitivement.

Imprimerie et librairie

Le régime préventif s'appliqua aussi à l'exercice des professions d'imprimeur et de libraire. La loi du 21 octobre 1814, après avoir traité, dans son titre I, de la publication des ouvrages, consacre son titre II à « la police de la presse ». Elle soumet l'exercice de la profession d'imprimeur ou de libraire à l'obtention d'un brevet délivré par le roi. C'était la continuation du système impérial. Toute impression d'écrit était soumise à déclaration et dépôt préalable à la Direction générale de la Librairie. Cette exigence s'appliqua jusqu'en 1870.

Affichage et vente

La loi du 10 décembre 1830 interdit les affiches politiques. La loi du 16 juillet 1850 limite la liberté aux vingt jours qui précèdent les élections.

La loi du 29 juillet 1881 prévoit la possibilité d'interdire en France la circulation des journaux périodiques publiés à l'étranger.

Pour le reste, cette loi répond enfin à la revendication de tout le XIXe siècle : l'établissement d'un régime répressif.

b) Le régime répressif

Affirmé par l'article 11 de la Déclaration des droits de 1789, il semblait être repris par la Charte de 1814 (article 8), puis par la

Charte de 1830 et la Constitution de 1848. Pourtant, il n'est établi que par la loi du 29 juillet 1881. Les seules publications interdites par la loi le sont pour protéger les justiciables. Il s'agit des actes d'accusation, avant qu'ils aient été lus en audience publique, et des procès en diffamation.

Le régime répressif n'est pas nécessairement la panacée libérale. Les gouvernements du XIXe siècle avaient parfois dû incliner vers lui, mais en le rendant, précisément, répressif. Les revendications libérales ont porté sur quatre points : le libellé des incriminations pénales, l'identité des personnes responsables, une procédure protectrice de la liberté et, surtout, le choix de la juridiction compétente.

1. Les incriminations

La Restauration, avec la loi du 9 novembre 1815, punit non seulement toutes les formes de contestation de l'autorité royale, mais encore des « bruits », tendant à alarmer les citoyens, en ce qui concerne l'inviolabilité des biens nationaux ou un prétendu rétablissement des droits féodaux.

La loi du 17 mars 1822 crée le délit de tendance. C'est « l'esprit » d'un journal ou d'un écrit périodique qui peut être sanctionné. Cet « esprit » résulte d'une succession d'articles « de nature à porter atteinte à la paix publique, à la religion, à l'autorité du roi, aux institutions ou à la tranquille possession des biens nationaux ».

La IIe République crée le délit d'offense envers le Président de la République.

La loi du 29 juillet 1881 supprime le délit d'opinion. Certains députés voulaient que seul le droit commun fût appliqué à la presse et qu'il ne fût pas créé d'incriminations qui lui fussent propres. Pour d'autres, le droit commun ne pouvait convenir, car, à l'époque de la publication du Code pénal de 1810, la notion de presse libre n'existait pas.

La loi du 29 juillet 1881 pose ainsi des limites à la liberté de la presse, limites qui existent toujours, dont l'interprétation a pu varier. On trouve quelques traces de l'opposition entre pouvoir et presse.

On les trouve d'abord dans les délits « contre la chose publique ». Le délit d'outrage envers le Sénat ou la Chambre des députés est supprimé, mais l'offense au Président de la République subsiste. Sont également punis l'offense envers les chefs d'État étrangers et l'outrage public envers les diplomates étrangers. Sont aussi punis la publication de fausses nouvelles ayant troublé la paix publique et l'outrage aux bonnes mœurs.

La provocation aux crimes et délits est punie comme complicité, si elle est suivie d'effets. Elle est punie, même si elle n'est pas suivie d'effets, lorsqu'elle concerne certains crimes : ceux de meurtre, de pillage et d'incendie ou des crimes contre la sûreté de l'État. La provocation des militaires à la désobéissance constitue un délit. La loi du 17 mai 1819 avait puni, comme provocation, les cris séditieux. Il fut soutenu, en 1881, que les cris séditieux étaient un appel à la sédition. À ce titre, ils sont punis, de même que les chants séditieux, dès lors qu'ils sont proférés dans des lieux ou réunions publics.

On trouve ces traces d'opposition dans les délits « contre les personnes » : la diffamation ou les injures. La diffamation est l'allégation ou l'imputation d'un fait, qui porte atteinte à l'honneur ou à la considération d'une personne. La diffamation envers les institutions et les fonctionnaires est plus sévèrement punie que celle commise envers les particuliers. Toutefois, la preuve de la vérité des faits diffamatoires est admise, dans le cas où la diffamation est commise envers les corps constitués et les administrations publiques, alors qu'elle ne l'est pas, quand la diffamation est commise envers des particuliers.

2. Les personnes responsables

La loi de 1881 institue une responsabilité en cascade. En première ligne, c'est le gérant, librement choisi, ou l'éditeur, qui est responsable, puis, à défaut, l'auteur, puis, à défaut, l'imprimeur, et, enfin, les vendeurs, distributeurs ou afficheurs.

3. La procédure

Les délits de presse bénéficient d'une prescription courte de trois mois. Elle est justifiée à la fois par le souci de protéger la liberté et par l'érosion des nouvelles.

Les actes de poursuite et d'instruction sont soumis à un formalisme strict, à peine de nullité.

4. La juridiction

La doctrine libérale veut que ce soit le jury, et donc, la Cour d'assises, qui soit juge des délits commis par voie de presse et non le tribunal correctionnel, normalement compétent en matière de délits.

La justification théorique peut apparaître assez embarrassée. Certains arguments tiennent à la nature du jury. Royer-Collard, lors des débats sur les lois de septembre 1835, mit en avant le caractère « mobile » des délits de presse, qui « réclament un tribunal également mobile, qui, se renouvelant perpétuellement, exprime sans cesse les divers états des esprits et les besoins changeants de la société ». Le rapporteur, à la Chambre des députés, de la loi de 1881, Lisbonne, retient comme « seule mais excellente raison », le « caractère essentiellement démocratique » de cette institution. Cela peut concerner toute répression pénale. Mais, il apparaît que les délits de presse comportent une composante particulière.

Ils sont, au XIXe siècle, des délits politiques, en ce sens qu'ils sont constitués, dès lors qu'est mis en cause le pouvoir politique.

Entrent alors en jeu des arguments tenant à la nature des juges. Le rapporteur de la loi du 15 avril 1871, de Broglie, ne veut pas mêler les magistrats à la politique, pour qu'ils ne puissent être soupçonnés d'être « l'instrument de l'intérêt ou de la passion du gouvernement ». Tout au long du XIXe siècle, chaque nouveau gouvernement a fait en sorte d'avoir des magistrats dévoués, notamment en épurant la magistrature, au moment de son avènement. La Constitution de l'an VIII prévoyait la nomination des juges à vie, avec une « mesure épuratoire » : il fallait qu'ils fussent maintenus sur les listes d'éligibles. Le gouvernement pouvait les en rayer. Le sénatus-consulte du 12 octobre impose aux magistrats un délai de stage de cinq ans, à l'expiration duquel « sa majesté l'Empereur et Roi reconnaît qu'ils méritent d'être maintenus dans leur place ».

La Charte de 1814 prévoit l'inamovibilité des juges nommés par le roi, ce qui permet de révoquer ceux qui ont été nommés auparavant. La monarchie de Juillet les oblige à jurer « fidélité au roi ». Louis-Napoléon impose également un serment de fidélité au président, après la Constitution du 14 janvier 1852, et limite les « abus » de l'inamovibilité, en donnant à la Cour de cassation le pouvoir de prononcer la déchéance des magistrats.

La IIIe République, par la loi du 30 août 1883, supprime, pendant trois mois, l'inamovibilité, pour permettre « l'élimination » de magistrats, dans un objectif officiel de réduction du personnel, en réalité, pour écarter les magistrats anti-républicains.

C'est donc pour les infractions ayant un caractère ou une incidence politique, que la compétence de la Cour d'assises est retenue par le législateur en 1881. Seules en sont exclues des infractions qui ont trait ou à des formalités administratives ou à des relations entre personnes privées. Elles sont de la compétence des tribunaux correctionnels.

La compétence de la Cour d'assises n'avait été concédée que de façon intermittente au cours du XIXe siècle (de 1819 à 1822 ; de 1830 à 1835 ; de 1848 à 1852). Les gouvernants lui préféraient les tribunaux correctionnels, voire des juridictions spéciales, comme les cours prévôtales, en 1815, ou la Chambre des pairs, pour les attentats à la sûreté de l'État, conçus de façon large et comportant notamment l'offense au roi, selon les dispositions d'une des fameuses lois de septembre 1835, après l'attentat de Fieschi.

Mais la compétence de la Cour d'assises fut remise en question par les attentats anarchistes. La loi du 28 juillet 1894 déféra aux tribunaux correctionnels les auteurs de propagande anarchiste, comme auteurs de provocation au vol, au meurtre, au pillage, à l'incendie, et, spécifiquement, de provocation adressée à des militaires. Le problème d'interprétation se posait. La loi fut appliquée, la première fois, à un socialiste, auteur d'un article qui contenait une provocation à l'assassinat du Président de la République, dans le cas où il ne gracierait pas l'anarchiste Vaillant, qui avait lancé une bombe à la Chambre des députés.

Le théâtre

Il fait peur aux gouvernants, qui le soumettent, tout au long du XIXᵉ siècle, à un régime d'autorisation préalable.

Sous le Premier Empire, c'est le théâtre même qui ne peut être établi sans autorisation de l'Empereur ou du préfet. Chaque spectacle est lui-même soumis à autorisation. Ces dispositions sont reprises, par exemple, par la loi du 9 septembre 1835. Le décret du 30 décembre 1852 maintient le système d'autorisation et prévoit qu'elle « pourra toujours être retirée pour des motifs d'ordre public ».

Le Gouvernement provisoire de 1870 supprime la censure. Elle est rétablie, par Mac-Mahon en 1874. La censure ne disparaît qu'en 1906 et sans qu'une disposition législative le précise expressément. Simplement, la loi de finances du 7 juin 1906 ne prévoit pas de crédits pour le traitement des censeurs.

C. LES LIBERTÉS DE RÉUNION ET D'ASSOCIATION

Les régimes du XIXᵉ siècle souffrent, par essence, d'une fragilité, qui les affecte pratiquement dès leur origine. Légitimistes, orléanistes, bonapartistes, républicains, luttent alternativement contre le gouvernement qui ne correspond pas à leurs vues. Pour cela, ils sont constitués en associations, voire en sociétés secrètes. Les gouvernements successifs prennent des mesures pour lutter contre leur influence. Ce sont principalement les associations qui sont combattues, mais les réunions mêmes, de façon générale, finissent par être limitées. La liberté ne sera reconnue qu'avec la IIIᵉ République.

a) Le régime préventif

Le non-respect du régime préventif, par les associations, puis par les réunions, est érigé en délit.

1. Les associations

La répression, organisée par le Code pénal de 1810, est renforcée par la loi du 10 avril 1834. Les articles 291 à 294 du Code pénal exigent une autorisation préalable pour la constitution d'associations de plus de vingt personnes, dont le but est de se réunir à certains jours. La violation de ces dispositions constitue un délit.

Deux conditions sont donc posées, la première, relative à la taille de l'association, la seconde, à la périodicité des réunions.

La loi du 10 avril 1834 aggrave la répression, pour lutter contre les associations républicaines, comme la Société des droits de l'homme, qui réclamaient le suffrage universel et la fin des inégalités sociales. Au moment même où la loi est votée à la Chambre des pairs, l'armée occupe les rues de Lyon et lutte contre les mutuellistes, qui avaient protesté, par la suspension générale du travail, contre la réduction du prix de façon des peluches.

L'aggravation porte sur quatre points. Le champ d'application de l'autorisation est étendu. Elle est nécessaire, même si les associations sont partagées en sections de moins de vingt membres et même si elles ne se réunissent pas « à des jours marqués ». La compétence pour le jugement du délit de constitution d'association illicite est transférée aux tribunaux correctionnels. Selon l'opposition, c'est une violation de la Charte, qui promettait « l'application du jury aux délits de la presse et aux délits politiques ». La loi du 8 octobre 1830 avait prévu la compétence de la Cour d'assises pour les associations et réunions illicites, au titre de délits politiques. Les peines sont aggravées. Ce peut être désormais non seulement une amende, mais un emprisonnement de deux mois à un an. Enfin, ce ne sont plus les chefs seuls qui peuvent être condamnés, mais tous les membres d'une association illicite, et, même, ceux qui ont prêté ou loué leur maison ou leur appartement pour une réunion.

2. Les réunions

On discuta, sous la monarchie de Juillet, de la possibilité d'appliquer la loi du 10 avril 1834 aux réunions. D'un côté, face à la vigueur de l'opposition, le gouvernement se défendait de vouloir porter atteinte à la liberté de réunion. De l'autre, il souhaitait surveiller toutes les réunions politiques.

La question se posa lors de la campagne des banquets. En 1847, les gauches voulurent créer un mouvement d'opinion populaire et y mirent « de la méthode » (5), prenant exemple sur les Anglais, dont Cobden avait exposé, à Paris, en 1846, le système, fondé sur des pétitions et des réunions. Soixante-dix banquets réunirent plusieurs milliers de convives, réformistes, radicaux, socialistes. Guizot interdit, le 14 janvier 1848, un banquet projeté dans le XIIe arrondissement de Paris. Les ministres soutinrent que le droit de réunion n'existait pas, distinguant les réunions politiques, non libres, des réunions de

(5) S. Charléty, « La monarchie de Juillet », in E. Lavisse, *Histoire de la France contemporaine*, t. V, Hachette, 1921.

famille. Le banquet, après avoir été décommandé, mobilisa quand même la population de Paris. La monarchie de Juillet tomba.

Alors que la Constitution de 1848 réaffirmait la liberté d'association dans les mêmes termes que la Constitution de 1793, la loi du 19 juin 1849 permit au gouvernement d'interdire « les clubs et autres réunions publiques ». Association politique et réunion politique sont toujours liées. Le décret du 25 mars 1852 clarifie la question : il applique aux réunions publiques les articles 291 à 294 du Code pénal et la loi du 10 avril 1834.

b) La liberté

1. La liberté de réunion

Elle est établie en deux temps. La loi du 30 juin 1881 édicte : « Les réunions publiques sont libres ». Elle remplace l'autorisation par une simple déclaration préalable. Cette déclaration indique seulement le lieu, le jour, l'heure de la réunion. Comme le dit à la Chambre, le rapporteur Naquet, la loi « ne prescrit pas d'énoncer dans la déclaration l'objet de la réunion et n'autorise aucun ajournement, aucune interdiction des réunions, sous prétexte des nécessités d'ordre public ».

La loi du 28 mars 1907 supprime la déclaration préalable pour les réunions. Après la séparation des Églises et de l'État, l'Église catholique refusa de faire une déclaration, même annuelle, pour les cultes, considérés, par l'article 25 de la loi de séparation comme étant des réunions publiques. L'État, plutôt que de poursuivre les ecclésiastiques catholiques, préféra supprimer de façon générale l'obligation de déclaration préalable.

2. La liberté d'association

Elle n'est établie qu'en 1901, par la loi du 1ᵉʳ juillet 1901. Le législateur de 1881 avait cru bon de préciser, dans la loi sur les réunions publiques : « les clubs demeurent interdits ». Le législateur assimilait encore réunion publique et association politique.

La liberté avait été instaurée pour certaines associations : les associations formées dans un dessein d'enseignement supérieur (loi du 12 juillet 1875), les syndicats (loi du 21 mars 1884), les sociétés de secours mutuel (loi du 1ᵉʳ avril 1898).

La liberté d'association comporte un certain nombre d'éléments (6). En premier lieu la liberté d'association signifie la liberté de créer une association. « Les associations de personnes pourront se former librement sans autorisation ni déclaration préalable » (arti-

---

(6) J.-M. Garrigou-Lagrange, *Les associations*, PUF, Documents droit, 1975.

cle 2). Une déclaration facultative peut être faite à la préfecture ou à la sous-préfecture. Elle permet de bénéficier de la capacité juridique.

Seul le juge judiciaire peut prononcer la dissolution de l'association pour nullité, si l'association est « fondée sur une cause ou en vue d'un objet illicite, contraire aux lois, aux bonnes mœurs, ou qui aurait pour but de porter atteinte à l'intégrité du territoire national et à la forme républicaine du gouvernement ».

En second lieu, la liberté concerne l'organisation de l'association. Les fondateurs choisissent librement le mode de fonctionnement de l'association. Simplement, les statuts des associations reconnues d'utilité publique par le gouvernement doivent contenir certaines dispositions précisées par le décret du 16 août 1901. Elles ont pour avantage sur les autres associations de pouvoir recevoir des dons et legs.

En troisième lieu, la liberté est celle des membres de l'association. Toute personne est libre de faire partie d'une association. C'est un corollaire du principe contractuel, qui est à la base de l'association. L'article 1er de la loi commence ainsi : « L'association est la convention par laquelle deux ou plusieurs personnes mettent en commun d'une façon permanente leurs connaissances ou leur activité dans un but autre que de partager des bénéfices. » Parallèlement, tout membre d'une association, formée pour une durée indéterminée, a un droit de retrait.

Mais certaines associations ne bénéficient pas de la liberté.

Les associations d'étrangers, en 1901, ne sont pas soumises à des formalités particulières au moment de leur création, mais elles peuvent faire l'objet d'une dissolution par décret, lorsque leurs agissements menacent la sûreté de l'État ou les conditions normales du marché des valeurs ou des marchandises.

Surtout, le régime de l'autorisation préalable est maintenu pour les congrégations religieuses. Cette autorisation est donnée par une loi. Les comptes des congrégations sont contrôlés par le préfet. Le vieux conflit entre gouvernants et congrégations, qui se traduisit notamment par l'expulsion de l'ordre des jésuites, en 1764, par Louis XV, avait été ravivé à la fin du XIXe siècle, avec l'installation de la IIIe République, à laquelle s'opposa la hiérarchie catholique, jusqu'au Ralliement prôné par le pape Léon XIII, en 1890. Des décrets du 29 mars 1880 avaient donné trois mois à la Compagnie de Jésus pour se dissoudre, et aux autres congrégations non autorisées pour demander une autorisation. Au bout de trois mois, le gouvernement fit expulser les religieux et apposer les scellés sur les portes de leurs maisons.

Ce régime fut maintenu par la loi de 1901. Au pouvoir, après les élections de 1902, les radicaux, menés par Combes, donnèrent à la loi une interprétation plus sévère que ne le prévoyait Waldeck-

Rousseau, Président du Conseil, au moment du vote de la loi. Ils refusèrent la plupart des autorisations, jusqu'en 1914.

La loi du 8 avril 1942 supprima l'autorisation préalable, mais une congrégation ne peut obtenir une reconnaissance légale, condition de la personnalité juridique, que par décret rendu sur avis conforme du Conseil d'État.

§2. LES LIBERTÉS RELIGIEUSES

Édouard Laboulaye, en 1863, groupait sous l'étiquette de libertés sociales, la liberté des cultes, la liberté d'enseignement, la liberté de la charité et la liberté d'association. On a vu que la liberté d'association, conçue comme liberté politique, a été reconnue en 1901. Elle ne l'a pas été comme liberté religieuse, ou sociale, selon la terminologie d'É. Laboulaye. La liberté de la charité n'a pas reçu une acception juridique. Tocqueville, lors de l'élaboration de la Constitution de 1848, a opposé au droit au travail la « charité chrétienne appliquée à la politique ». Un ouvrage conçu comme étant un bilan du siècle, d'inspiration catholique, s'indignait de ce qu'on ne respectât plus « la liberté même de la charité, sacrée entre toutes, et dont on s'efforce de faire une matière administrative et l'objet d'un nouveau monopole » (7). Le droit à l'assistance deviendra un droit social, ce qui correspond à une nouvelle conception, qui fait plus de place à l'État qu'à l'Église.

La liberté des cultes n'a pas fait l'objet de contestation. La liberté d'enseignement a été obtenue à la suite de combats menés par l'Église catholique.

A. LIBERTÉ D'OPINION ET LIBERTÉ DES CULTES

Napoléon renoua avec la tradition gallicane d'organisation des cultes par l'État. Le concordat, conclu avec le Saint-Siège, en 1801, rétablit le culte catholique sous la protection de l'État. Selon les Articles organiques de 1802, tous les cultes étaient appelés à être organisés et rémunérés par l'État. Cela s'appliquait aux cultes protestants. L'exercice du culte judaïque et sa police intérieure furent réglementés par un décret du 17 mars 1808.

_____

(7) E. Chénon, « La législation », in *Un siècle, mouvement du monde de 1800 à 1900*, Oudin, 1899.

Quant à la liberté d'opinion, affirmée sous la Révolution, elle ne fut remise en question que sous la Restauration.

La Charte de 1814 fit de la religion catholique la religion de l'État. La loi du 18 novembre 1814 interdit de travailler le dimanche. Lors du sacre de Charles X, Mgr La Fare se prononça contre la Charte et la liberté des cultes. L'influence de l'Église, sous Charles X, suscita des manifestations anticléricales. En réponse, la loi du 20 octobre 1825, dite loi du sacrilège, punit de mort le vol des vases sacrés contenant les hosties, de la peine de parricide (la mort précédée de la mutilation du poing), la profanation des hosties. Les libéraux de l'époque sont méfiants vis-à-vis du clergé.

La Charte de 1830 ne voit plus dans la religion catholique que la religion « professée par la majorité des Français » (art. 6), mais, rapidement, les gouvernements espèrent trouver dans l'Église un appui contre les gauches et contre les légitimistes.

Napoléon III est mû par les mêmes préoccupations, du moins jusqu'à ce qu'il apporte son soutien aux nationalistes italiens, contre le pape.

Selon la loi du 9 décembre 1905, dite de séparation des Églises et de l'État, « la République assure la liberté de conscience ». Elle « garantit le libre exercice des cultes ». Mais elle ne reconnaît, ne salarie, ni ne subventionne aucun culte. Les dépenses relatives à l'exercice des cultes sont supprimées des budgets de l'État, des départements et des communes. Des associations cultuelles devaient gérer les dépenses relatives aux cultes. Le pape en interdit la création.

B. LA LIBERTÉ D'ENSEIGNEMENT

Ce fut l'enjeu essentiel des luttes relatives à la liberté religieuse au XIXe siècle.

a) La lutte contre le monopole

Napoléon établit le monopole de l'Université, par la loi du 10 mai 1806. La Restauration n'abolit pas le monopole, mais l'ordonnance du 27 février 1821 place l'enseignement secondaire public sous la surveillance du clergé, pour ce qui concerne la religion. Or, selon ce texte, « les bases de l'éducation des collèges sont la religion, la monarchie, la légitimité et la Charte ». Mgr Frayssinous est nommé, en 1822, Grand-Maître de l'Université, président du Conseil royal de l'instruction publique.

La monarchie de Juillet va plus loin. La loi du 28 juin 1833 supprime le monopole de l'Université pour l'enseignement primaire.

Mais les catholiques réclament la liberté pour l'enseignement secondaire.

Elle est établie par la loi Falloux, du 15 mars 1850. L'article 9 de la Constitution de 1848 énonçait : « l'enseignement est libre ». La loi Falloux fut présentée, par exemple, par Mgr Dupanloup, évêque d'Orléans, comme le résultat de mois de luttes ardentes. Non seulement elle supprimait le monopole universitaire pour l'enseignement secondaire, mais elle établissait, au profit des instances ecclésiastiques, un contrôle des établissements d'enseignement public.

Les archevêques et évêques avaient une place au sein des conseils de l'Instruction publique (Conseil supérieur de l'Instruction publique, conseils académiques). Les instituteurs étaient nommés par les conseils municipaux sur une liste présentée par le Conseil académique ou, pour les membres d'associations religieuses, par les supérieurs ecclésiastiques. Les ministres du culte étaient dispensés du brevet de capacité, que la loi exigeait pour pouvoir être instituteur. Une inspection permanente des écoles publiques par les ministres du culte était organisée.

Au nom de la liberté, Victor Hugo, député, s'éleva contre l'adoption de cette loi, « arme » dans « la main du parti clérical », constitutive d'une « chaîne » et non d'une liberté. La crainte du socialisme et de ses conséquences, pour l'exercice du suffrage universel, avait joué. « L'esprit dont est animé le corps des instituteurs primaires » inspirait au rapporteur de la loi de « justes alarmes ». Thiers, personnellement incroyant, votait pour la loi, qui devait garantir la France contre l'esprit de 1848.

À la fin du Second Empire, une commission présidée par Guizot fut chargée de préparer un projet de loi sur la liberté de l'enseignement supérieur. Le projet fut soumis à l'Assemblée nationale de la IIIᵉ République. Il devint la loi du 12 juillet 1875. L'enseignement supérieur devenait également libre. La discussion ne porta véritablement que sur la collation des grades. La loi de 1875 prévoyait des jurys mixtes, composés de professeurs des Facultés d'État et de professeurs des Universités libres, pour les élèves des Facultés libres. Mais la loi du 18 mars 1880 rendit à l'État la collation exclusive des grades. Elle marquait le début de la lutte contre les congrégations.

b) La lutte contre les congrégations

La loi du 30 octobre 1886 édicte : « dans les écoles publiques de tout ordre, l'enseignement est exclusivement confié à leur personnel laïque » (art. 17).

On a vu que les décrets du 29 mars 1880 imposaient à la Compagnie de Jésus de se dissoudre et aux autres congrégations de faire une demande d'autorisation. La loi du 1ᵉʳ juillet 1901 interdit aux membres d'une congrégation non autorisée de diriger un établissement scolaire ou d'enseigner.

La loi du 7 juillet 1904 interdit à toutes les congrégations l'enseignement de tout ordre et de toute nature. Cette législation fut strictement appliquée jusqu'en 1914.

§3. LES DROITS SOCIAUX

Les droits sociaux sont d'abord des droits qui s'exercent dans le cadre du travail. Marquent-ils le prolongement ou le rejet de la Révolution de 1789 ?

La loi Le Chapelier du 14 juin 1791 procède d'une certaine conception de la liberté du travail. Elle interdit aux citoyens d'un même état ou profession de former des règlements sur « leurs prétendus intérêts communs », de faire « entre eux des conventions tendant à refuser de concert ou à n'accorder qu'à un prix déterminé le secours de leur industrie ou de leurs travaux », au nom de la « liberté accordée par les lois constitutionnelles au travail et à l'industrie ». La liberté du travail s'oppose à la formation d'associations professionnelles et à la grève, tendant à obtenir un certain salaire.

Pourtant, les ouvriers qui, le 17 février 1864, signent le Manifeste des soixante, et exposent ainsi un programme, en même temps qu'ils revendiquent une représentation propre au Corps législatif, réclament expressément la « liberté du travail », de même que l'Association internationale des travailleurs, lors de son premier congrès, à Genève, en 1866.

Les ouvriers français du XIXe siècle, du moins de la première moitié de ce siècle, encore largement artisans et ouvriers à domicile, s'inscrivent dans une perspective libérale. Comme Proudhon, ils se défient de l'État.

Les grandes conquêtes que sont le droit de grève et le droit syndical sont des libertés qu'on peut dire classiques. Ce sont des libertés de faire, sans intervention, ni répression étatique. Rapporteur de la loi de 1864, qui abolit le délit de coalition, c'est-à-dire le délit de grève, Émile Ollivier présente une alternative, qui convainc les députés : ou on admet la liberté de coalition, ou l'État se substitue aux parties dans la fixation du salaire. L'État doit s'abstenir.

Mais la revendication de droits sociaux est aussi celle d'une certaine égalité, l'égalité sociale. Celle-ci est-elle en contradiction avec l'idéologie libérale ? L'égalité, on l'a vu, caractérisait les droits, selon la Déclaration de 1789. Elle devenait un droit, avec la Déclaration de 1793.

Il peut s'agir d'une égalité juridique, une égalité dans le droit, qu'il faut inscrire dans le Code civil de 1804, inégalitaire en ce qui concerne les rapports entre patrons et ouvriers. L'inégalité est encore plus criante entre maîtres et esclaves, l'esclavage ayant été rétabli par la loi du 30 floréal an X. Curieusement, si la Constitution de 1848 abolit l'esclavage, elle ne cite l'égalité de rapports entre le patron et l'ouvrier que comme un moyen par lequel « la société favorise et encourage le développement du travail ».

On en arrive à l'idée que l'État va favoriser l'égalité. De l'égalité juridique, on passe à l'égalité sociale. Thiers, lors de la discussion sur l'inscription du droit au travail dans la Constitution de 1848, s'y oppose, car « un droit est de tout le monde ; quand ce n'est qu'un droit d'une classe, ce n'est pas un droit ». Au nom de l'égalité juridique, il fait de l'idéologie libérale un rempart contre l'égalité sociale.

La loi qui protégeait les patrons contre les ouvriers va-t-elle protéger les ouvriers contre les patrons ? La réalité est plus complexe. La première loi, qui limite la durée du travail, en 1841, protège la libre-concurrence. Certains patrons « progressistes », avaient déjà limité la durée de la journée de travail. Ils souhaitaient que la même règle s'appliquât à tous (8). Cette intervention régulatrice de l'État se situe dans un cadre libéral.

Qu'en est-il lorsque l'État va plus loin et organise les conditions d'émergence d'une égalité sociale ? Il embauche des ouvriers pour réaliser leur droit au travail, assure l'enseignement, pour réaliser le droit à l'instruction. On a pu voir une contradiction, voire un conflit, entre les nouveaux droits-créances, droits à des prestations de l'État, et les droits classiques, qui sont des droits à l'abstention de l'État.

Si on peut distinguer deux types de relations juridiques, du point de vue économique, il n'y a pas une telle opposition. Le libéralisme économique attribue à l'État certaines responsabilités et certaines charges, celles que ne peuvent assumer les entrepreneurs privés. Ces charges peuvent aller de l'enseignement au fonctionnement des services publics et à la réalisation d'équipements collectifs. C'est l'interprétation française du libéralisme. Jaurès situait le socialisme dans le prolongement de 1789.

Les nouveaux droits ne remettent pas en cause, au XIXᵉ siècle, les « droits économiques » que sont le droit de propriété et la liberté du commerce et de l'industrie, contrairement à ce que craignait Tocqueville. Il craignait que, du fait de la reconnaissance du droit au travail, l'État devînt le seul entrepreneur, « le propriétaire unique de toutes les choses : or c'est cela le communisme ». Un objectif

---

(8) F. Ewald, *L'État-providence*, Grasset, 1986.

ouvrier du XIXe siècle est la constitution d'associations ouvrières de production qui ne sont pas une négation de la propriété privée, mais en sont une certaine forme. Au moment de la Commune même, le manifeste du 24 mars 1871, signé par l'Internationale de Paris et la Chambre fédérale des sociétés ouvrières demande « l'organisation du crédit, de l'échange, de l'association ». Et le communisme de Cabet reste utopique.

A. LA LIBERTÉ

Les libertés conquises à la fin du XIXe siècle dans les relations professionnelles sont le droit de grève, en 1864, la liberté syndicale, en 1884, et enfin la liberté d'aller et venir, avec la suppression du livret ouvrier, en 1890.

a) Le droit de grève

La loi Le Chapelier avait proscrit la grève. C'était une infraction passible du tribunal de police. La loi du 22 germinal an XI confirme l'interdiction et le Code pénal de 1810 aggrave les peines, en punissant plus fortement les coalitions ouvrières que les coalitions patronales.

Pourtant, les grèves se développent. Après 1830, aux effets de la crise, qui dure depuis 1825, s'ajoute la déception causée par l'évolution de la monarchie de Juillet. Les sociétés fraternelles de résistance se développent, ainsi que la propagande républicaine.

De 1825 à 1830, les salaires se sont effondrés, de 30 %, dans le bâtiment à Paris, de 40 % en province, dans le textile. Les revendications essentielles sont le relèvement des salaires et la réduction de la journée de travail. De 1825 à 1852, près de 1 600 coalitions ouvrières et 87 coalitions patronales font l'objet de poursuites.

Mais, à partir de 1855, on peut noter un certain adoucissement dans la répression. La grève des ouvriers typographes de Paris fut à l'origine de l'abrogation du délit de coalition. Napoléon III accorda sa grâce à des délégués ouvriers condamnés. Il souhaitait une évolution libérale, s'étant aliéné les catholiques, par son appui aux nationalistes italiens, les industriels, par l'accord de libre-échange conclu avec l'Angleterre. Le projet de loi abrogeant le délit de coalition eut pour rapporteur, au Corps législatif, Émile Ollivier. Pour la première fois, un rapporteur était pris dans l'opposition.

La loi du 25 mai 1864 supprime le délit de coalition. Elle ne punit plus que l'atteinte à la liberté du travail, commise avec des violences, voies de fait, menaces ou manœuvres frauduleuses.

Mais elle ne reconnaît pas le droit d'association, ni le droit de réunion. Les veloutiers de Saint-Étienne, qui font grève en 1865, sont condamnés pour association illicite, car, selon le tribunal, il ne s'agit pas d'une simple coalition, qui doit être une « entente accidentelle » Il faut attendre la loi du 21 mars 1884, reconnaissant la liberté syndicale, pour que le délit de grève soit véritablement supprimé.

b) La liberté syndicale

On a vu que le décret d'Allarde des 2-17 mars 1791 avait privé les corporations de leurs privilèges. La loi Le Chapelier des 14-17 juin 1791 va plus loin. Elle interdit les corporations et les groupements professionnels.

Mais les autorités, sous le Consulat et l'Empire, créent des groupements tels que les Chambres de commerce (décret du 3 nivôse an X) ou les chambres consultatives des arts et manufactures (loi du 22 germinal an XI). Des associations patronales se constituent. En ce qui concerne les ouvriers, les compagnonnages ont toujours subsisté. Mais, divisés en sociétés rivales, ils cessent de jouer un rôle moteur, malgré la création, en 1823, de la Société de l'union des travailleurs du tour de France et malgré les exhortations de Flora Tristan, qui publie, en 1843, *l'Union ouvrière*.

Dès le début du XIXᵉ siècle se développent les sociétés de secours mutuel, destinées à secourir leurs membres, en cas de maladie et au moment de la vieillesse. Elles sont tolérées. Les autorités sont, par contre, hostiles aux caisses de résistance, que s'adjoignent ces sociétés, et qui ont pour fonction de distribuer des secours en cas de grève ou « chômage de résistance ». Elles sont donc clandestines.

Un tournant est pris par l'Empire libéral. En 1862, une délégation ouvrière à l'Exposition de Londres est favorisée par l'Empereur. Les délégués sont élus par les ouvriers. Les rapports, publiés à leur retour, sont de véritables « cahiers de doléances » (9). La revendication dominante est la création de « chambres syndicales ». Les salariés anglais ont la liberté de coalition et la liberté d'association depuis 1829. Les chambres syndicales doivent avoir plusieurs fonctions : constituer des sociétés de secours mutuel, des sociétés de résistance, des associations ouvrières de production, des institutions éducatives.

Après l'Exposition universelle tenue à Paris, en 1867, les chambres syndicales seront tolérées.

Pourtant, il faut attendre 1884, pour que la liberté syndicale soit vraiment reconnue, par la loi du 21 mars 1884. Le législateur est convaincu du bienfait que représente l'esprit des sociétés de secours

---

(9) E. Dolléans, G. Dehove, *Histoire du travail en France*, Montchrestien, Domat, 1953.

mutuel. Peut-être espère-t-il limiter là le syndicalisme, selon une conception qu'on peut rattacher au libéralisme du XIXe siècle, et qui animait les ouvriers eux-mêmes. Selon la circulaire du ministre de l'Intérieur aux préfets, du 25 août 1884, « la pensée dominante du Gouvernement et des Chambres, dans l'élaboration de cette loi, a été de développer, parmi les travailleurs, l'esprit d'association... Grâce à la liberté complète d'une part, à la personnalité civile de l'autre, les syndicats, sûrs de l'avenir, pourront réunir les ressources nécessaires pour créer et multiplier les utiles institutions qui ont produit chez d'autres peuples de précieux résultats : caisses de retraite, de secours, de crédit mutuel, cours, bibliothèques, sociétés coopératives, bureaux de renseignements, de placement, de statistiques des salaires, etc. ».

La liberté syndicale a deux aspects : c'est d'abord la liberté de constitution de syndicats professionnels, sans autorisation du gouvernement. Les fondateurs sont seulement tenus de déposer, à la mairie, les statuts et les noms de ceux qui sont chargés de l'administration ou de la direction. C'est ensuite la liberté, pour tout membre d'un syndicat professionnel, de « se retirer à tout instant de l'association, nonobstant toute clause contraire ». Il reste quelque chose de la défiance envers les corporations, qui étaient des associations obligatoires.

Les syndicats sont composés de personnes « exerçant la même profession, des métiers similaires ou des professions connexes concourant à l'établissement de produits déterminés ». Le projet du gouvernement ne prévoyait pas la possibilité de constituer des unions de syndicats. Elle fut introduite par la commission de la Chambre des députés. Au Sénat, les esprits furent « très partagés ». On craignait la grève générale, la révolution. Les unions furent finalement admises, pour permettre aux syndicats de « se concerter pour l'étude et la défense de leurs intérêts économiques, industriels, commerciaux et agricoles ». Mais on leur dénia la personnalité civile.

Exception à la liberté syndicale : les fonctionnaires

Le Gouvernement refusa d'appliquer la loi de 1884 aux fonctionnaires. La Chambre des députés imposa l'application de la loi aux ouvriers et employés des exploitations de l'État. Mais on distingua entre l'État-industriel et l'État-puissance publique, pour refuser le droit syndical aux fonctionnaires publics ou employés des administrations publiques, qu'il s'agît des instituteurs, des agents des postes ou des cantonniers.

Après la loi du 1er juillet 1901, les fonctionnaires se virent reconnaître la possibilité de former des associations, qui pouvaient avoir un caractère professionnel. Entre 1901 et 1907, 516 associations furent créées.

Le Conseil d'État admit la recevabilité du recours pour excès de pouvoir formé par une association professionnelle (10), mais refusa aux fonctionnaires le droit de former un syndicat professionnel (11). La justification donnée par le Conseil d'État était que les fonctionnaires avaient un certain nombre de garanties particulières, auxquelles correspondaient des obligations particulières, la continuité du service public s'opposant au droit de grève, que suppose l'article 1 de la loi de 1884. De la licéité de la grève en général, le Conseil d'État concluait à l'absence de liberté syndicale pour les fonctionnaires, ce qui n'allait pas de soi.

Une autre limite, elle, expresse, dans la loi de 1884, concernait les étrangers : ils ne pouvaient être chargés de l'administration ou de la direction d'un syndicat.

c) La suppression du livret ouvrier

Le livret ouvrier de l'Ancien Régime, selon l'édit de 1749, est un certificat de congé, donné par le maître aux ouvriers ou employés des manufactures et fabriques. Il est supprimé par les lois révolutionnaires, qui établissent la liberté du travail. Rétabli par la loi du 22 germinal an XI (12 avril 1803), il constitue une mesure de police et une mesure de contrainte patronale. Un ouvrier ne pouvait être embauché sans son livret, portant le certificat d'acquit de ses engagements envers son précédent patron, délivré par celui-ci.

L'arrêté du 9 frimaire an XII fait du livret un passeport intérieur, sur lequel toutes les embauches et tous les déplacements de l'ouvrier sont notés, chaque déplacement étant visé par le maire. Tout ouvrier voyageant sans livret était puni, comme vagabond.

De plus, l'acquit n'était délivré par un patron que si l'ouvrier avait remboursé les avances qu'il avait reçues. Or les avances étaient une pratique courante et étaient disproportionnées par rapport au salaire (Villermé mentionne des avances de 300 francs pour des ouvrières en dentelles, gagnant 0,40 franc par jour, en ajoutant : « Que d'années ne leur faudra-t-il pas pour reconquérir la liberté de leur travail » (12). La loi du 14 mai 1851 ne supprima que cette contrainte ; le défaut de remboursement des avances ne permit plus à tout patron de retenir le livret.

---

(10) CE 11 décembre 1908, *Association professionnelle des employés civils de l'administration centrale du ministère des colonies c. Depasse.*

(11) CE 13 janvier 1922, *Syndicat national des agents des contributions indirectes, Buisson et autres.*

(12) Villermé, *Tableau de l'état physique et moral des ouvriers employés dans les manufactures de coton, de laine et de bois,* Paris, Renouard, 1840, cité par Dolléans-Dehove.

Une loi du 22 juin 1854 étendit l'obligation de livret aux femmes. Le décret du 30 avril 1855 ajoute : « l'ouvrier est tenu de présenter son livret à toute réquisition des agents de l'autorité ». Cela ressemblait au permis de résidence, accordé aux condamnés libérés, soumis à la surveillance de la police.

À la fin du Second Empire, une enquête, menée sur initiative du gouvernement, fit apparaître que la loi n'était plus appliquée dans nombre de grands centres industriels. Mais la majorité des Chambres de commerce et des Chambres consultatives des arts et métiers voulaient son maintien.

Ce ne fut qu'en 1890 qu'une loi abrogea le livret obligatoire (loi du 2 juillet 1890). Le rapporteur, au Sénat, de la loi avait noté : le livret « blesse chez eux (les ouvriers) un sentiment profond et énergique : celui de l'égalité devant la loi ».

Effectivement, le livret était contraire à la fois à la liberté et à l'égalité.

B. L'ÉGALITÉ

L'égalité juridique n'est pas réalisée au début du XIXe siècle. L'égalité sociale est une aspiration, dont la satisfaction peut passer par des voies juridiques.

a) L'égalité juridique

1. L'abolition de l'esclavage

Alors que les révolutionnaires avaient aboli l'esclavage, la loi du 30 floréal an X le rétablit, « conformément aux lois et règlements antérieurs à 1785 », de même que « la traite des Noirs et leur importation ». L'exposé des motifs veut justifier l'inégalité civile et politique, par « la différence remarquable entre l'homme civilisé et celui qui ne l'est point » et « principalement la sûreté des familles européennes ». Cette loi avait été obtenue par les colons créoles, grâce à Joséphine de Beauharnais. La révolte qu'elle suscite, en Guadeloupe notamment, est réprimée militairement.

Le Congrès de Vienne abolit la traite, mais il faut attendre le Gouvernement provisoire de 1848, pour que l'esclavage soit définitivement aboli « dans toutes les colonies et possessions françaises », par un décret du 27 avril 1848, préparé par une commission présidée par Victor Schoelcher. Les colonies sont la Martinique, la Guadeloupe, la Guyane, la Réunion, le Sénégal et les établissements français de l'Inde.

Une série de décrets du même jour vise à créer les conditions de la mise en œuvre de l'égalité nouvelle, par la création de jurys cantonaux paritaires, pour les différends entre propriétaires et travailleurs industriels ou agricoles, par l'institution dans chaque commune d'écoles élémentaires gratuites et obligatoires, par la création de caisses d'épargne, d'ateliers nationaux ou par l'édiction de mesures juridiques destinées à faciliter l'acquisition des terres.

L'article 6 de la Constitution de 1848 édicte : « l'esclavage ne peut exister sur aucune terre française » (13).

2. Maîtres et ouvriers

Ouvriers et patrons sont traités de façon inégale par les textes, d'abord en ce qui concerne la preuve du contrat de travail. Selon le Code civil (article 1781), « le maître est cru sur son affirmation pour la quotité des gages, pour le paiement du salaire de l'année échue et pour les acomptes donnés pour l'année courante ». Le texte avait été prévu pour les rapports entre maîtres et domestiques. La jurisprudence l'appliqua aux ouvriers travaillant à la journée. Il fut abrogé par une loi du 2 août 1868, alors que l'article 13 de la Constitution de 1848 avait prévu « l'égalité de rapports entre le patron et l'ouvrier ».

Des conseils de prud'hommes furent institués en 1806, à Lyon, puis dans d'autres villes industrielles, pour régler les différends relatifs au travail. Ils comprenaient, à côté des maîtres, des chefs d'atelier. Les ouvriers ne devinrent électeurs et éligibles aux conseils de prud'hommes qu'avec le décret du 27 mai 1848. La loi du 1ᵉʳ juin 1853 prévit une composition paritaire des conseils.

b) L'égalité sociale

Deux droits sont revendiqués par les ouvriers, avec des fortunes différentes, le droit au travail et le droit à l'instruction.

1. Le droit au travail

La question du droit au travail est, dès l'abord, portée au niveau de l'État. En 1848, deux conceptions s'affrontent, lors de la discussion d'un amendement introduisant le droit au travail dans le projet de Constitution.

Ledru-Rollin veut inscrire le droit au travail dans la Constitution. Il le distingue du droit à l'assistance. Il expose une conception du droit, comme un objectif à atteindre, par le moyen des lois : « Quand je demande que le droit au travail soit inscrit dans la Constitution, c'est parce que les constitutions sont faites pour l'avenir, parce qu'el-

---

(13) Par une loi du 21 mai 2001, la République française reconnaît que la traite et l'esclavage constituent un crime contre l'humanité.

les doivent être durables, parce qu'elles sont des jalons dans la marche de l'humanité... Mais, de ce que je comprends qu'il y a des transitions nécessaires, est-ce une raison pour que le droit au travail soit rejeté ?... Posez votre but, pour que toutes vos lois y convergent incessamment. »

Charles Fourier avait créé l'expression « droit au travail », se plaignant de ce que « la politique vante les droits de l'homme et ne garantit pas le premier droit, le seul utile, qui est le droit au travail ».

Louis Blanc avait exposé un projet d'« ateliers sociaux », dans un ouvrage publié en 1840, sur *l'Organisation du travail*. L'idée d'organisation du travail était présente au début du XIXe siècle, notamment dans la doctrine saint-simonienne. Louis Blanc pensait à la fois à un rachat des grandes entreprises par l'État et à des associations ouvrières commanditées par l'État.

Au début de la IIe République furent créés les Ateliers nationaux, simplement destinés à donner du travail aux chômeurs, comme cela se faisait sous les régimes précédents, sous le nom d'« ateliers de charité ». Leur fermeture fut à l'origine des journées de juin 1848.

Face à Ledru-Rollin, Tocqueville oppose la charité chrétienne. Il craint que le droit au travail entraîne l'instauration du communisme. Il exprime les sentiments et les peurs de la majorité de l'Assemblée constituante.

Finalement, l'article 13 de la Constitution de 1848 mentionne la liberté du travail et non le droit au travail. Et le Préambule prévoit, comme le faisait la Constitution de 1793, une obligation d'assistance de la République à l'égard des citoyens nécessiteux, qui peut se réaliser de façon alternative, soit en procurant du travail, soit en donnant des secours.

Si le droit au travail, comme moyen de lutte contre la misère, est revendiqué par certains, parallèlement les conditions de travail commencent à être l'objet d'une législation, qui tend à leur amélioration.

Les lois limitant l'emploi des enfants dans les entreprises industrielles et la durée de la journée de travail soulignent plutôt combien les conditions de travail étaient et sont restées inhumaines tout au long du XIXe siècle.

L'âge limite est passé de huit ans, selon la loi du 22 mars 1841, à treize ans, selon la loi du 2 novembre 1892. La durée maximum du travail pour les enfants de moins de seize ans est de douze heures par jour en 1841, de dix heures en 1892. Devant les difficultés d'application, « la désorganisation du travail dans les ateliers où les enfants et les femmes sont les auxiliaires nécessaires des ouvriers », selon le rapporteur à la Chambre des députés, la loi du 30 mars 1900 revient à la journée de onze heures pour les enfants de moins de dix-huit ans et les femmes.

La loi du 13 juillet 1906 généralise le repos hebdomadaire, prévu par la loi de 1892 pour les femmes et les enfants.

Une loi du 29 juin 1894 crée des retraites au profit des mineurs. Le système est étendu aux ouvriers et paysans en 1910. En cas d'accident du travail, selon le Code civil, le patron n'était responsable qu'au cas où serait prouvée une faute commise par lui. Les nouvelles conditions de travail créées par le machinisme provoquent la prise en compte, par le législateur, d'une notion nouvelle, celle de risque professionnel. Une loi du 9 avril 1898 prévoit, en cas d'accident, le versement, par les patrons, d'indemnités, aux ouvriers ou à leurs ayants droit.

1. Le droit à l'instruction

La loi Guizot, du 28 juin 1833, avait créé l'obligation pour toute commune d'entretenir au moins une école primaire élémentaire et l'obligation, pour tout département, d'entretenir une école normale primaire.

Mais un projet d'Hippolyte Carnot, ministre de l'Instruction publique du Gouvernement provisoire de la IIe République, selon lequel l'enseignement devait être gratuit, obligatoire et libre, ne vint jamais en discussion devant l'Assemblée. Lors du débat sur la loi Falloux, un amendement fut déposé par un canut, Benoit, stipulant : « À partir du 1er janvier 1851, l'instruction primaire sera gratuite et obligatoire. » Il fut repoussé par 466 voix contre 112. Le législateur laissait seulement à toute commune « la faculté d'entretenir une ou plusieurs écoles entièrement gratuites, à la condition d'y subvenir sur ses propres ressources ».

En 1866, est fondée la Ligue de l'enseignement, qui a pour programme l'instruction primaire gratuite, obligatoire et laïque.

C'est la IIIe République qui constitue l'enseignement primaire en service public, ce à quoi s'opposent les catholiques (14). Une loi du 16 juin 1881 établit « la gratuité absolue de l'enseignement primaire dans les écoles publiques ». Une autre loi, du même jour, exige la possession, par tout instituteur, d'un brevet de capacité, et supprime les équivalences prévues par la loi Falloux.

La loi du 28 mars 1882 rend l'instruction primaire obligatoire pour les enfants des deux sexes, âgés de six à treize ans, et pose le principe de laïcité des programmes, remplaçant dans le programme « l'instruction morale et religieuse », rendue obligatoire par l'article 23 de la loi Falloux, par « l'instruction morale et civique ».

---

(14) A. Prost, *Histoire de l'enseignement en France, 1800-1967*, A. Colin, 1968.

Le rapporteur au Sénat expliqua que, dès lors que l'école était obligatoire, elle devenait nécessairement laïque, pour préserver la liberté de conscience.

La loi du 30 octobre 1886 fait de l'enseignement primaire un service d'État et non plus un service communal. Désormais, l'État nomme et paie les maîtres. La loi fait obligation à toute commune d'avoir une école primaire publique, tandis que, selon la loi Falloux, l'école primaire de la commune n'était pas nécessairement publique.

4. LA LIBERTÉ INDIVIDUELLE

Peut-on noter un progrès de la liberté individuelle ? Cela n'est pas sûr. Le XIXᵉ siècle est dominé, non seulement par la défense de régimes politiques précaires, et donc autoritaires, mais encore par la défense de l'honnête homme contre les dangers que lui font courir les vagabonds, les gens sans aveu ou les « insensés ». Et c'est un fait que ce siècle est marqué par la misère et la criminalité. Des romanciers, comme Stendhal ou Flaubert, ont mis en scène le conformisme du siècle, qui tend à tracer une frontière étanche entre le bien et le mal, donc entre ceux que la loi protège et ceux que la loi punit. Le philosophe Michel Foucault a mis en lumière la naissance, au début du XIXᵉ siècle, de la « société disciplinaire » (15).

La politique pénale du XIXᵉ siècle fut inspirée par des doctrines qui ne tendent pas à accroître la liberté individuelle, mais à défendre la société ou la morale.

Au début du siècle, ce fut la doctrine de l'utilité sociale du philosophe anglais Bentham, qui inspira les auteurs du Code pénal. L'accent est mis sur la nécessité de la crainte du châtiment. À la fin du XIXᵉ siècle, l'école positiviste, d'origine italienne (Lombroso, Enrico Ferri) soutient que la répression doit être organisée en fonction du danger que représente un individu pour l'ordre social, de façon à assurer efficacement la défense sociale. Des individus sont naturellement et objectivement dangereux et doivent donc être éliminés.

Au milieu du XIXᵉ siècle, aux débuts de la monarchie de Juillet, l'école néoclassique avec Guizot, Rossi, était revenue à une inspiration morale. Elle contestait la valeur d'exemplarité de la peine. L'école pénitentiaire exprimait le souci d'adapter le châtiment au degré de responsabilité morale. Mais la notion même de pénitence, si elle marque un retour à l'individu, qu'il serait possible d'amender, contrai-

_____

(15) M. Foucault, *Surveiller et punir. Naissance de la prison*, Gallimard, 1975.

rement à ce que soutiendra l'école positiviste, met aussi l'accent sur la peine, peine consistant essentiellement dans l'incarcération. Il n'est donc plus question de devoirs que de droits, encore que le Code pénal pérennise certaines avancées révolutionnaires. Les quelques droits nouveaux de l'individu sont ainsi bien faibles face aux exigences de défense de la société.

A. LES DROITS DE L'INDIVIDU

a) Les peines

La Révolution avait supprimé les peines corporelles. Le Code pénal de 1810 rétablit la marque et le carcan et prévoit la mutilation du poing avant l'exécution des parricides. Ces peines sont supprimées par la loi du 28 avril 1832. La même loi permet au jury de reconnaître l'existence de circonstances atténuantes.

Le dernier acte de la Convention fut le décret du 4 brumaire an IV, dont l'article 1ᵉʳ édictait : « à dater du jour de la publication de la paix générale, la peine de mort sera abolie dans la République française ». Le Code pénal maintient la peine de mort et étend son application, par exemple, aux incendiaires et aux faux-monnayeurs. Dès 1830, une proposition d'abolition de la peine de mort est déposée par Tracy. Ce n'est que la Constitution de 1848 (art. 5) qui abolit la peine de mort en matière politique. La loi du 31 mai 1854 supprime la mort civile, institution héritée du droit romain, pour les peines les plus graves ; du point de vue juridique elle « rayait le condamné du nombre des vivants », c'est-à-dire le privait de toute capacité juridique.

La loi du 14 août 1885 institue la libération conditionnelle et la loi du 26 mars 1891 autorise le sursis à exécution de la peine pour les délinquants primaires, tout en prévoyant, au contraire, une élévation des peines pour les récidivistes.

b) La procédure pénale

Des droits de l'individu, au cours de la procédure pénale, et spécialement de l'instruction, sont tardivement institués.

La loi du 14 juillet 1865 crée la mise en liberté provisoire de droit pour certains inculpés. Selon le Code d'instruction criminelle de 1808, la détention préventive pouvait, dans tous les cas, durer jusqu'au jugement définitif.

Surtout, ce n'est que la loi du 8 décembre 1897 qui donne le droit à l'inculpé d'être assisté d'un conseil dès sa première comparution devant le juge d'instruction. Ce droit, institué par la loi des 8-

9 octobre 1789, avait été supprimé par le Code d'instruction criminelle, qui rétablissait la procédure d'instruction inquisitoire de l'Ancien Régime. Un premier projet de réforme du Code avait été déposé par le garde des Sceaux en 1879. Il fallut près de vingt ans pour venir à bout de l'hostilité du Sénat.

En effet, la défense de la société a dominé le XIXe siècle.

B. LA DÉFENSE DE LA SOCIÉTÉ

On peut distinguer différents cercles de la répression. La répression la plus apparente fut d'abord la répression politique, commandée par la défense du régime, ou plutôt des régimes successifs. Elle est organisée par des lois d'exception. Mais d'autres régimes d'exception apparaissent notamment dictés par les grandes peurs que suscitent les actes de brigandage, auxquels on veut appliquer une justice expéditive. Quant aux fous, ils relèvent d'un régime administratif. Enfin, le régime de droit commun est lui-même marqué, non seulement par la rigueur, mais encore par le souci de distinguer entre le « ramassis de gens abjects, mendiants, vagabonds, traîneurs de rues » et « certains prévenus à qui leur éducation, leur moralité, leur condition sociale même devaient rendre la vie commune au milieu d'une pareille population particulièrement intolérable » (rapport sur la loi du 5 juin 1875 relative au régime des prisons départementales). La création de l'ensemble de ces discriminations signifie la volonté d'exclure de la société et de sa protection tous ceux qui sont considérés comme un danger pour elle.

Des opposants libéraux, comme Thiers, sous le Second Empire, lorsqu'ils réclament les « libertés nécessaires », ne demandent, en ce qui concerne la liberté individuelle, que l'abrogation de la loi de sûreté générale, loi d'exception politique. Ils ne s'intéressent pas aux limitations de la liberté individuelle par le droit commun. Ce sont elles qui nous intéressent ici, en ce qu'elles marquent encore notre droit positif.

Le souci de défense de la société introduit en matière de liberté individuelle ce qui est considéré par les libéraux du XIXe siècle comme la négation de la liberté : le régime préventif. On a vu que le régime répressif avait été conçu comme un corollaire du principe de légalité. Les mesures de sûreté ont pour but de prévenir les désordres.

Quant à la répression, elle donne la priorité à l'efficacité.

a) *Les mesures de sûreté*

1. *Les condamnés*

La théorie des mesures de sûreté a été faite par les positivistes, mais le Code pénal de 1810 contenait déjà des mesures destinées à préserver l'ordre social par la prévention. L'article 271 du Code prévoyait que le vagabond, sa peine pour vagabondage expirée, était mis « à la disposition du gouvernement pendant le temps qu'il déterminera, eu égard à sa conduite ». Il faut noter que l'institution d'un délit de vagabondage fait, en soi, glisser la répression vers la prévention, puisqu'il sanctionne, non une action, mais un état.

La loi du 9 juillet 1852 permettait l'interdiction, par voie administrative, de séjour dans le département de la Seine et dans les communes de l'agglomération lyonnaise, non seulement pour des condamnés pour rébellion, mendicité ou vagabondage, mais pour des individus qui « n'ont pas des moyens d'existence ».

La loi du 27 mai 1885 maintient la mesure d'interdiction de séjour et prévoit une mesure plus radicale : la relégation. C'est l'internement perpétuel, sur le territoire de colonies ou possessions françaises, de certains condamnés, récidivistes, à l'expiration de leur peine principale, condamnés aussi bien pour vagabondage ou mendicité. Selon un député, cette mesure était destinée à assurer « l'épuration de la lie des grandes villes ».

Déjà la loi du 30 mai 1854 avait prévu l'exclusion à perpétuité de certains condamnés du territoire continental de la France. La IIIᵉ République ne faisait pas mieux que le Second Empire, en voulant « se débarrasser », selon les termes mêmes d'un rapporteur, de ses repris de justice. La relégation qui, depuis la loi du 6 juillet 1942 pouvait avoir lieu en métropole, n'a été supprimée que par la loi du 17 juillet 1970.

2. Les aliénés

Si l'enfermement des fous a pu être daté du XVIIᵉ siècle, la législation antérieure à 1789 était muette à leur sujet. De 1791 datent des mesures répressives. Une loi des 19-22 juillet 1791 établit des peines pour ceux qui laissent divaguer des insensés ou furieux.

La première nouveauté, au XIXᵉ siècle, est d'établir des mesures de sûreté, qui visent à « prévenir les divagations ». La loi du 30 juin 1838 permet au préfet de placer d'office dans un établissement d'aliénés toute personne « dont l'état d'aliénation compromettrait l'ordre public ou la sûreté des personnes » (art. 18).

La seconde nouveauté est de donner un fondement médical au placement volontaire, c'est-à-dire demandé par la famille. Pour l'admission, un certificat médical est requis. La sortie est la conséquence d'une attestation médicale de la guérison.

Si la sortie est requise par un parent, le médecin peut être « d'avis que l'état mental du malade pourrait compromettre l'ordre public ou la sûreté des personnes ». Dans ce cas, le maire peut ordonner un sursis provisoire à la sortie, et le préfet empêcher celle-ci.

Ainsi le savoir médical est appelé au secours de l'ordre public et de son maintien par l'autorité administrative, sans que le juge intervienne et sans qu'une violation de la loi ait été commise. Le médecin prend le pas sur le droit. On peut dire que c'est un progrès de la science. Mais on peut dire à l'inverse que c'est une régression des droits de la défense.

Le préfet intervient aussi dans la répression.

b) La répression

L'ordre napoléonien conduisit à donner un pouvoir judiciaire au préfet et à transférer le pouvoir du jury d'accusation et, provisoirement même le pouvoir du jury de jugement, à des juges professionnels.

La moralisation, inspirée par l'école néo-classique, conduisit à l'emprisonnement individuel.

1. Les pouvoirs de police judiciaire du préfet

Napoléon vint soutenir en personne, devant le Conseil d'État, le projet d'article 10 du Code d'instruction criminelle, qui conférait au préfet des pouvoirs de police judiciaire, en contradiction avec le principe de séparation des pouvoirs. Le préfet pouvait « faire tous les actes nécessaires à l'effet de constater les crimes, délits et contraventions et d'en livrer les auteurs aux tribunaux chargés de les punir ». L'opposition très vive des libéraux, tout au long du XIXe siècle, n'aboutit pas à l'abrogation de cette disposition. Elle ne fut abrogée que par la loi du 17 février 1933, mais rétablie par la loi du 25 mars 1935, qui limite son champ d'application à la sûreté de l'État.

2. La suppression du jury d'accusation

Napoléon et les magistrats des juridictions supérieures étaient opposés au principe du jury, introduit par les révolutionnaires. Dans son discours, prononcé en l'an XI, le premier président Muraire déclara l'institution des jurés « plus nuisible qu'utile », trop tournée vers « la générosité et l'indulgence » de « l'homme qui ne s'est pas fortifié dans l'habitude de juger ». Il défendait la cause des juges professionnels, qu'il assimilait à l'accroissement de la répression.

Malgré la volonté de Napoléon, le jury de jugement fut conservé, grâce notamment au Conseil d'État. Il fut néanmoins supprimé pour les vagabonds et gens sans aveu, pour lesquels le Code d'instruction criminelle institua des Cours spéciales, succédant aux Tribunaux spéciaux, déjà institués par la loi du 18 pluviôse an IX, composées de trois magistrats, de trois militaires et de deux citoyens. Aux débuts de la Restauration siégèrent les Cours prévôtales, composées d'un militaire et de cinq magistrats. Dans la Charte du 14 août 1830,

Louis-Philippe s'engagea à ne plus créer de « commissions et de tribunaux extraordinaires » (art. 54).

Par contre, c'est le droit commun même de l'instruction qui fut modifié durablement par le Code d'instruction criminelle. Déjà la loi du 7 pluviôse an IX avait remplacé le directeur du jury d'accusation par un juge d'instruction et réduit le caractère oral et public de l'instruction, le jury d'accusation cessant d'entendre les parties et les témoins. Parallèlement la loi avait augmenté les pouvoirs du ministère public, en lui confiant l'initiative des poursuites et la faculté de signer un mandat de dépôt.

Le Code d'instruction criminelle rétablit la procédure d'instruction inquisitoire de l'ordonnance de 1670, remplaçant le jury d'accusation par le juge d'instruction, les décisions juridictionnelles étant prises par la Chambre du conseil du Tribunal correctionnel ou la chambre des mises en accusation de la Cour d'appel.

Sous le Second Empire, le juge d'instruction acquit compétence juridictionnelle, pour des raisons budgétaires (loi du 17 juillet 1856) et le procureur de la République acquit une compétence d'instruction en matière de délits flagrants (loi du 20 mai 1863).

L'instruction resta inquisitoire, jusqu'à aujourd'hui.

3. L'emprisonnement individuel

Le souci, qui marque toute la répression du XIXe siècle, de mettre à part les criminels, entraîne aussi l'institution de l'emprisonnement individuel. Les libéraux de la monarchie de Juillet y sont favorables, tout en sachant qu'il s'agit d'une aggravation de la peine. La première loi instaurant l'emprisonnement cellulaire est adoptée par la Chambre des députés le 18 mai 1844, sur le rapport de Tocqueville. Celui-ci veut introduire en France le système pénitentiaire qu'il a vu aux États-Unis. Le motif qu'il donne est le souci d'empêcher un contact entre honnêtes gens et criminels. Il veut « s'opposer à ce que des hommes honnêtes ne deviennent malgré eux corrompus par le contact impur des criminels ». Et il considère que cela « altère profondément la nature et le caractère de la peine d'emprisonnement... non seulement la peine est nouvelle, mais elle est, quoi qu'on en dise, beaucoup plus sévère que celle qu'elle remplace ».

L'emprisonnement cellulaire est supprimé en 1854, parce qu'il est remplacé alors par la transportation. Il est rétabli par la loi du 5 juin 1875. Cette population ne bénéficie pas de la sollicitude du législateur du XIXe siècle. On a pu dire que la prison au XIXe siècle était un « espace extra-légal, soumis à l'arbitraire du pouvoir » (16).

(16) M. Perrot, *L'impossible prison*, Seuil, 1980.

CHAPITRE 3
LE XXᵉ SIÈCLE

La première moitié du XXᵉ siècle (1918-1945) voit la remise en question violente du régime libéral. La démocratie, les libertés, sont annihilées dans certains États européens, et la France n'échappe pas à ce mouvement de négation.

Les libertés renaissent-elles après la victoire des forces libres ? L'accent est mis, et ce n'est pas sans raison, sur la garantie des droits plus que sur la proclamation des libertés. De nouveaux droits sont affirmés, qui eux-mêmes doivent garantir les hommes contre un retour de la barbarie.

Section 1 La crise des libertés

L'avènement de la IIIᵉ République semblait correspondre à un consensus tardif sur les idées de 89, célébrées au moment du centenaire de la Révolution. Aussi bien, le pape Léon XIII demanda-t-il aux catholiques de se rallier à la République et Jaurès présenta le socialisme comme le prolongement de 1789. Des doctrines, qui avaient pu s'opposer, convergeaient vers l'acceptation de la République parlementaire. Les radicaux au pouvoir furent l'expression même du compromis libéral entre liberté et ordre.

Mais la Première Guerre mondiale put apparaître comme la faillite des institutions démocratiques, qui n'avaient pu éviter un tel massacre. La démocratie libérale fut attaquée par des doctrines, apparemment opposées entre elles, comme le fascisme ou le communisme, qui contestaient ses fondements mêmes : la raison, l'individu, la loi. En 1933, P. Duez caractérisait son siècle par le déclin de la « croyance politique » dans les droits publics individuels (1).

---

(1) P. Duez, « Esquisse d'une définition réaliste des droits publics individuels », *Mélanges Carré de Malberg*, 1933, p. 111.

La doctrine juridique a tenté de définir des notions, comme celle de légalité de seconde zone, qui permettrait de sauvegarder l'empire du droit. Mais il ne s'agit que d'une apparence d'empire, la loi épousant l'idée, non plus de garanties, mais d'efficacité de l'action. La doctrine pense qu'il est possible de concevoir un simple déplacement de la frontière entre ordre et liberté, tout en la maintenant. Elle pense possible une définition légale de l'état de nécessité, qui serait le propre des régimes démocratiques, les régimes autoritaires se contentant du fait. Mais les régimes autoritaires aussi s'habillent de lois, et même, ils en produisent beaucoup.

On peut soutenir que c'est la vertu de la doctrine libérale d'être souple et de s'adapter aux circonstances. Mais on peut dire que c'est sa limite fondamentale, de n'exister qu'en période « normale ». Peut-être la légalité d'exception a-t-elle une vertu : celle d'être provisoire. De ce point de vue, la distinction entre période normale et période de crise trouverait une portée libérale, puisqu'elle implique que, dès la crise terminée, la liberté retrouve ses droits.

Il reste une question alors : qui va dire que la crise est terminée ? Il s'agit là d'une question relative à la démocratie, qui, on l'a vu, a partie liée avec la liberté. Cette question est d'autant plus importante que la suspension des libertés correspond à l'attribution au gouvernement de pouvoirs normalement dévolus au Parlement. Dès lors, le régime libéral n'existe plus.

§ 1. L'ENTRE-DEUX-GUERRES

Pour l'historien anglais Éric Hobsbawm on assiste pendant cette période à la « chute du libéralisme » (2). Le nazisme et le fascisme imprègnent l'esprit du temps. « En 1920 le monde comptait au total trente-cinq gouvernements constitutionnels et élus... en 1944, ils n'étaient sans doute plus que seize ». En France, l'idéologie libérale vacille, ce qui se ressent dans la législation comme dans la jurisprudence.

A. L'ANTILIBÉRALISME

Bien sûr, dès la fin du XVIIIe siècle et au cours du XIXe siècle, des doctrines s'opposèrent à la Révolution française et à l'idée de

---

(2) É. J. Hobsbawm, *L'âge des extrêmes, histoire du court XXe siècle*, Éditions Complexe, Le Monde diplomatique, 1999.

droits de l'homme, aussi bien à l'étranger, avec Burke, par exemple, qu'en France, avec Taine. Mais la pratique de la dictature, voire de la répression, ne fut pas fondée, au XIXᵉ siècle, sur des idéologies. Il s'agissait, plus simplement, de la défense du pouvoir et des intérêts.

Peut-être la nouveauté du XXᵉ siècle est-elle l'apparition de dictatures fondées sur une idéologie. Même si de telles dictatures n'ont pas été instaurées en France, sinon pendant la relativement brève existence du régime de Vichy, leurs idéologies y ont exercé une certaine influence et ont inspiré des mouvements qui tendaient à abattre la démocratie libérale.

On voit ces idéologies à l'œuvre dès la fin du XIXᵉ siècle, avec le boulangisme, puis lors de l'affaire Dreyfus. L'opposition anti-libérale atteint un certain sommet dans l'entre-deux-guerres.

Ces idéologies contraignent le libéralisme à la défensive, en le rendant même honteux, parce qu'il est assimilé au capitalisme. En effet, c'est le capitalisme qui est expressément combattu et la démocratie libérale n'est considérée que comme son masque institutionnel.

Sont ainsi condamnés la raison, l'individualisme, le parlementarisme, et, par certains, le « cosmopolitisme », ce qui transforme le nationalisme, qui, naguère libérateur, se teinte de racisme.

Peut-on parler d'un fascisme à la française ? Certains l'ont soutenu (3). D'autres voient plutôt dans les années trente le prolongement d'une pensée de droite française traditionnelle (4). Les critiques de la pensée libérale viennent de l'extrême droite ou de la droite, comme de l'extrême gauche.

a) L'antirationalisme

Dans une conférence faite, en 1939, sur « les racines du nazisme », le philosophe allemand Ernst Bloch a fait de l'irrationalisme, le vecteur du nazisme, qui a détourné « l'horreur éprouvée contre la rationalisation capitaliste en une haine contre la raison en soi ». Le nazisme a exploité les anciennes tendances hostiles à l'intelligence ; les Lumières et la science sont considérées comme responsables de la division du travail dans les usines. De là naquit le regain de mode du romantisme.

On trouve, en France, des signes de cette tendance chez Barrès, qui fut le héros de la jeunesse nationaliste du tournant du siècle, qui opposait les racines à la raison abstraite ; chez Georges Sorel, aussi, la force et le mythe sont opposés à la raison et à l'intellectualisme.

---

(3) Z. Sternhell, *Ni droite, ni gauche. L'idéologie fasciste en France*, Seuil, 1983.
(4) D. Borne, H. Dubief, *La crise des années 30*, Seuil, Points, 1989.

A priori, le communisme est à l'opposé de ce courant. Le marxisme procède d'une analyse scientifique. Mais, dès lors que le communisme est dirigé par la III⁰ Internationale, créée par Lénine, en 1919, il ne tolère plus la critique. Une seule vérité, quasiment révélée, existe. Il ne s'agit plus que de mener une « propagande » efficace dans la certitude d'un seul objectif possible : la dictature du prolétariat.

La première des conditions d'adhésion à l'Internationale communiste est de « marquer au fer rouge systématiquement et impitoyablement », dans les journaux et les réunions, « non seulement les bourgeois, mais leurs complices, les réformistes de toutes nuances ». C'est sur l'adhésion à ces conditions que se fera la rupture, au Congrès de Tours, en 1920, entre ceux qui formeront le parti communiste et ceux qui resteront socialistes, comme Léon Blum.

b) L'anti-individualisme

Sur ce thème, se retrouvent aussi bien Mounier, le fondateur de la revue *Esprit*, en 1930, d'inspiration chrétienne, opposé à l'individualisme, promu par la Réforme, au capitalisme et à la démocratie libérale, que le fascisme ou le communisme.

Les fascistes français opposent à l'individu le culte de l'action collective et de l'État, qu'il s'agisse de Doriot, fondateur du parti populaire français, en 1936, ou de Georges Valois, fondateur du Faisceau, en 1925.

Les communistes opposent à l'individu la « discipline de fer » du parti, organisé sur les bases du centralisme démocratique, purgé des « éléments petit-bourgeois », soumis aux décisions obligatoires de l'Internationale communiste.

c) Le racisme

Les droits de l'homme étaient, selon les révolutionnaires, les droits de tous les hommes. La critique de la démocratie libérale put également engendrer le racisme. L'antisémitisme de la fin du XIX⁰ siècle se nourrit de l'anti-capitalisme. Il culmine avec l'affaire Dreyfus. On a pu dire que l'anti-dreyfusisme était prémonitoire (5).

d) L'antiparlementarisme

La République parlementaire fut la cible de Maurras, comme de Mounier.

---

(5) M. Rebérioux, *La République radicale ?*, Seuil, Points, 1975.

Le Parlement est le symbole de la décadence, aux yeux des fascistes, qui récusent la démocratie et veulent un pouvoir « fort ». Après le Front populaire, il est clair, pour l'Action française et ses lecteurs, que le parlementarisme peut conduire à la catastrophe : un gouvernement de gauche.

Les communistes considèrent « le Parlement comme un appareil essentiellement bourgeois », « une machine d'oppression et d'asservissement entre les mains du capital dominateur » (résolution Cachin-Frossard, novembre 1920), destinée à disparaître, pour être remplacé par la dictature du prolétariat. Toutefois, à titre provisoire, les partis communistes acceptent d'y participer.

À l'opposé encore, aussi bien des fascistes que des communistes, les syndicalistes révolutionnaires et les anarchistes se retrouvent sur l'hostilité aux institutions parlementaires, incapables, selon eux, de faire progresser la cause populaire. C'est à la Chambre des députés que Vaillant avait déposé une bombe, en 1893.

B. LÉGISLATION ET JURISPRUDENCE

En 1934-35, le législateur est soumis à des pressions opposées. Il réagit plus qu'il n'agit. Après le 6 février 1934, les gouvernements de centre-droit, qui se succèdent, de Doumergue à Laval, dressent contre les menées des ligues d'extrême droite des barrières juridiques. Mais ils ne veulent condamner ni Hitler ni Mussolini, dont l'agression en Éthiopie est acceptée.

Une loi du 7 février 1933 « sur les garanties de la liberté individuelle » avait enfin été l'aboutissement d'un projet présenté par Clémenceau en 1907. Elle retirait au préfet les pouvoirs de police judiciaire que lui avait donnés Napoléon par l'article 10 du Code d'instruction criminelle et enlevait, au-delà de quinze jours, le pouvoir confié, en 1856, au juge d'instruction de décider la détention préventive. Ses dispositions protectrices sont presque aussitôt abandonnées par une loi du 25 mars 1935, qui rétablit les pouvoirs de police judiciaire du préfet en cas d'atteinte à la sûreté intérieure ou extérieure de l'État et restaure la plénitude de compétence du juge d'instruction en matière de détention préventive.

Un décret-loi du 8 août 1935 supprime la possibilité d'appel et de pourvoi en cassation contre les décisions avant-dire droit.

Alors que les manifestations se multiplient, un décret-loi du 23 octobre 1935 impose une déclaration préalable pour les manifestations sur la voie publique et permet à l'autorité investie des pouvoirs de police de les interdire.

Un décret-loi du même jour organise une procédure d'urgence devant le tribunal pour déclarer la nullité d'une association, ordonner la fermeture des locaux et interdire toute réunion des membres de l'association.

Un décret-loi du 30 octobre 1935 défère aux tribunaux correctionnels le délit de publication de nouvelles fausses de nature à ébranler la discipline ou le moral de l'armée. Un autre décret du même jour correctionnalise le délit d'offense aux chefs de gouvernements étrangers en l'assimilant aux chefs d'État, pour mieux assurer la protection de Mussolini (6).

Dans l'*Action française* du 22 septembre 1935, Maurras demande aux « bons citoyens » de se servir d'« une arme, quelle qu'elle soit... un pistolet automatique, un revolver, un couteau de cuisine », contre les parlementaires qui ont protesté contre l'agression italienne en Éthiopie. Une loi du 10 janvier 1936 crée un nouveau délit de presse, qui est la provocation à des coups et blessures, violences et voies de fait volontaires contre les personnes, dont elle confie la répression au tribunal correctionnel.

Une loi du même jour permet la dissolution administrative des associations et groupements qui provoqueraient à des manifestations armées dans la rue ou présenteraient le caractère de groupes de combat ou de milices privées ou auraient pour but de porter atteinte à l'intégrité du territoire national ou d'attenter par la force à la forme républicaine du gouvernement. Elle est suivie de la dissolution des ligues que sont les Croix-de-feu, les Camelots du roi, les Volontaires nationaux...

Le même retrait par rapport aux principes libéraux a pu se voir dans la jurisprudence du Conseil d'État. Dans sa note sous l'arrêt *Benjamin*, du 19 mai 1933, Achille Mestre estima qu'il pouvait être « versé au dossier de la crise du libéralisme ». Le Conseil d'État admit qu'un maire pouvait interdire une réunion, alors que la loi du 30 juin 1881, instituant la liberté de réunion, ne permettait, selon son rapporteur même, « aucune interdiction des réunions sous prétexte des nécessités d'ordre public ».

§2. LA SECONDE GUERRE MONDIALE

La guerre de 1914-1918 ne donna lieu qu'à des habilitations législatives limitées quant à leur objet. Au contraire, la loi du 19 mars 1939 autorisa le Gouvernement à prendre les « mesures nécessaires à la défense du pays ». C'était une habilitation très générale. Elle fut prorogée par une loi du 8 décembre 1939, qui introduit, dans la

---

(6) C.-A. Colliard, *Libertés publiques*, Dalloz, 1989, p. 631.

loi du 11 juillet 1938 sur l'organisation de la défense nationale, un article habilitant de façon générale le gouvernement à prendre, en temps de guerre, « les mesures imposées par les exigences de la défense nationale ».

Ainsi, ce furent des décrets-lois qui, en 1939, permirent l'assignation à résidence, dans des camps, des « individus dangereux pour la défense nationale et la sécurité publique », la dissolution du parti communiste, la censure, les saisies administratives, le renforcement de la répression pénale.

A. LE RÉGIME DE VICHY

La loi du 10 juillet 1940, adoptée par l'Assemblée nationale, c'est-à-dire les Chambres réunies, donna tous pouvoirs constituants au Gouvernement, sous l'autorité et la signature du maréchal Pétain. La constitutionnalité de cette délégation a pu être discutée, mais, en application de cette loi, le maréchal Pétain prit un certain nombre d'« actes constitutionnels », qui l'instituèrent chef de l'État, lui donnèrent non seulement le pouvoir gouvernemental, mais le pouvoir législatif et ajournèrent « jusqu'à nouvel ordre » le Sénat et la Chambre des députés.

Ainsi ce furent des « lois », du point de vue formel, mais prises par l'Exécutif, qui mirent en œuvre la doctrine anti-libérale qu'on a vue.

La démocratie est également atteinte au niveau local : la loi du 16 novembre 1940 fait désigner par le gouvernement les maires des communes de plus de 2 000 habitants.

On examinera si l'application de la législation d'exception a pu faire l'objet d'un contrôle juridictionnel.

a) La législation d'exception

On peut distinguer la répression guidée par le souci de l'« ordre moral », la répression guidée par l'antisémitisme et la répression destinée à protéger l'armée allemande contre toute résistance.

1. L'ordre moral

Il s'exprime à travers les « droits du travail, de la famille et de la patrie », dont la garantie était demandée dans la loi du 10 juillet 1940.

C'est une conception particulière du droit du travail. Les grandes fédérations syndicales sont dissoutes, en application d'une loi du 16 août 1940, pour céder la place à des organismes corporatifs. La loi du 4 septembre 1942 sur « l'utilisation et l'orientation de la main-d'œuvre » prévoit que tous les hommes âgés de 18 à 50 ans et les femmes célibataires, âgées de 21 à 35 ans, devront « effectuer tous les travaux que le gouvernement jugera utiles dans l'intérêt supérieur de la nation ». Ce fut le service du travail obligatoire (STO), qui envoya travailler en Allemagne 600 000 à 700 000 hommes.

La famille est opposée à l'individualisme. La loi du 2 avril 1941 interdit le divorce pendant les trois premières années du mariage. Une loi du 11 octobre 1940 interdit le recrutement de femmes mariées dans les administrations publiques.

Le souci de l'ordre moral permet aux religieux d'enseigner, par une loi du 3 septembre 1940, mais permet, par une loi du 17 juillet 1940, de relever tous les fonctionnaires de leurs fonctions. La loi du 13 août 1940 interdit la fonction publique aux francs-maçons. Elle frappe nombre d'instituteurs. Des organisations, telles que le mouvement officiel « les compagnons de France » doivent faire de la jeunesse « l'avant-garde de la Révolution nationale ».

2. L'antisémitisme

On peut distinguer deux périodes : au cours de la première période, de 1940 à 1942, un antisémitisme d'inspiration nationaliste vise à l'exclusion des juifs de la communauté nationale, non seulement en zone libre, qui est sous la juridiction du gouvernement de Vichy, mais aussi en zone occupée. Xavier Vallat, commissaire général aux questions juives, demande, en juin 1941, que la législation française concernant les juifs se substitue aux ordonnances allemandes. Au cours de la deuxième période, de 1942 à 1944, Darquier de Pellepoix, nouveau commissaire général aux questions juives, participe à la réalisation, par les Allemands, de la « solution finale ».

Une loi « portant statut des juifs » est promulguée le 3 octobre 1940. Elle exclut les juifs de la fonction publique, prévoit qu'une proportion limitée de juifs pourra exercer les professions libérales ; selon une formule prémonitoire, des règlements « détermineront les conditions dans lesquelles aura lieu l'élimination des juifs en surnombre ». Elle écarte également les juifs de toute profession dans les entreprises de presse, de radio, de cinéma. Une loi du 2 juin 1941 allonge la liste des professions interdites.

Une loi du 21 juin 1941 limite à 3 % le nombre des étudiants juifs admis à s'inscrire dans les établissements d'enseignement supérieur.

La loi du 22 juillet 1941 organise la spoliation de tous les biens possédés par les juifs « en vue d'éliminer toute influence juive dans l'économie nationale ». Elle reprend le système institué, en zone occupée, en vue de l'« aryanisation » de l'économie.

La loi du 2 juin 1941 prescrit le recensement des juifs, comme l'a fait une ordonnance allemande du 27 septembre 1940.

Enfin, l'internement est prévu, d'abord pour les « ressortissants étrangers de race juive », par la loi du 4 octobre 1940. Cet internement est décidé par le préfet. Il a lieu dans des camps spéciaux. Il touche des Polonais, des Tchèques, des Autrichiens, qui se sont réfugiés en France. Les lois du 2 juin 1941 étendent l'internement aux juifs français. Le camp de Drancy est alors créé.

À partir de 1942, ont lieu les déportations vers les camps de concentration. Le 16 juillet 1942, la « rafle du Vel' d'Hiv' » rassemble 13 000 juifs étrangers au Vélodrome d'hiver, afin de les déporter. On évalue à environ 76 000 le nombre de juifs déportés de France et à 2 500, le nombre de ceux qui sont revenus, en 1945.

3. La répression de la Résistance

Des juridictions d'exception furent créées, non, comme en temps de guerre, pour juger les ennemis ou les traîtres, mais, au contraire, pour juger les ennemis des Allemands.

Une Cour suprême de justice est instituée le 30 juillet 1940, pour juger les gouvernants de la IIIᵉ République opposés à l'armistice.

Une Cour martiale est créée dès le 24 septembre 1940.

Après l'entrée des nazis en Russie, le 21 juin 1941, le parti communiste passe à la Résistance, à laquelle le général de Gaulle a appelé dès le 18 juin 1940. Les actions terroristes contre l'ennemi se multiplient. Un décret du 14 août 1941 crée, auprès des tribunaux militaires ou des Cours d'appel, des « sections spéciales », chargées, rétroactivement de réprimer les « infractions pénales commises dans une intention d'activité communiste ou anarchiste ». En fait, le décret est daté rétroactivement du 14 août. Il est publié au *Journal officiel* du 23 août et a été pris pour satisfaire à l'exigence de représailles formulées par l'état-major allemand, à la suite de l'assassinat, le 21 août, de l'aspirant Moser. Dès le 27 août, la section spéciale de la Cour d'appel de Paris condamne à mort deux communistes et un juif, déjà condamnés et détenus, pour usage de fausses pièces d'identité ou pour possession de tracts.

Un décret du 7 septembre 1941 crée un tribunal d'État, avec une section à Paris et une section à Lyon. Il doit réprimer les « actes, menées ou activités », « de nature à troubler l'ordre, la paix intérieure, la tranquillité publique, les relations internationales ou, d'une manière générale, à nuire au peuple français ». Ses membres sont désignés par décret. Les droits de la défense au cours de l'instruction sont supprimés, de même que toute voie de recours.

Le juge de droit commun a-t-il pu être plus libéral ?

b) Le contrôle juridictionnel

La magistrature fut épurée, de même que l'ensemble de la fonction publique, des francs-maçons, des juifs et des éléments indésirables en général.

L'acte constitutionnel du 14 août 1941 impose aux magistrats l'obligation de prêter serment de fidélité au chef de l'État. Un décret du même jour impose la même obligation aux hauts fonctionnaires et aux membres du Conseil d'État. Un seul magistrat refusa de prêter serment.

Il est évident que toute protection juridictionnelle ne pouvait être que dérisoire, face à l'ampleur des mesures répressives. Mais, quand il fut saisi, le juge administratif ne fut pas trop audacieux. Il ne se posa pas la question de la constitutionnalité des « lois » de Vichy. Traditionnellement il se refuse à contrôler la constitutionnalité des lois, mais les lois de Vichy, étaient-elles des lois ou des décrets-lois ? (7). Chaque loi était précédée de la formule : « Nous, Maréchal de France, chef de l'État français, décrétons... ».

Les juges appliquèrent les lois, et notamment les lois antisémites, comme des lois incontestables. Ils eurent alors à se pencher sur la question de la définition du juif, pour l'application des lois sur le statut des juifs. Des tribunaux judiciaires considérèrent que la charge de la preuve de l'appartenance à la « race juive » incombait à l'administration, alors que le Conseil d'État exigea que celui, à l'encontre duquel l'administration faisait valoir des présomptions d'appartenance à la race juive, en fît la preuve négative.

Cette preuve était, de surcroît, difficilement admise. Une bénédiction nuptiale de grands-parents dans une église protestante ne suffit pas à prouver la non-appartenance à la « race juive » (CE 2 avril 1943, *Dame Maxudian*).

Peut-être, le Conseil d'État fut-il plus protecteur des fonctionnaires, en imposant l'application immédiate des garanties prévues, en matière disciplinaire, par le statut général, édicté par la loi du 14 septembre 1941.

Selon l'interprétation donnée par la Cour de cassation à la loi du 26 décembre 1964, qui déclare imprescriptibles les crimes contre l'humanité, seuls pouvaient être qualifiés ainsi des actes commis « au nom d'un État pratiquant une politique d'hégémonie idéologique » (Cass. crim. 20 décembre 1985). Dans un arrêt du 27 novembre 1992, concernant Paul Touvier, responsable du service du renseignement de la Milice à Lyon, en 1943-1944, la Cour de cassation s'abstint de qualifier ainsi la France de Vichy.

Paul Touvier fut reconnu coupable de complicité de crime contre l'humanité le 20 avril 1994, comme le fut Maurice Papon, secrétaire

---

(7) Cf. la note de R.-E. Charlier, sous CE 22 mars 1944, *Vincent*, *S.* 1945.3.53 ; O. Dupeyroux, « L'indépendance du Conseil d'État statuant au contentieux », *RDP* 1983, p. 565 ; *Juger sous Vichy*, Seuil, Le genre humain, 1994.

général de la préfecture de la Gironde, de 1942 à 1944, par la Cour d'assises de Bordeaux, le 2 avril 1998.

Le 12 avril 2002, le Conseil d'État a reconnu la responsabilité de l'État dans l'arrestation et l'internement, entre 1942 et 1944, de « personnes d'origine juive » en Gironde, « actes et agissements de l'administration française qui ne résultaient pas directement d'une contrainte de l'occupant » et « ont permis et facilité, indépendamment de l'action de M. Papon, les opérations qui ont été le prélude à la déportation » (8).

B. LA LIBÉRATION

Dès octobre 1940, le général de Gaulle forma le Gouvernement de la France libre, qui légiféra par voie d'ordonnances. Ce gouvernement prit, le 3 juin 1944, le nom de Gouvernement provisoire de la République française. Il resta en place, jusqu'à l'entrée en vigueur de la loi constitutionnelle du 2 novembre 1945.

Une ordonnance du 9 août 1944 procéda au « rétablissement de la légalité républicaine », en déclarant nuls les actes constitutionnels, législatifs ou réglementaires, promulgués après le 16 juin 1940 (date de la constitution du Gouvernement du maréchal Pétain, qui demanda l'armistice le lendemain). En particulier elle « constatait » la nullité des actes contraires aux libertés publiques : les actes qui avaient institué des juridictions d'exception, imposé le travail forcé pour le compte de l'ennemi, les actes relatifs aux associations dites secrètes, les actes qui établissaient ou appliquaient une discrimination quelconque fondée sur la qualité de juif.

Mais, parallèlement, furent prises des mesures juridiques, visant à encadrer les représailles à l'encontre des collaborateurs, qui pouvaient être victimes d'exécutions sommaires. Des tribunaux d'exception furent institués : l'ordonnance du 28 novembre 1944 créa les Cours de justice, composées d'un magistrat et de quatre jurés, désignés par une commission, comportant le Président de la Cour d'appel ou du tribunal civil et deux représentants du comité départemental de libération. Elles étaient compétentes pour les infractions aux lois pénales, commises avec l'intention de favoriser les entreprises, de toute nature, de l'ennemi. L'exécution stricte des ordres n'était pas constitutive d'infraction.

L'ordonnance du 26 décembre 1944 créa les Chambres civiques, composées comme les Cours de justice, chargées de punir de la peine de dégradation nationale, c'est-à-dire, notamment, la privation de

_____

(8) *AJDA* 2002, p. 423, chr. M. Guyomar, P. Collin.

droits civiques et politiques et l'exclusion de toute fonction publique, les personnes reconnues coupables d'avoir milité dans des organismes de collaboration, tels que la milice, ou d'avoir notamment publié des articles ou livres « en faveur de l'ennemi, de la collaboration avec l'ennemi, du racisme ou des doctrines totalitaires ». L'historien R. Paxton note : « les techniciens, les hommes d'affaires, les administrateurs se tirent pratiquement indemnes de la tourmente, mais il y a des coupes sombres chez les intellectuels et les publicistes » (9).

L'ordonnance du 4 octobre 1944 permet au préfet d'assigner à résidence ou d'interner, jusqu'à la date de cessation des hostilités, les individus dangereux pour la défense nationale ou la sécurité publique.

Le Conseil d'État exerça un réel contrôle sur l'application de cette ordonnance, en annulant de nombreux arrêtés d'internement, comme reposant sur des faits n'entrant pas dans le champ d'application de l'ordonnance. Il admit la responsabilité de l'État pour une détention qui n'était motivée ni par un mandat judiciaire, ni par un arrêté d'internement (CE 7 novembre 1947, *Alexis et Wolff*). On verra plus loin que la compétence du juge administratif n'était pas évidente, à la lecture des textes.

§3. LA GUERRE D'ALGÉRIE

Elle fut appelée officiellement opération de maintien de l'ordre en Algérie, jusqu'à une loi du 18 octobre 1999.

Elle provoqua d'abord la mise en place d'un régime d'exception à vocation permanente, l'état d'urgence, destiné à se substituer à l'état de siège, considéré comme inadapté, comme nous le verrons plus loin. Institué le 3 avril 1955, il devint caduc avec la dissolution de l'Assemblée nationale, le 2 décembre 1955. Après les élections, le gouvernement Guy Mollet préféra demander, en 1956, une habilitation générale.

Les habilitations se succédèrent, jusqu'en 1962, voire se superposèrent, pour donner tous pouvoirs au Gouvernement.

A. LA MULTIPLICITÉ DES HABILITATIONS

Dans un avis du 6 février 1953, le Conseil d'État avait considéré que la « tradition constitutionnelle républicaine », résultant notam-

---

(9) R. Paxton, *La France de Vichy, 1940-1944*, Seuil, 1973.

ment du Préambule de la Constitution et de la Déclaration des droits de l'homme de 1789, réservait à la loi certaines matières, dont les libertés publiques.

Pourtant, la loi du 16 mars 1956 donna au Gouvernement, en Algérie, les « pouvoirs les plus étendus pour prendre toute mesure exceptionnelle commandée par les circonstances, en vue du rétablissement de l'ordre, de la protection des personnes et des biens et de la sauvegarde du territoire ». Le Gouvernement pouvait même, par décret en Conseil des ministres, modifier la législation.

Ces pouvoirs étaient accordés au Gouvernement « *intuitu personae* ». Tout nouveau Gouvernement devait demander leur renouvellement. Une ordonnance, prise en application de l'article 92 de la Constitution de 1958, qui donnait au Gouvernement le pouvoir législatif, pour la mise en place des institutions, supprima l'obligation pour un nouveau Gouvernement d'obtenir le renouvellement des pouvoirs spéciaux, devenus ainsi permanents.

Aux pouvoirs spéciaux s'ajoutèrent de nouveaux pouvoirs, en application de la loi du 4 février 1960, votée après les barricades, dressées, à Alger, le 24 janvier 1960, par les Français d'Algérie. Cette loi autorisait le Gouvernement à prendre « certaines mesures relatives au maintien de l'ordre, à la sauvegarde de l'État et à la pacification et l'administration de l'Algérie ».

Pourtant, cette loi fut utilisée, pour modifier, dans un sens plus rigoureux, le Code de procédure pénale et le Code pénal.

Enfin, la loi référendaire du 13 avril 1962 donna également tous pouvoirs au Gouvernement, pour la mise en œuvre des accords d'Evian. Elle fut également utilisée pour modifier le droit commun.

B. LEUR MISE EN ŒUVRE

En application des pouvoirs spéciaux, les pouvoirs de police furent transférés aux autorités militaires, en particulier, en avril 1957, pour la « bataille d'Alger ».

Un décret du 12 février 1960 légalisa la pratique de la « période d'exploitation », entre l'arrestation et la saisine de la justice. Les interrogatoires furent menés dans des « centres de renseignement et d'action ». C'est à ce moment que la torture était utilisée.

La pratique de l'assignation à résidence fut utilisée par l'autorité civile, pour contrôler les arrestations faites par les autorités militaires. Sur 124 000 personnes assignées à résidence dans la région d'Alger, 3 000 disparurent. Des dizaines de milliers d'Algériens furent internés dans des « centres d'hébergement » ou des « centres de transit et de triage ». 2 millions d'Algériens furent placés dans des « camps de regroupement ».

Les juridictions judiciaires, normalement compétentes pour protéger la liberté individuelle, furent largement dessaisies, parce que le Tribunal des conflits estima que toute action contre l'État était de la compétence des juridictions administratives, malgré le nouvel article 136 du Code de procédure pénale (TC 16 novembre 1964, *Préfet du Lot-et-Garonne c/ Sieur Clément*) et que, d'autre part, la théorie de la voie de fait ne pouvait jouer, puisque l'administration disposait légalement des pouvoirs les plus étendus.

Le Conseil d'État admit que toute mesure de police était permise par la loi. Puisque la création de camps d'internement n'était pas interdite par la loi, elle était licite (CE Ass. 7 mars 1958, *Zaquin*).

Le Conseil d'État admit même que les pouvoirs spéciaux permettaient au Gouvernement de déroger à des principes généraux du droit, comme celui de l'autorité judiciaire gardienne de la propriété privée ou celui de l'égalité des citoyens devant les charges publiques, ou même à celui de la présomption d'innocence. Il pouvait aussi déroger à des dispositions constitutionnelles, comme celle de l'inamovibilité de la magistrature.

C'est l'usage d'un pouvoir normal que l'arrêt *Frampar* (CE 24 juin 1960) sanctionna, en déclarant illégale une saisie de journaux opérée par le préfet d'Alger, non sur le fondement des pouvoirs spéciaux, mais sur le fondement de l'article 30 du Code de procédure pénale, qui lui donne des pouvoirs de police judiciaire.

Le Conseil d'État n'assura son contrôle que sur les ordonnances prises en application de la loi référendaire du 13 avril 1962, par le célèbre arrêt *Canal* (CE 19 octobre 1962, *sieurs Canal, Robin et Godot*). Il considéra d'abord que ces ordonnances n'avaient qu'une valeur réglementaire, contrairement à celles prises en application de l'article 92, et il annula l'ordonnance créant la Cour militaire de justice, considérant que l'atteinte qu'elle portait au respect des droits de la défense, qui était un principe général du droit, n'était pas justifiée par les circonstances. C'était là un contrôle maximum, jamais appliqué tout au long de la guerre d'Algérie.

Une Commission de sauvegarde des droits et libertés individuels fut créée par un décret du 7 mai 1957. Elle n'était qu'un organe consultatif, placé auprès du Gouvernement, et ne pouvait sanctionner des violations des libertés.

Section 2 Les nouvelles sources du droit des libertés

Deux sources majeures du droit des libertés se sont imposées au cours de la seconde partie du XXe siècle : la Constitution et les traités internationaux.

§1. LA CONSTITUTION

A. LA CONSTITUTION DU 27 OCTOBRE 1946

Après la fin de la Seconde Guerre mondiale, la plupart des Constitutions débutent par une Déclaration des droits. C'est le cas en Allemagne, en Italie, au Japon, au lendemain de la guerre, comme gage de retour à la démocratie libérale. C'est le cas dans les années soixante-dix pour les États du sud de l'Europe qui sortent de la dictature (Espagne, Grèce, Portugal) ou de la colonisation, en Afrique. C'est le cas enfin, après la chute du mur de Berlin, pour les États qui échappent à l'allégeance soviétique en Europe centrale et orientale.

En 1945, les Français souhaitent une nouvelle Constitution. Un projet est établi par une Assemblée constituante où les communistes et les socialistes dominent. Ce projet comporte une nouvelle Déclaration des droits de l'homme, placée en tête de la Constitution. Il comprend une première partie, intitulée « des libertés » et une seconde partie intitulée « des droits sociaux et économiques ». La première reprend les droits affirmés par la Déclaration de 1789 et par les lois de la IIIᵉ République et en ajoute d'autres, comme « le droit de défiler librement sur la voie publique ». La seconde affirme les droits à la protection sociale et les droits des travailleurs.

Ce projet fut rejeté par référendum le 5 mai 1946.

Dans la seconde assemblée constituante, le MRP (Mouvement républicain populaire) gagna plus de sièges que le parti communiste, dont l'alliance avec le parti socialiste ne disposa plus de la majorité absolue. La Déclaration des droits fut abandonnée, au profit d'un simple Préambule.

Ce Préambule « réaffirme solennellement les droits et les libertés de l'homme et du citoyen consacrés par la Déclaration des droits de 1789 », ainsi que « les principes fondamentaux reconnus par les lois de la République ». Il « proclame, en outre, comme particulièrement nécessaires à notre temps », un certain nombre de « principes politiques, économiques et sociaux » (10).

Les *principes sociaux* sont largement ceux du XIXᵉ siècle : droit d'obtenir un emploi (al. 5), mais couplé avec un devoir de travailler ; droit syndical (al. 6) ; droit de grève (al. 7) ; droit à l'instruction (al. 13), formulé comme un devoir de l'État et sans mention de la liberté d'enseignement. Apparaît une formulation nouvelle : « la Nation assure à l'individu et à la famille les conditions nécessaires

---

(10) G. Conac et *al.* (dir.), *Le Préambule de la Constitution de 1946. Histoire, analyse et commentaire*, Dalloz, 2001.

à leur développement » (al. 10). Le « développement » se substitue au « bonheur de tous », souhaité par la Déclaration de 1789. En conséquence, la Nation « garantit à tous, notamment à l'enfant, à la mère et aux vieux travailleurs, la protection de la santé, la sécurité matérielle, le repos et les loisirs » (al. 11), et « proclame la solidarité et l'égalité de tous les Français devant les charges qui résultent des calamités nationales » (al. 12).

Ces principes sociaux rejoignent les nouveaux *principes économiques*. Les travailleurs participent « à la détermination collective des conditions de travail, ainsi qu'à la gestion des entreprises » (al. 8). L'idéologie anti-capitaliste, voire socialiste, inspire l'édiction de l'obligation de transfert de propriété à la collectivité de « tout bien, toute entreprise, dont l'exploitation a ou acquiert les caractères d'un service public national ou d'un monopole de fait » (al. 9).

Les *principes politiques* proclamés par le Préambule amènent la République française à renouer avec la tradition révolutionnaire. L'alinéa 14 reproduit textuellement une phrase d'un décret des 22-27 mai 1790 : la République française « n'entreprendra aucune guerre dans des vues de conquête et n'emploiera jamais ses forces contre la liberté d'aucun peuple ». Le droit d'asile est garanti à « tout homme persécuté en raison de son action en faveur de la liberté » (al. 4). La France déclare former avec les peuples d'outre-mer « une Union fondée sur l'égalité des droits et des devoirs » (al. 16), notamment en matière d'accès aux fonctions publiques (al. 18). Elle condamne la colonisation lorsque celle-ci est fondée sur l'arbitraire ; elle « entend conduire les peuples dont elle a pris la charge à la liberté de s'administrer eux-mêmes » (al. 18).

La question de la portée juridique du Préambule a été largement esquivée au cours des débats constituants . De nombreux auteurs, en outre, arguaient de son contenu vague pour lui dénier toute valeur juridique, ou pour distinguer entre les dispositions précises, comme la reconnaissance de la liberté syndicale, et les dispositions programmatoires, comme le droit d'obtenir un emploi ou celui d'obtenir de la collectivité des moyens convenables d'existence.

La possibilité pour le Comité constitutionnel de contrôler la conformité des lois aux principes énoncés par le Préambule a été expressément exclue par l'article 92 de la Constitution de 1946. La théorie de la loi-écran, d'autre part, interdisait au juge administratif ou judiciaire de refuser d'appliquer une loi contraire aux principes formulés dans ce texte.

Sous la IVe République et dans les premières années de la Ve, le Conseil d'État a toutefois imposé aux autorités administratives le respect de certaines dispositions du Préambule (11), comme l'alinéa 7 relatif au droit de grève (Ass. 7 juillet 1950, *Dehaene*). Il a même accepté d'assurer la protection d'un « principe fondamental reconnu par les lois de la République » (catégorie dont le Préambule ne précise pas le contenu), en accordant cette qualification juridique à la liberté d'association (CE 11 juillet 1956, *Amicale des Annamites de Paris*). De la même manière, le Tribunal civil de la Seine a pu se fonder sur l'exorde du préambule, par lequel « le peuple français proclame à nouveau que tout être humain, sans distinction de race, de religion ou de croyance, possède des droits inaliénables et sacrés », pour annuler le testament d'une grand-mère qui déshéritait sa petite-fille si elle épousait un juif (22 janvier 1947, *Gaz. Pal.* 1947.1.67).

Nous verrons que le Préambule de la Constitution de 1946 est aujourd'hui partie intégrante, dans toutes ses dispositions, du « bloc de constitutionnalité » dont le Conseil constitutionnel assure la protection.

B. LA CONSTITUTION DU 4 OCTOBRE 1958

La Constitution de 1958 ne comprend pas de Déclaration des droits. Son Préambule se borne à énoncer que « le peuple français proclame solennellement son attachement aux Droits de l'homme et aux principes de la souveraineté nationale tels qu'ils ont été définis par la Déclaration de 1789, confirmée et complétée par le Préambule de la Constitution de 1946 ». Il reprend ainsi la formule de la Constitution du Second Empire, dont l'article 1ᵉʳ énonçait : « La Constitution reconnaît, confirme et garantit les grands principes proclamés en 1789 et qui sont la base du droit public des Français ».

Mais ce renvoi ne signifie pas que le Constituant entendait conférer valeur supra-législative aux textes de 1789 et 1946. La majorité des membres du Comité consultatif constitutionnel craignait, au contraire, « que certaines lois d'urgence votées en raison des événements d'Algérie ne paraissent contraires au Préambule de la nouvelle Constitution » (12). Elle repoussa un amendement précisant que le législateur intervient « dans le respect des principes généraux et des droits individuels définis par le Préambule ».

Quelques dispositions des articles numérotés de la Constitution définissent des droits et libertés : l'article 2 (devenu article 1ᵉʳ avec

---

(11) Sur cette jurisprudence, v. M. Clapié, « Le Conseil d'État et le Préambule de 1946 », *Revue administrative*, 1997, n° 297, pp. 278 sq.
(12) F. Luchaire, « Préambule », *in La Constitution de la République française*, Economica, 2ᵉ éd., 1987, p. 88.

la révision du 4 août 1995) sur l'égalité et le respect de toutes les croyances, l'article 3 sur le droit de vote, l'article 4 sur les partis politiques, l'article 66 sur la liberté individuelle. Les nombreuses révisions constitutionnelles intervenues au fil des ans n'ont pas étendu cette liste. Le Constituant dérivé s'est borné à aménager l'exercice du droit d'asile (art. 53-1 introduit par la révision du 25 novembre 1993). Il faudra attendre le XXIe siècle pour voir consacrer un droit véritablement nouveau (dont le sens et la portée demeurent toutefois mal assurés...) : « le droit de vivre dans un environnement équilibré et respectueux de la santé », proclamé par l'article premier de la Charte de l'environnement de 2004 auquel renvoie, depuis la révision constitutionnelle du 1er mars 2005, le Préambule de la Constitution.

Indirectement toutefois, la révision constitutionnelle de 1974 étendant à soixante députés ou sénateurs de droit de déférer au Conseil constitutionnel une loi votée mais non encore promulguée a produit des effets considérables sur le droit constitutionnel des libertés. Le Conseil, trois ans plus tôt, avait en effet reconnu valeur constitution-nelle aux dispositions de la Déclaration de 1789 et du Préambule de 1946 (71-44 DC du 16 juillet 1971, *Liberté d'association*). L'exten-sion du droit de saisine, en multipliant les occasions où le juge est amené à statuer, a permis à celui-ci d'assurer pleinement la protection des droits garantis, mais aussi d'en organiser le développement, en s'engageant, comme nous le verrons plus loin, dans un processus de « création continue de droits et libertés », selon l'expression de Dominique Rousseau (13).

Les traités internationaux forment une autre source d'enrichisse-ment du droit des libertés.

§ 2. LES TRAITÉS

Depuis la Seconde Guerre mondiale, les traités internationaux occupent une place grandissante dans la création des droits et libertés. On a assisté à un véritable mouvement d'internationalisation des droits de l'homme.

A. CONTENU

Les traités relatifs aux droits et libertés naissent de la volonté de plusieurs États de se donner des règles communes en ce domaine.

---

(13) *Droit du contentieux constitutionnel*, Montchrestien, 7e éd., 2006.

Ils ont d'abord visé à assurer la protection des personnes les plus vulnérables : le droit des conflits armés a cherché, dès 1864, à assurer la protection des blessés et victimes de guerre. Au cours des années 1920 et 30, des Conventions conclues dans le cadre de la Société des Nations ou de l'Organisation internationale du travail ont également voulu protéger les réfugiés, les membres des minorités nationales, ou encore les travailleurs.

C'est toutefois après 1945 que les Conventions relatives aux droits de l'homme se développent de manière spectaculaire, aussi bien dans le cadre universel que dans un cadre régional. Le continent européen est, à cet égard, particulièrement bien doté.

a) Le droit international des droits de l'homme

Adoptée par l'Assemblée générale des Nations-Unies le 10 décembre 1948, la Déclaration universelle des droits de l'homme jouit d'un immense prestige moral. Mais elle demeure, aujourd'hui encore, dépourvue de portée contraignante.

Certains États ont toutefois conféré valeur supra-législative à ses dispositions. La Constitution espagnole du 27 décembre 1978 prévoit ainsi que « les normes relatives aux droits fondamentaux et aux libertés que reconnaît la Constitution seront interprétées conformément à la Déclaration universelle des droits de l'homme ». Certains des droits qu'elle proclame sont repris, d'autre part, par deux pactes onusiens de 1966 : le Pacte international sur les droits civils et politiques (PIDCP) et le Pacte international sur les droits économiques, sociaux et culturels (PIDESC). L'un et l'autre ont été ratifiés par la France en 1980.

D'autres Conventions conclues dans le cadre de l'ONU jouent un rôle non négligeable dans la promotion internationale des droits de l'homme : Convention pour l'élimination de toutes les formes de discrimination raciale (1965), Convention sur l'élimination de toutes les formes de discrimination à l'égard des femmes (1979), Convention relative aux droits de l'enfant (1989)...

À la fin du siècle, une avancée majeure a été accomplie avec l'adoption, le 17 juillet 1998, de la Convention de Rome portant création d'une Cour pénale internationale. Cette juridiction permanente est compétente pour réprimer les crimes de génocide, les crimes contre l'humanité et les crimes de guerre. Sa création marque un progrès considérable par rapport aux tribunaux *ad hoc* institués à Nuremberg et Tokyo après la seconde guerre mondiale, ou, au cours des années 1990, pour juger certains commis en ex-Yougoslavie ou au Rwanda. Il s'agit toutefois moins d'une conquête du droit international des droits de l'homme que d'une avancée du droit international pénal : « son objet n'est pas d'assurer à l'individu la protection internationale de ses droits, mais de réprimer les violations particulièrement graves des droits essentiels de la personne humaine » (14).

b) Le droit européen des droits de l'homme

L'Europe de l'après-guerre veut proclamer qu'elle ne connaîtra plus jamais la barbarie. Elle crée le Conseil de l'Europe, qui élabore la Convention de sauvegarde des droits de l'homme et des libertés fondamentales (ou « CEDH », pour « Convention européenne des droits de l'homme »), signée à Rome le 4 novembre 1950 et entrée en vigueur le 3 septembre 1953. Cette Convention a été complétée, au fil du temps, par plusieurs protocoles protégeant le droit au respect des biens et le droit à l'instruction (Protocole n° 1 de 1952), interdisant l'emprisonnement pour dette, l'expulsion des nationaux et l'expulsion collective d'étrangers (Protocole n° 4 de 1963), ou portant abolition de la peine de mort (Protocole n° 6 de 1983).

La production normative du Conseil de l'Europe s'est également déployée sur le terrain des droits sociaux (Charte sociale européenne du 18 octobre 1961, révisée le 3 mai 1996), et a réinvesti, plus récemment, celui du droit des minorités (Charte des langues régionales ou minoritaires en 1993, Convention-cadre pour la protection des minorités nationales en 1994).

Un second regroupement d'États s'est formé, sur le continent européen, avec le Traité de Rome de 1957. Sa vocation n'est pas la protection des droits de l'homme, mais la création d'un marché unifié. Cet objectif fondamental explique que le principe de non-discrimination constitue, depuis l'origine, un principe organisateur du droit communautaire : il impose la suppression de discriminations perçues comme autant de distorsions de concurrence et/ou de freins à l'allocation optimale des ressources. Le traité de 1957 formulait ainsi une interdiction générale de discrimination à raison de la nationalité, interdiction concrétisée par une série de dispositions relatives à la libre circulation des travailleurs, au droit d'établissement et à la libre prestation des services. L'interdiction de la discrimination en raison de la nationalité a débouché sur une obligation de traitement de tout ressortissant communautaire à l'égal d'un national dans l'État où il séjourne ou exerce ses activités.

De façon plus générale, la Cour de Justice des Communautés européennes a affirmé, dès 1970, que les droits fondamentaux étaient « partie intégrante des principes généraux du droit dont elle assure

---

(14) F. Sudre, *Droit européen et droit international des droits de l'homme*, PUF, Droit fondamental, 8e éd., 2006, p. 33.

le respect » (17 décembre 1970, *Internationale Handelsgesellschaft*). En s'inspirant des traditions constitutionnelles des États membres et de la Convention européenne des droits de l'homme, le juge de Luxembourg a élaboré, au fil du temps, un dispositif de protection des droits et libertés relativement efficace.

Pour codifier et systématiser cet ensemble jurisprudentiel, une Charte des droits fondamentaux de l'Union européenne a été adoptée, à Nice, le 7 décembre 2000. Les droits consacrés sont classés en six chapitres exprimant six grandes valeurs : dignité, liberté, égalité, solidarité, citoyenneté, justice. Après le rejet, en 2005, du traité établissant une Constitution pour l'Europe, la Charte a été annexée, sous forme de Déclaration, au traité de Lisbonne qui devrait être ratifié en 2008. Elle intégrera alors le droit primaire, et tous les justiciables (sauf en Grande-Bretagne et en Pologne) pourront l'invoquer devant le juge communautaire ainsi que devant les juridictions nationales.

B. PORTÉE

Les conventions évoquées ci-dessus sont toutes dotées d'une valeur supra-législative, en vertu de l'article 55 de la Constitution qui prévoit que « les traités ou accords régulièrement ratifiés ou approuvés ont, dès leur publication, une autorité supérieure à celle des lois » (« sous réserve pour chaque accord ou traité de son application par l'autre partie », mais cette réserve ne joue pas en droit international des droits de l'homme, non soumis au principe de réciprocité).

La valeur supra-législative des traités est aujourd'hui pleinement reconnue dans l'ordre interne : elle conduit les pouvoirs publics, et plus spécialement les juges, à écarter l'application d'une loi contraire à un traité, qu'elle ait été adoptée avant ou après la ratification de celui-ci.

C'est lorsque les dispositions du texte conventionnel sont directement applicables que le degré de protection est le plus élevé. La Convention européenne des droits de l'homme, les normes de droit communautaire, et le Pacte international sur les droits civils et politiques bénéficient aujourd'hui, en France, d'une applicabilité directe incontestée.

Pour les autres instruments de protection des droits et libertés, la situation est plus contrastée. Certains sont dénués de tout effet direct. C'est le cas de la Charte sociale européenne, ou du Pacte international sur les droits économiques et sociaux (CE, 5 mars 1999, *Rouquette*). Il en va de même, selon la Cour de cassation, pour la Convention de New York relative aux droits de l'enfant (Cass. civ. 1ʳᵉ,

10 mars 1993, *Le Jeune*). Mais ce même texte est considéré par le Conseil d'État comme devant faire l'objet d'une analyse sélective : si certaines de ses dispositions ne sont pas suffisamment « précises » pour être directement applicables (CE, 23 avril 1997, *GISTI*, relatif aux articles 26 et 27 garantissant à l'enfant un « niveau de vie suffisant pour permettre son développement physique, mental, spirituel, moral »), d'autres en revanche sont directement invocables, à l'instar de l'article 3 § 1 qui pose que « l'intérêt supérieur de l'enfant » doit être une « considération primordiale » dans toutes les décisions le concernant (pour une application en droit des étrangers : CE, 22 septembre 1997, *Mlle Cinar*).

DEUXIÈME PARTIE
LA GARANTIE DES DROITS

CHAPITRE 1

LES GARANTIES JURIDICTIONNELLES

Un principe traditionnel du droit français érige le juge judiciaire en gardien de la liberté individuelle. Mais le juge administratif, chargé de garantir le respect de la loi par l'administration, joue également, depuis la fin du XIXᵉ siècle, un rôle majeur en cette matière.

Un siècle plus tard, le double mouvement de constitutionnalisation et d'européanisation des libertés aboutit à la promotion de deux nouveaux juges : le Conseil constitutionnel d'une part, les juges européens d'autre part.

Section 1 L'autorité judiciaire, gardienne de la liberté individuelle et de la propriété immobilière

« L'autorité judiciaire doit demeurer indépendante pour être à même d'assurer le respect des libertés essentielles telles qu'elles sont définies par le Préambule de la Constitution de 1946 et par la Déclaration des droits de l'homme à laquelle il se réfère » : ce « quatrième principe » énoncé par la loi constitutionnelle du 3 juin 1958 souligne clairement que l'indépendance du juge judiciaire est la condition nécessaire d'une protection effective de la liberté individuelle.

§ 1. L'INDÉPENDANCE DU JUGE JUDICIAIRE

L'article 54 de la Constitution de 1958 fait du Président de la République le garant de l'indépendance de l'autorité judiciaire, et prévoit qu'il est « assisté » dans cette tâche par le Conseil supérieur de la magistrature.

L'organisation et le fonctionnement du Conseil supérieur de la magistrature ont fait l'objet, le 27 juillet 1993, d'une révision constitutionnelle complétée par une loi organique du 5 février 1994. L'article 65 al. 2 de la Constitution prévoit désormais que « le Conseil Supérieur de la Magistrature comprend deux formations, l'une compétente à l'égard des magistrats du siège, l'autre à l'égard des magistrats du parquet ».

A. LA COMPOSITION DU CONSEIL SUPÉRIEUR DE LA MAGISTRATURE

Jusqu'à la révision de 1993, le Président de la République nommait tous les membres du Conseil. Il a perdu cette compétence, mais il préside toujours, de droit, le Conseil. Le ministre de la Justice en est vice-président. Ni l'un ni l'autre ne sont présents lorsque le Conseil statue en qualité de formation disciplinaire.

Les règles de composition du Conseil varient selon la formation considérée, mais quatre personnalités sont appelées à siéger dans chacune d'entre elles : un Conseiller d'État nommé par le Conseil d'État, et trois personnalités extérieures au Parlement et à l'ordre judiciaire, désignées respectivement par les présidents de la République, de l'Assemblée nationale et du Sénat. Tous sont élus : directement par leurs pairs pour six d'entre eux (membre de la Cour de cassation, premier président de Cour d'appel et président de tribunal de grande instance d'un côté ; procureur près la Cour de cassation, près une Cour d'appel et près un tribunal de grande instance de l'autre côté) ; au suffrage indirect pour les six autres, représentant les magistrats « de base ».

Une loi organique adoptée en 2001 prévoyait que les listes soumises aux magistrats du siège pour l'élection d'un collège de cent soixante membres, ainsi qu'aux magistrats du parquet pour un collège de cinquante membres, devaient être composées selon un principe de stricte alternance entre les sexes, de sorte que les collèges de « grands électeurs » auraient été composés d'autant de femmes que d'hommes. Mais le Conseil constitutionnel a déclaré que l'imposition d'une telle règle de parité était contraire à la Constitution (2001-445 DC du 19 juin 2001, *Conseil Supérieur de la Magistrature*).

B. LES POUVOIRS DU CONSEIL SUPÉRIEUR DE LA MAGISTRATURE

Alors que le Conseil, avant la révision de 1993, intervenait dans la carrière et la discipline des seuls magistrats du siège, il joue désormais également un rôle à l'égard des magistrats du parquet.

S'agissant des magistrats du siège, il faut distinguer entre les nominations des membres de la Cour de cassation, des présidents de cours d'appel et des présidents de tribunaux de grande instance d'une part, le reste des magistrats d'autre part. Dans le premier cas, le CSM formule une proposition à laquelle le Président de la République n'est pas tenu de souscrire. Dans le second cas, il examine les propositions émises par le ministre de la Justice et émet à leur sujet un avis conforme (qui lie l'autorité de nomination).

S'agissant des magistrats du parquet, l'avis qu'il donne est en revanche un avis simple. Le Conseil n'est pas consulté pour la nomination des procureurs généraux.

Un projet de loi constitutionnelle du 15 avril 1998 prévoyait que le Conseil supérieur de la magistrature ne comporterait plus qu'une seule formation, compétente pour les magistrats du parquet et du siège, et donnerait un avis conforme sur toutes les nominations de magistrats du parquet. Ce projet a été adopté en des termes identiques par l'Assemblée nationale et le Sénat. Mais le Président de la République n'a pas souhaité soumettre le texte au Parlement réuni en Congrès.

Le Conseil reste compétent comme conseil de discipline des magistrats du siège. Il donne un avis sur les sanctions disciplinaires concernant les magistrats du parquet.

Dans sa décision du 27 janvier 1994 sur la loi organique du 5 février 1994 relative au statut de la magistrature, le Conseil constitutionnel a considéré que le législateur devait respecter non seulement le principe de l'indépendance de l'autorité judiciaire et la règle de l'inamovibilité des magistrats du siège, mais également le principe d'égalité des magistrats dans le déroulement de leur carrière, qui découle de l'article 6 de la Déclaration de 1789.

Faut-il distinguer entre magistrats du siège et magistrats du parquet ? Les magistrats du parquet sont soumis à l'autorité hiérarchique du garde des Sceaux, ministre de la Justice, du moins dans leurs réquisitions écrites. Mais, dans un avis du 9 octobre 1987, la Commission de discipline du parquet a considéré que l'unité de la magistrature, régie par un seul statut, défini par l'ordonnance du 22 décembre 1958, voulait que l'indépendance de la magistrature, principe de valeur constitutionnelle, s'appliquât à l'ensemble du corps judiciaire. Le Conseil d'État a pris en compte l'indépendance du parquet, pour contrôler l'éventuelle erreur manifeste entachant la mutation d'un membre du parquet (Sect. 19 avril 1991, *Monnet*).

§2. LA GARANTIE DE DE LA PROPRIÉTÉ IMMOBILIÈRE

La loi du 8 mars 1810, relative à l'expropriation, a chargé l'autorité judiciaire de garantir la propriété privée contre les atteintes de l'administration. C'est l'autorité judiciaire qui prononce le transfert de propriété. C'est elle qui détermine le montant de l'indemnisation.

Le développement de l'expropriation, au milieu du XIXe siècle, aux fins de travaux publics, et, surtout après la Seconde Guerre mondiale, pour l'extension de l'urbanisation, a conduit le législateur à tenter de réduire l'autonomie du juge dans la fixation du montant de l'indemnité.

Mais le juge judiciaire s'est considéré comme chargé de la protection de la propriété immobilière, en dehors même de l'hypothèse d'expropriation, et a mis en œuvre la théorie de l'emprise. Le Conseil constitutionnel a confirmé son analyse.

Il a en effet dégagé sa décision 89-256 DC du 25 juillet 1989 (*TGV Nord*) un principe fondamental reconnu par les lois de la République en vertu duquel le juge judiciaire, gardien de la liberté individuelle, dispose également d'une compétence exclusive pour connaître du contentieux né des atteintes au droit de propriété immobilière.

Il a ainsi apporté un fondement constitutionnel à la théorie de l'emprise. L'emprise est une atteinte grave à la propriété immobilière, qui s'analyse en une véritable dépossession.

Dans son arrêt *Hôtel du vieux beffroi*, le Tribunal des conflits avait limité la compétence du juge judiciaire à l'emprise irrégulière (TC 17 mars 1949), le juge judiciaire n'étant du reste pas compétent pour se prononcer sur le caractère régulier ou irrégulier de l'emprise. Le Tribunal des conflits lui avait également dénié le pouvoir d'adresser des injonctions à l'administration... puisque le juge administratif n'avait pas ce pouvoir (arrêt *Rivoli-Sébastopol* du 17 mars 1949).

§3. LA PROTECTION DE LA LIBERTÉ INDIVIDUELLE

L'article 66 de la Constitution de 1958 dispose que « nul ne peut être arbitrairement détenu ». Il précise que « l'autorité judiciaire, gardienne de la liberté individuelle, assure le respect de ce principe dans les conditions prévues par la loi ».

Plus généralement, certaines théories ont fait du juge judiciaire le gardien des « libertés fondamentales » ou des droits individuels. En 1896 déjà, Laferrière considérait que l'autorité judiciaire devait être compétente en cas d'atteintes illégalement portées, soit par des tiers, soit par l'administration elle-même, aux droits individuels. Il incluait dans ceux-ci la liberté individuelle, la liberté de la presse, la liberté du travail et de l'industrie, le droit de réunion, le droit d'association.

La compétence du juge judiciaire, on va le voir, est toutefois limitée par la répartition des compétences inhérentes au principe de dualité juridictionnelle qui soustrait, en principe, à sa connaissance les actes de police administrative (loi des 16-24 août 1790 et décret du 16 fructidor an III).

Le Conseil constitutionnel a dégagé un principe fondamental reconnu par les lois de la République « selon lequel, à l'exception des matières réservées par nature à l'autorité judiciaire, relève en dernier ressort de la compétence de la juridiction administrative, l'annulation ou la réformation des décisions prises, dans l'exercice des prérogatives de puissance publique, par les autorités exerçant le pouvoir exécutif, leurs agents, les collectivités territoriales de la République ou les organismes publics placés sous leur autorité ou leur contrôle » (86-224 DC du 23 janvier 1987, *Conseil de la concurrence*).

A. LA THÉORIE DE LA VOIE DE FAIT

La théorie de la voie de fait permet de disqualifier un acte administratif, pour donner pleine compétence aux tribunaux judiciaires. L'acte considéré n'est plus protégé par le principe de séparation des autorités administratives et judiciaires.

Deux sortes d'atteintes sont constitutives de voie de fait : l'exécution irrégulière d'un acte régulier et l'acte manifestement insusceptible de se rattacher à l'application d'un texte législatif ou réglementaire. L'absence de sanction légale justifie l'exécution d'office, de même que l'urgence.

Le juge judiciaire peut constater la voie de fait, la faire cesser, en adressant des injonctions à l'administration, et indemniser la victime des conséquences dommageables.

La théorie de la voie de fait a eu à nouveau un certain essor après la Seconde Guerre mondiale, appliquée aux réquisitions irrégulières de logements.

Depuis, des limites à la reconnaissance de la voie de fait ont été posées. L'existence de circonstances exceptionnelles retire à un acte sa qualification de voie de fait (TC 27 mars 1952, *Dame de la Murette*). C'est précisément en période de circonstances exceptionnelles que les actes attentatoires aux libertés se multiplient. La dame de la Murette avait été détenue arbitrairement de septembre 1944 à février 1945.

Une compétence parallèle du juge administratif a été reconnue. Le Tribunal des conflits a admis que les juridictions administratives pouvaient, comme les juridictions judiciaires, constater la nullité d'un acte qui a le caractère d'une voie de fait (TC 27 janvier 1966, *Guigon*).

Le Conseil d'État s'est reconnu compétent pour indemniser d'un préjudice causé par une saisie illégale de journaux, qu'on pouvait penser constitutive de voie de fait (CE 4 novembre 1966, *Ministre de l'Intérieur c. société Témoignage chrétien*).

Des auteurs et des commissaires du gouvernement, devant le Conseil d'État, ont pensé que la voie de fait était une théorie moribonde. Pourtant, elle a connu, récemment un certain regain, et, même un développement nouveau, appliquée à des refus illégaux de délivrance ou de renouvellement de passeports. Après la Cour de cassation, le Tribunal des conflits a considéré comme constitutif de voie de fait le refus de passeport pour des motifs fiscaux (TC 9 juin 1986, *Encab*). L'administration avait légalement le pouvoir de refuser un passeport, mais pas pour ce motif. Le Conseil d'État a adopté la même jurisprudence (CE 15 avril 1988, *Michalix* ; CE 4 mai 1988, *Jacques Plante*). La Cour de cassation s'est appuyée sur la Convention européenne des droits de l'homme et le Pacte international relatif aux droits civils et politiques pour estimer que la liberté d'aller et venir est une liberté fondamentale qui n'est pas limitée au territoire national, mais comporte le droit de le quitter (Cass. civ. 1re 28 novembre 1984, 3 arrêts). Le Tribunal de grande instance de Paris, dans un jugement du 25 mars 1992, a estimé que le ministre de l'Intérieur avait commis une voie de fait, en retenant des étrangers dans une « zone internationale ».

Mais le Tribunal des conflits a refusé d'admettre qu'étaient constitutives d'une voie de fait les conditions matérielles d'exécution de la rétention administrative d'étrangers (TC 25 avril 1994, *Dulangi*) ou la consignation à bord d'un navire de deux étrangers par la police de l'immigration (TC 12 mai 1997, *Préfet de police de Paris c. TGI de Paris*). Pourtant son rapporteur avait proposé la solution inverse et il a fallu le départage du garde des Sceaux pour trancher.

B. L'EXCEPTION D'ILLÉGALITÉ

Au XIXe siècle, dès 1810, la Cour de cassation estime que les tribunaux judiciaires sont compétents pour interpréter les règlements de police des préfets et des maires et apprécier leur validité, dès lors qu'on demandait leur exécution (Cass. crim. 3 août 1810).

Les tribunaux judiciaires adoptèrent une interprétation large de ce principe, pour l'appliquer à tous les règlements administratifs. Ainsi le Tribunal de commerce de la Seine, le 28 juillet 1830, refuse de considérer comme obligatoire l'ordonnance du 25 juillet sur la presse, parce qu'elle est contraire à la Charte.

Cette jurisprudence fut consacrée législativement, lors de la révision du Code pénal, par la loi du 28 avril 1832. Son article 471 fut complété par un alinéa 15°, qui punit les contraventions aux règlements *légalement faits*. Les tribunaux de simple police étaient compétents pour apprécier la légalité des règlements de police, avant de les sanctionner. Si la question était résolue législativement, pour les règlements de police, elle ne l'était pas pour les autres actes. Néanmoins, les juridictions judiciaires étendirent cette solution aux autres règlements, parce que, ceux-ci contenant des « dispositions générales », « ils participaient des caractères de la loi ». Pourtant, si les juges judiciaires doivent interpréter les lois pour les appliquer, faute de quoi ils sont coupables, selon l'article 4 du Code civil, de déni de justice, ils n'en apprécient pas la validité. Les juridictions judiciaires apprécièrent même la validité d'actes individuels.

Le Tribunal des conflits, dans un arrêt *Septfonds*, du 16 juin 1923, ne consentit au juge judiciaire qu'une compétence limitée, celle d'interpréter les actes réglementaires.

Toutefois, dans son arrêt *Barinstein* du 30 octobre 1947, il admit une exception : l'appréciation de la validité d'actes réglementaires qui portent « une atteinte grave » à « l'inviolabilité du domicile privé, et, par suite, à la liberté individuelle, ainsi qu'au respect dû au droit de propriété ». En l'espèce il s'agissait d'un décret qui aurait permis une réquisition de logement constitutive, sinon, de voie de fait.

Dans son arrêt *Avranches et Desmarets* du 5 juillet 1951, le Tribunal des conflits formula une nouvelle limite à la compétence des juridictions répressives. Si celles-ci ont plénitude de juridiction à l'égard des actes réglementaires, elles ne peuvent, en principe, apprécier la légalité d'actes administratifs non réglementaires.

Cette solution fut critiquée, comme sacrifiant la défense du justiciable, dont le procès est ralenti par les questions préjudicielles, à la défense de l'administration. La Cour de cassation refusa de se plier à cette jurisprudence. Dans un arrêt *Dame Roux* du 21 décembre 1961, la Chambre criminelle reconnut au juge répressif compétence pour apprécier la validité d'actes individuels. Mais elle limitait la compétence, pour apprécier la légalité des actes aussi bien réglementaires qu'individuels à ceux qui servent de fondement à la poursuite, et non à ceux qui servent de justification, et déniait compétence au juge répressif pour interpréter ces actes.

En l'espèce, un maire avait interdit un bal, en invoquant la proximité d'une école de garçons et du cimetière, alors qu'il autorisait d'autres bals. Pour le rapporteur, il s'agissait d'un détournement de pouvoir, car cette interdiction n'était pas destinée à assurer l'ordre, la salubrité, la tranquillité publique. Pour la Cour de cassation l'article 13 de la loi des 16-24 août 1790 et le décret du 16 fructidor an III « ne peuvent faire obstacle au devoir qu'ont les juges, lorsque ces actes réglementaires ou individuels, sont assortis d'une sanction pénale, qu'il est demandé aux tribunaux judiciaires de prononcer, non point d'en apprécier, sans doute, l'opportunité, mais de s'assurer de leur conformité à la loi, lorsque du moins ces actes sont clairs et qu'il n'est pas nécessaire de les interpréter ».

Dans l'arrêt *Vuckovic*, la Cour de cassation a admis la compétence du juge pénal pour apprécier la légalité d'un acte administratif individuel, même non pénalement sanctionné. Il s'agissait d'un contrôle d'identité (Cass. crim. 25 avril 1985).

Le nouveau Code pénal donne désormais tout pouvoir aux juridictions pénales, non seulement pour interpréter les actes administratifs réglementaires ou individuels, mais encore pour apprécier leur légalité, « lorsque de cet examen dépend la solution du procès pénal qui leur est soumis » (art. 111-5).

C. LA RESPONSABILITÉ DES AGENTS PUBLICS ET DE L'ADMINISTRATION

a) La responsabilité pénale

Selon l'article 7 de la Déclaration de 1789, relatif à la liberté individuelle, « ceux qui sollicitent, expédient, exécutent ou font exécuter des ordres arbitraires doivent être punis ». Le Code pénal édicté par la loi des 25 septembre-6 octobre 1791 punit l'attentat contre la liberté individuelle, « base essentielle de la Constitution française », de la peine de six années de gêne, c'est-à-dire d'emprisonnement cellulaire, de douze années si l'attentat est commis par un ministre. La peine de la dégradation civique frappe celui qui a « volontairement et sciemment supprimé une lettre confiée à la poste » ou en a « brisé le cachet et violé le secret ». Ces peines sont reprises par le code du 3 brumaire an IV. Les articles 114 à 122 du Code pénal de 1804 punissent de façon spécifique les attentats à la liberté, aux droits civiques ou à la Constitution, commis par un fonctionnaire public, un agent ou un préposé du gouvernement. Les principales atteintes à la liberté sont les arrestations et détentions illégales. Il s'agit de crimes punis de la dégradation civique.

En 1827, la Cour d'assises du Doubs condamnait des gendarmes à la peine de dégradation civique, en application de l'article 114 du Code pénal, pour arrestation arbitraire, parce qu'ils avaient privé de sa liberté, « pendant plusieurs heures », un homme qui n'avait pas de papiers (1).

---

(1) Cité par ASG Coffinières, *Traité de la liberté individuelle à l'usage de toutes les classes de citoyens*, Paris, Moutardier, 1828.

Mais, au XXe siècle, on ne trouve plus de telles condamnations. Un élément constitutif de l'infraction est l'élément intentionnel. Or la Cour de cassation, généralement, refuse de considérer qu'il existe. Ainsi, si un préfet de police a commis « l'erreur » de détenir illégalement une personne, cela « n'implique pas nécessairement qu'il ait volontairement violé la loi » (Cass. crim. 20 juillet 1962, *Dlle Andrée Noyelle c. le préfet de police Papon*).

Le nouveau Code pénal punit l'accomplissement d'un acte attentatoire à la liberté individuelle commis par une personne dépositaire de l'autorité publique ou chargée d'une mission de service public de sept ans d'emprisonnement et de 100 000 euros d'amende, de trente ans de réclusion criminelle et de 450 000 euros d'amende, s'il s'agit d'une détention ou d'une rétention de plus de sept jours (art. 432-4). Les mêmes personnes sont punies plus sévèrement que les autres, lorsqu'elles commettent des tortures et actes de barbarie (art. 222-3, 7°) ou des violences (art. 222-8, 7°).

b) La responsabilité civile pour atteinte à la liberté individuelle

La jurisprudence distingue selon que l'atteinte à la liberté individuelle a été portée dans le cadre d'une opération de police administrative ou d'une opération de police judiciaire. S'il s'agit d'une opération de police judiciaire, la victime ne pouvait autrefois que tenter de mettre en œuvre une procédure de prise à partie, prévue à l'égard des juges, étendue par la jurisprudence aux officiers de police judiciaire.

La Cour de cassation, en 1956, dans un arrêt *Giry*, a admis que la responsabilité de l'État pouvait être engagée en raison de l'activité du service judiciaire, en appliquant les principes de droit public, c'est-à-dire en distinguant notamment entre faute de service et faute personnelle. Cette jurisprudence a été appliquée à des saisies irrégulières de journaux. Mais les juridictions judiciaires ont généralement refusé d'admettre l'existence d'une faute de service ou d'une faute personnelle.

Une loi du 5 juillet 1972 et une loi du 18 janvier 1979 ont abrogé les dispositions relatives à la procédure de prise à partie et posé le principe de la responsabilité de l'État pour fonctionnement défectueux du service public de la justice au cas de faute lourde.

S'il s'agit d'une opération de police administrative, le Tribunal des conflits a limité la compétence du juge judiciaire, contre la volonté, plusieurs fois exprimée, du législateur.

On a vu que les textes révolutionnaires posaient comme garantie des droits de l'homme le principe de la responsabilité. Mais Napoléon devait instaurer un système dans lequel les fonctionnaires étaient pratiquement à l'abri des poursuites. L'article 75 de la Constitution de l'an VIII exigea une autorisation préalable du Conseil d'État pour toute poursuite contre un fonctionnaire devant un tribunal judiciaire. Cette autorisation était rarement accordée.

Le Gouvernement provisoire de la IIIe République, par un décret du 19 septembre 1870, abrogea cette disposition. Les tribunaux judiciaires déclarèrent recevables des poursuites contre des fonctionnaires.

Mais le Tribunal des conflits, institué par une loi du 24 mai 1872, ne l'entendit pas ainsi. Pour lui, le décret du 19 septembre 1870 ne supprimait pas la prohibition faite aux tribunaux judiciaires de connaître des actes administratifs. Aussi ils n'étaient compétents que si un « fait personnel » était imputé à un fonctionnaire. En l'espèce il s'agissait de la saisie d'un journal, qui était un « acte de haute police administrative » et n'était pas un fait personnel (TC 30 juillet 1873, *Pelletier*). Ainsi les tribunaux judiciaires ne devinrent compétents qu'en cas de faute personnelle du fonctionnaire et non en cas de faute de service. Une conception de plus en plus restrictive de la faute personnelle se développa. Et la théorie du cumul de responsabilités permit à l'État de substituer sa responsabilité à celle de ses agents, et au juge administratif, de se substituer au juge judiciaire. Et c'est le juge administratif qui apprécie l'existence et les conséquences d'une faute personnelle, dans le cadre des actions récursoires concernant les relations entre l'État et son fonctionnaire (CE 28 juillet 1951, *Laruelle et Delville*).

Restait l'exception de la voie de fait, qui permet au juge judiciaire, à la fois de la constater et d'ordonner réparation du préjudice qu'elle a causé.

Le législateur trouva nécessaire, en 1933, dans le cadre d'une législation libérale (loi du 7 février 1933 sur les garanties de la liberté individuelle) de donner compétence exclusive aux tribunaux judiciaires en cas d'atteinte à la liberté commise par un fonctionnaire, c'est-à-dire de faits constitutifs des infractions prévues par les articles 114-122 (attentats à la liberté) et 184 du Code pénal (abus d'autorité commis par les fonctionnaires contre des particuliers). Ce fut l'article 112 du Code d'instruction criminelle.

Mais le Conseil d'État (CE 7 novembre 1947 *Alexis et Wolff*), suivi par le Tribunal des conflits (TC 27 mars 1952, *Dame de la Murette*), réduisit considérablement la portée de l'article 112 CIC, en estimant qu'il ne s'appliquait qu'aux actions dirigées contre les agents eux-mêmes et non à celles dirigées contre l'État. Dans ce cas, les principes généraux de répartition des compétences s'appliquent. Le juge administratif est compétent, sauf voie de fait. Mais le Tribunal des conflits décida aussi que les circonstances exceptionnelles enlevaient à un acte – en l'espèce, une détention arbitraire de six mois – son caractère de voie de fait.

Le législateur voulut encore corriger cette interprétation restrictive, en inscrivant dans le Code de procédure pénale un article 136, al. 3-4 (loi du 31 décembre 1957), qui précise que les tribunaux judiciaires sont exclusivement compétents dans l'instance civile fondée sur des faits constitutifs d'atteintes à la liberté, « qu'elle soit dirigée contre la collectivité publique ou ses agents ».

Là encore, le Tribunal des conflits minora la portée du texte, en appliquant la jurisprudence *Septfonds* (TC 16 novembre 1964, *Clément*). Le juge judiciaire ne peut apprécier la légalité d'un acte administratif ni interpréter une décision individuelle, sauf atteinte grave à la liberté individuelle. En l'espèce, il s'agissait d'un internement administratif. Il n'était pas constitutif de voie de fait, car une décision du Président de la République autorisait les mesures d'internement administratif. L'appréciation de sa légalité était une question préjudicielle, qui relevait de la compétence du juge administratif.

Ainsi les tribunaux judiciaires voyaient leur compétence limitée à la seule réparation du préjudice.

L'exclusivité de la compétence de l'autorité judiciaire, comme protectrice de la liberté individuelle, en ce qui concerne le contrôle des agissements de l'administration, est donc battue en brèche. La diversité des paramètres – police judiciaire, police administrative, faute personnelle, faute de service, voie de fait, circonstances exceptionnelles, etc. – est telle que la victime d'un acte attentatoire à sa liberté commis par un fonctionnaire ne peut que très péniblement obtenir réparation.

Section 2 Le juge administratif

La doctrine publiciste tend à faire du juge administratif le protecteur privilégié des des libertés publiques.

De fait, le juge administratif a su assujettir l'action de l'administration à son contrôle de légalité. Le président Odent estimait que le Conseil d'État continuait la tradition des légistes royaux, « tradition où se mélangent de façon indissociable le sens de la subordination à l'égard du pouvoir législatif, celui de la compréhension à l'égard des autorités administratives et celui de l'indépendance à l'égard du pouvoir politique » (2). Le principe de l'indépendance de la juridiction

---

(2) R. Odent, *Contentieux administratif*, Les cours du droit, 1970-1971, p. 65. Sur cette question, cf. D. Lochak, *La justice administrative*, Montchrestien, Clefs, 3e éd., 1998.

administrative a été érigé par le Conseil constitutionnel en principe fondamental reconnu par les lois de la République (80-119 DC du 22 juillet 1980, *Validation d'actes administratifs*).

Examinons successivement sa position à l'égard du pouvoir exécutif et à l'égard du pouvoir législatif.

§1. LE JUGE ADMINISTRATIF ET LE POUVOIR EXÉCUTIF

Pour préserver l'ordre public, l'administration est amenée à restreindre l'exercice des libertés publiques. Mais elle agit sous le contrôle du juge administratif, qui est ainsi amené à jouer un rôle crucial en matière de protection des libertés.

A. LE RECOURS POUR EXCÈS DE POUVOIR

a) L'étendue du contrôle

Au fil du temps, le Conseil d'État a étendu son contrôle de légalité sur un nombre croissant d'actes administratifs. Il a admis qu'un simple intérêt à agir, sans même qu'un droit fût lésé, permettait de déclarer le recours pour excès de pouvoir recevable. Il a requalifié en mesure de police administrative, pour pouvoir le contrôler, un arrêté du préfet fondé sur l'article 10 du Code d'instruction criminelle (CE 24 juin 1960, *Société Frampar*). Il a déclaré que le recours pour excès de pouvoir était ouvert même sans texte, contre tout acte administratif (CE 17 février 1950, *Ministre de l'Agriculture c. Dame Lamotte*).

Mais il refuse de contrôler certaines catégories d'actes, dont les conséquences en matière de libertés ne sont pourtant pas nulles. Les actes en question sont qualifiés par lui d'actes de gouvernement, ou de mesures d'ordre intérieur.

La théorie des actes de gouvernement lui permet de déclarer insusceptibles de tout recours contentieux les actes pris pour l'Exécutif soit dans ses relations avec les autres pouvoirs publics, soit pour la conduite des relations extérieures de la France.

L'application de cette théorie n'a rien de mécanique. Le juge peut en effet accepter de contrôler une décision liée à l'un ou l'autre de ces domaines, en la qualifiant de « détachable ». Il a par exemple accueilli un recours de l'Église de scientologie à l'encontre de la décision du Premier ministre de publier à la Documentation française un rapport parlementaire sur les sectes en France (CE 21 octobre 1998, *Église de scientologie et autres*). Il tend par ailleurs à admettre de plus en plus largement qu'un acte est détachable de la conduite des relations extérieures de la France. Il contrôlera, par exemple, l'interdiction d'une manifestation à Paris à l'occasion de la visite du Président de la République chinoise (CE 12 novembre 1997, *Ministre de l'Intérieur c. Communauté tibétaine de France*). La notion d'acte de gouvernement n'en conserve pas moins une réelle vigueur, même appliquée à une simple circulaire : « n'est pas détachable de la conduite des relations diplomatiques de la France et échappe ainsi à tout contrôle juridictionnel » une circulaire qui demande aux Présidents d'Université de refuser l'inscription d'étudiants irakiens pour l'année universitaire1990-1991 (CE 23 septembre 1992, *GISTI et MRAP*).

Traditionnellement, le juge administratif refusait également de contrôler les « mesures d'ordre intérieur », dont il estimait qu'elles étaient dépourvues d'effets juridiques et n'entraient pas dans la catégorie des décisions faisant grief.

Sous l'impulsion de la Cour européenne des droits de l'homme, il a renoncé à cette qualification dans trois domaines qui seront examinés dans la suite de cet ouvrage : le règlement intérieur et son application dans les établissements scolaires (CE 2 novembre 1992, *Kherouaa*), certaines mesures disciplinaires décidées par l'autorité militaire (CE 17 février 1995, *Hardouin*) et certaines mesures prises par l'administration pénitentiaire (CE 17 février 1995, *Marie*).

b) Le contrôle des mesures de police

Les mesures de police administrative ont pour objet de prévenir toute atteinte à l'ordre public. Cette notion, dont les contours sont délibérément flous, a pour composantes traditionnelles la tranquillité, la sécurité et la salubrité publiques. Le Conseil d'État y a ajouté « le respect de la dignité de la personne humaine » (CE Ass. 27 octobre 1995, *Commune de Morsang-sur-Orge*), mais cette solution est restée isolée.

Le Conseil d'État a posé en principe que les mesures prises par les différentes autorités investies du pouvoir de police (Premier ministre, préfet, maire) ne sont légales qu'à la condition de pouvoir être considérées, eu égard aux circonstances concrètes dans lesquelles s'est manifesté le risque de trouble, comme nécessaires et proportionnées au résultat poursuivi, à savoir le maintien ou le rétablissement de l'ordre public.

En effet, selon la célèbre formule du Commissaire du gouvernement Corneille, « la liberté est la règle, la restriction de police l'exception » (concl. sur l'arrêt *Baldy* du 10 août 1917).

Le contrôle exercé par le juge administratif est donc très exigeant : il vérifie l'exactitude matérielle des faits, c'est-à-dire la réalité de la menace de désordre ; il contrôle la qualification juridique des faits ; il exige que la mesure soit strictement adaptée aux faits qui l'ont motivée.

De cette exigence de nécessité naît une suspicion de principe quant aux interdictions générales et absolues. Un arrêté municipal interdisant la mendicité dans un quartier entier de la commune sera ainsi jugé illégal (TA Pau, 22 novembre 1995, *M. Couveinhes, Association « Sortir du fond » c. Commune de Pau*).

L'intensité du contrôle varie toutefois selon la liberté qui fait l'objet d'une restriction. Certaines libertés sont mieux protégées que d'autres. Les atteintes portées aux libertés économiques, par exemple, sont plus largement admises que les restrictions apportées à la liberté individuelle ou à la liberté de réunion, de culte, d'expression... Lorsqu'une profession industrielle et commerciale s'exerce sur la voie publique, les limitations imposées par l'autorité de police seront examinées moins strictement que si la liberté d'aller et venir était en cause.

B. LA RESPONSABILITÉ DE LA PUISSANCE PUBLIQUE

Le contentieux des activités de police comporte, outre le contentieux de l'annulation, un contentieux de la responsabilité qui permet au justiciable d'obtenir réparation pour le préjudice qu'il a subi. Le recours pour excès de pouvoir (dispensé de ministère d'avocat) ne peut toutefois être transformé, en cours d'instance, en un recours de plein contentieux. Le justiciable doit former successivement deux recours.

En matière de police, le contentieux de la responsabilité fait intervenir un certain nombre de régimes d'origine législative (responsabilité à raison des attroupements, responsabilité du fait des vaccinations obligatoires....). Là où les règles sont d'origine jurisprudentielle, on observe, dans la période contemporaine, un recul de l'exigence d'une faute lourde de l'administration.

Cette exigence avait été formulée par l'arrêt *Tomaso Greco* (CE 10 février 1905), qui mettait fin au régime d'irresponsabilité qui prévalait au XIXe siècle en matière de police. Elle est maintenue, aujourd'hui encore, lorsque les services de police doivent accomplir leur mission dans des conditions difficiles. C'est notamment le cas pour les opérations de maintien de l'ordre « sur le terrain » (dispersion d'une manifestation, évacuation d'une usine occupée), ou pour certaines polices (police des aliénés, par exemple).

Pour les activités de secours et de sauvetage, ou pour les services de lutte contre l'incendie, le Conseil d'État a toutefois décidé de se placer sur le terrain de la faute simple (CE 20 juin 1997, *Theux* – transport médical d'urgence ; CE 13 mars 1998, *Améon* – sauvetage en mer ; CE 29 avril 1998, *Commune de Hannapes* – service de secours et de lutte contre l'incendie).

La responsabilité de l'État peut également être engagée sur le fondement du risque, « dans le cas où le personnel de la police fait usage d'armes ou engins comportant des risques exceptionnels pour les personnes et les biens » (CE 24 juin 1949, *Consorts Lecomte)*. La notion d'arme ou engin exceptionnellement dangereux a été étendue à un simple pistolet, mais ni aux grenades lacrymogènes, ni aux matraques. D'autre part les personnes visées par l'opération de police ne peuvent pas réclamer le bénéfice de cette jurisprudence : elles devront établir l'existence d'une faute (simple) de l'autorité de police.

C. LE RÉFÉRÉ-LIBERTÉ

La loi du 30 juin 2000, relative au référé devant les juridictions administratives supprime le sursis à exécution et institue trois procédures de référé : un « référé-suspension », un « référé-liberté », un « référé conservatoire ». En premier lieu, le juge des référés peut ordonner la suspension de l'exécution d'une décision, lorsque l'urgence le justifie et qu'il est fait état d'un « doute sérieux » quant à la légalité de la décision (article L 521-1 du Code de justice administrative). En second lieu, le juge des référés peut ordonner « toutes mesures nécessaires à la sauvegarde d'une liberté fondamentale à laquelle une personne morale de droit public ou un organisme de droit privé chargé de la gestion d'un service public aurait porté une atteinte grave et manifestement illégale ». Il se prononce dans un délai de quarante-huit heures (article L 521-2 du Code de justice administrative). En troisième lieu, le juge des référés peut ordonner « toutes mesures utiles » en cas d'urgence (article L 521-3 du Code de justice administrative). Le législateur donne au juge des référés la possibilité de choisir entre une procédure écrite ou orale.

L'ordonnance de référé-liberté est susceptible d'appel devant le Conseil d'État. Le président de la section du contentieux statue également dans un délai de quarante-huit heures. Les autres ordonnances ne sont susceptibles que d'un pourvoi en cassation, devant le Conseil d'État. Celui-ci doit se prononcer dans le délai d'un mois.

Le Conseil d'État a qualifié de « fondamentales » « au sens de l'article 521-2 du Code justice administrative » un certain nombre de libertés, par ailleurs garanties constitutionnellement : liberté personnelle (2 avril 2001, *Consorts Marcel*), liberté d'aller et venir (9 janvier 2001, *Deperthes*), droit d'asile (12 janvier 2001, *Mme Hyacinthe*), libre expression du suffrage (7 février 2001, *commune de Pointe-à-Pitre*), droit de propriété (23 mars 2001, *Société Lidl*), liberté d'entreprendre et liberté du commerce et de l'industrie (12 novembre

2001, *Commune de Montreuil-Bellay*), caractère pluraliste de l'expression des courants de pensée et d'opinion (24 février 2001, *Tibéri*), présomption d'innocence (14 mars 2005, *Gollnisch*) et même libre administration des collectivités territoriales (18 janvier 2001, *commune de Venelles*).

Il refuse, en revanche, de considérer que certains droits garantis par la Constitution puissent s'analyser comme des libertés fondamentales « au sens de l'article 521-2 du CJA ». Il s'agit surtout de droits-créances, comme le droit à la santé (8 septembre 2005, *Garde des Sceaux c. B.*), ou la possibilité pour toute personne de disposer d'un logement décent (3 mai 2002, *Association de réinsertion sociale du Limousin et autres*).

Il a par ailleurs interprété strictement les conditions posées par l'article L 521-2. Ainsi, pour qu'une atteinte à une liberté soit « manifestement illégale », il faut qu'elle soit manifestement disproportionnée aux buts en vue desquels la mesure a été prise. Le Conseil d'État a considéré que tel n'était pas le cas de l'atteinte portée au droit de mener une vie familiale normale, par l'expulsion d'une Tunisienne, condamnée pour recel de biens provenant de trafic de stupéfiants, résidant en France depuis plus de trente ans, avec ses cinq enfants de nationalité française, et dépourvue de toute famille dans son pays d'origine (Sect. 30 octobre 2001, *ministre de l'Intérieur c. Mme Tiba*).

Si le juge admet que les conditions sont réunies, il peut ordonner la suspension de la mesure et adresser des injonctions à l'administration. Il peut, par exemple, ordonner au préfet de restituer aux requérants leur carte d'identité et leur passeport, qu'il leur avait retirés, portant ainsi une atteinte grave à leur liberté personnelle (CE 2 avril 2001, *Consorts Marcel*).

§ 2. LE JUGE ADMINISTRATIF ET LE POUVOIR LÉGISLATIF

Pour protéger les citoyens contre une loi « liberticide », le juge administratif peut sembler démuni. À l'instar du juge judiciaire, il est le serviteur, et non le censeur, de la loi. La loi s'impose à lui, fût-elle contraire à la constitution (CE 6 novembre 1936, *Arrighi*).

De la loi attentatoire aux libertés, le juge administratif peut toutefois promouvoir une interprétation « neutralisante ». Il peut également (et même il doit, en vertu de l'article 55 de la Constitution), écarter l'application d'une loi contraire à un engagement international de la France, notamment à la Convention européenne des droits de l'homme.

A. L'INTERPRÉTATION DE LA LOI

Après la Seconde Guerre mondiale, le Conseil d'État a introduit dans ses arrêts la notion de « principes généraux du droit ». Le premier d'entre eux fut le principe des droits de la défense, pour toute mesure prise en considération de la personne. En l'espèce, il s'agissait du retrait d'une autorisation de voirie pour un kiosque à journaux (CE 5 mai 1944, *Dame veuve Trompier-Gravier*).

À une époque où ni la Constitution ni les conventions internationales n'occupaient la place qui leur est aujourd'hui reconnue, le Conseil d'État a « découvert » ou « dégagé » un certain nombre de principes généraux, qu'il a présentés comme déduits de « l'esprit général de notre droit » (principe d'égalité, liberté individuelle, séparation des pouvoirs...), « inhérents à tout ordre juridique » (non-rétroactivité des règles de droit, responsabilité pour faute, autorité de la chose jugée, principe du contradictoire...) ou imposés par la « nature des choses » (principe de la continuité du service public, pouvoir de réglementation reconnu au chef de service, principe d'une légalité spéciale pour les circonstances exceptionnelles...).

Dans le silence de la loi, ces principes généraux ont longtemps permis, et permettent toujours quoique dans une moindre mesure, d'accorder aux administrés ou aux agents du service public des droits ou une protection accrue. C'est notamment le cas pour l'interdiction de licencier une femme en état de grossesse (CE 8 juin 1973, *Dame Peynet*), le droit à mener une vie familiale normale (CE Ass. 8 décembre 1978, *GISTI et autres*) ou l'interdiction d'extrader un réfugié vers son pays d'origine (CE Ass. 1er avril 1988, *Bereciuarta-Echarri*).

Mais ces principes, dégagés par le juge pour soumettre l'administration au respect du principe de légalité, ne sont pas opposables au législateur. Sauf à être érigés par le Conseil d'État en « principe fondamental reconnu par les lois de la République » (CE 3 juillet 1996, *Koné*), ils ont rang « infra-législatif ».

Les principes généraux du droit peuvent toutefois être mis à contribution pour protéger les citoyens contre la loi.

En effet, dans le cadre de l'exercice de son pouvoir d'interprétation de la loi, le juge administratif peut faire prévaloir un principe général du droit contre la lettre d'un texte (3). Une loi excluant la possibilité de tout recours à l'encontre d'une décision de cession de terres incultes sera ainsi « interprétée » comme n'excluant pas le recours pour excès de pouvoir, « lequel est ouvert même sans texte contre tout acte administratif » (CE 17 février 1950, *Dame Lamotte*).

---

(3) B. Genevois, « Le Conseil d'État et l'interprétation de la loi », *RFDA*, sept.-oct. 2002, pp. 877-886.

Une ordonnance prévoyant que la décision d'un jury d'honneur « n'est susceptible d'aucun recours » ne pourra, selon le juge, « être interprétée comme excluant le recours en cassation devant le Conseil d'État » (CE 7 février 1947, *d'Aillières*).

Le juge administratif hésite toutefois à procéder à ces interprétations pudiquement qualifiées de « constructives ». Les arrêts *Dame Lamotte* et *d'Aillières* portaient, respectivement, sur un acte dit « loi » du gouvernement de Vichy , et sur une ordonnance du Gouvernement provisoire de la République. Faire dire à un texte le contraire de ce qu'il dit est plus risqué lorsqu'il s'agit d'une loi adoptée par un Parlement régulièrement élu.

Pour promouvoir une interprétation qui, selon la formule consacrée, « ôte son venin » au texte législatif, le Conseil d'État se réfère volontiers, depuis 1985 (CE 20 décembre 1985, *Établissements Outters*), aux réserves d'interprétation que le Conseil constitutionnel a pu formuler s'il a eu l'occasion de contrôler la loi en cause.

Le Conseil d'État, s'il le souhaite, examine alors la loi telle qu'elle a été interprétée par le Conseil constitutionnel.

Il peut ainsi rejeter les moyens tirés d'une méconnaissance du texte de la loi par un décret d'application, si celui-ci se conforme à une directive d'interprétation formulée par le Conseil constitutionnel (CE 8 décembre 2000, *Conseil supérieur de l'administration des biens*). Il peut même paralyser l'application d'une loi non soumise au Conseil constitutionnel, en se fondant sur une réserve d'interprétation rendue à propos d'une loi *analogue* (CE 22 juin 2007, *Lesourd*). Dans cet arrêt par lequel le Conseil d'État transforme un quota contraignant en une simple invitation adressée à l'administration, le commissaire du gouvernement avait explicitement invité ses collègues à « tangenter le *contra legem* » (*sic* !) : que se passerait-il si une ou des lois autorisant [« des quotas »] étaient votées en France, et que le Conseil constitutionnel n'en soit pas saisi ? [...] Ces lois entreraient en vigueur et vous vous seriez alors lié les mains pour les appliquer telles quelles » (*RFDA*, 2007, pp. 1082-1083).

Serviteur de la loi, le juge administratif conçoit parfois son devoir d'obéissance de manière assez souple...

B. LE CONTRÔLE DE LA CONVENTIONNALITÉ DE LA LOI

Ce n'est pas le Conseil constitutionnel qui veille à ce que le législateur ne pose pas de règle contraire aux engagements internationaux de la France. Le juge constitutionnel, lorsqu'il est saisi d'une loi adoptée mais non encore promulguée, refuse de la confronter aux traités (74-54 DC du 15 janvier 1975, *Interruption volontaire de grossesse*). Mais il a souligné à de nombreuses reprises qu'« il appartient aux divers organes de l'État de veiller à l'application de ces conventions internationales dans le cadre de leurs compétences respectives » (86-216 DC du 3 septembre 1986, *Entrée et séjour des étrangers*).

Les juges, administratifs ou judiciaires, ont répondu à cet appel. Alors qu'ils refusaient, classiquement, de censurer des actes contraires à un traité mais conformes à une loi postérieure à ce traité, ils ont entrepris, dès 1975 pour la Cour de cassation (*Société des Cafés Jacques Vabre* du 24 mai 1975), à partir de 1989 pour le Conseil d'État (arrêt *Nicolo* du 20 octobre 1989) de tirer toutes les conséquences de la hiérarchie instituée par l'article 55 de la Constitution. C'est un formidable instrument de garantie des libertés qui, à la fin du XXe siècle, s'est ainsi imposé dans l'ordre interne.

La mise en œuvre du contrôle de conventionnalité amène le juge à *écarter* toute disposition législative (ou réglementaire) qu'il estime contraire à une convention : un individu convaincu d'avoir violé une loi inconventionnelle sera purement et simplement relaxé (ordre judiciaire) ; les actes administratifs pris sur son fondement seront considérés comme dépourvus de base légale (ordre administratif).

Poursuivi pour avoir publié, en violation d'une loi du 19 juillet 1977, un sondage d'opinion au cours de la semaine précédant une élection, le directeur du journal *Le Parisien* a ainsi argué, devant le Tribunal de Grande Instance de Paris, que l'interdiction édictée par la loi française contrevenait à l'article 10 de la CEDH protégeant la liberté d'expression. Il a convaincu le juge et a été relaxé. Le jugement du TGI, annulé en appel le 29 juin 2000, sera confirmé par la Cour de cassation dans son arrêt *Amaury* du 4 septembre 2001. Le Conseil d'État venait pour sa part de réaffirmer que la loi du 19 juillet 1977... était pleinement conforme aux exigences de la CEDH (arrêt *Meyet* du 2 juin 1999 confirmant un précédent arrêt *Meyet* du 17 février 1995) (4).

L'essor du contrôle de conventionnalité des lois, on le voit, contribue à affirmer le statut supra-législatif des droits et libertés : ceux-ci sont désormais insérés dans un « bloc de conventionnalité » qui limite, au même titre que le « bloc de constitutionnalité », l'action du législateur. La loi peut désormais se trouver soumise à un contrôle *a priori* opéré par le Conseil constitutionnel (contrôle de constitutionnalité), mais aussi à un contrôle *a posteriori* appliqué par le juge judiciaire et/ou le juge administratif (contrôle de conventionnalité).

---

(4) La loi du 19 février 2002 est venue mettre un terme à ce désordre : elle autorise la publication de sondages d'opinion jusqu'à l'avant-veille de chaque tour de scrutin.

Ces deux ensembles de normes supra-législatives sont dotés d'un contenu globalement similaire (« on recense *grosso modo* un clone européen ou international pour chaque droit constitutionnel fondamental » (5)), mais ils sont, théoriquement, hiérarchisés entre eux : la Constitution demeure, dans l'ordre interne, « au sommet de l'ordre juridique » (Cons. constit. 2004-505 DC du 19 novembre 2004, *Traité établissant une Constitution pour l'Europe*. Dans le même sens : CE Ass., 30 octobre 1998, *Sarran*, et Cass. Ass. Plén., 2 juin 2000, *Mlle Fraisse*).

Section 3 Le Conseil constitutionnel

Créé par la Constitution de 1958, le Conseil constitutionnel est composé de neuf membres nommés, trois par le Président de la République, trois par le président de l'Assemblée nationale, trois par le président du Sénat. Le caractère non renouvelable de leur mandat les invite à l'indépendance ; sa longueur (neuf ans) et le caractère partiel des renouvellements (tous les trois ans) visent à amortir les effets que peuvent produire, sur l'institution, les différentes alternances politiques.

Les anciens Présidents de la République en sont membres de droit. M. Valéry Giscard d'Estaing siège au Conseil depuis mars 2004 ; M. Jacques Chirac depuis novembre 2007.

Le Conseil constitutionnel, à l'origine, n'était pas destiné à s'ériger en protecteur des droits et libertés. Il était censé contribuer à l'établissement d'un parlementarisme « rationalisé », en veillant notamment à ce que le Parlement reste cantonné au domaine de compétence que l'article 34 lui assigne. L'une des missions qui lui est confiée par la Constitution occupe toutefois, depuis les années soixante-dix, une place croissante dans le paysage juridique et politique français : c'est le contrôle de la constitutionnalité des lois, dont les modalités sont aménagées par l'article 61 de la Constitution.

§ 1. LE CONTRÔLE DE LA CONSTITUTIONNALITÉ DES LOIS

Sauf pour les lois organiques (art. 61, al. 1), ce contrôle est toujours facultatif. Il est donc tout à fait possible qu'une loi liberticide

---

(5) D. de Béchillon, « Malaise dans la Constitution », *RFDA*, 1998, p. 226.

échappe à l'examen du juge : le système de protection aménagé par l'article 61 al. 2 comporte à cet égard une lacune d'autant plus dommageable qu'une loi ordinaire, une fois entrée dans l'ordre juridique, ne peut plus être arguée d'inconstitutionnalité devant quelque juge que ce soit.

A. LA SAISINE DU CONSEIL CONSTITUTIONNEL

Elle s'est élargie, mais elle reste étroite ; elle est normalement *a priori*, mais le Conseil s'efforce de desserrer cette contrainte ; elle déclenche un contrôle de type abstrait, dont le juge tente de pallier les inconvénients.

a) Une saisine étroite

La faculté de déférer au Conseil constitutionnel, pour examen de leur conformité à la Constitution, des lois non encore promulguées, est ouverte uniquement aux acteurs politiques. Le droit de saisine était initialement limité au Président de la République, au Premier ministre et aux Présidents des deux Assemblées. Il a été étendu à soixante députés ou soixante sénateurs par la loi constitutionnelle du 29 octobre 1974.

À l'occasion de cette réforme, il avait été envisagé de permettre au Conseil constitutionnel de se saisir d'office des lois qui lui auraient paru contraires aux libertés publiques. Mais l'idée fut abandonnée à un stade précoce de la procédure de révision constitutionnelle (6).

Deux autres projets de révision ont échoué, en 1990 en raison de l'opposition du Sénat, en 1993 pour cause d'alternance politique. Il s'agissait de permettre aux justiciables de soulever, au cours d'un procès, l'exception d'inconstitutionnalité de « dispositions de loi qui concernent les droits fondamentaux reconnus à toute personne dans la Constitution ». Le Conseil constitutionnel aurait tranché, après filtrage par la Cour de cassation ou le Conseil d'État.

Ces tentatives n'ayant pas abouti, le déclenchement du contrôle reste tributaire du jeu des forces politiques au sein du Parlement.

Mais le Conseil, une fois saisi, s'estime saisi de toute la loi. Il n'hésite pas à pallier une éventuelle « timidité » des saisissants, en examinant d'office la constitutionnalité d'une disposition non contestée par eux. C'est ce qu'il a fait, par exemple, à propos d'une

---

(6) Sur les raisons d'un tel abandon, v. le témoignage de V. Giscard d'Estaing *in Trente ans de saisine parlementaire du Conseil constitutionnel*, AFDC, Economica, 2005.

modification du Code électoral que les députés avaient pris soin, pour d'évidentes raisons électorales, de ne pas quereller : elle prévoyait que, dans les communes de plus de 3 500 habitants, les listes de candidats aux élections municipales ne pourraient comporter plus de 75 % de personnes du même sexe. Le Conseil a soulevé d'office l'inconstitutionnalité de cette disposition (82-146 DC du 18 novembre 1982, *Quota par sexe*).

b) Un examen a priori

La lettre de l'article 61 al. 2 de la Constitution est d'une très grande clarté : c'est « *avant leur promulgation* » que « les lois peuvent être déférées au Conseil constitutionnel ». Le type de contrôle ainsi institué est exclusivement préventif ; il vise à empêcher l'entrée dans l'ordre juridique de dispositions contraires à la Constitution. Dans un tel système, « une loi promulguée, même non encore publiée, ne peut être déférée au Conseil constitutionnel » (97-392 DC du 7 novembre 1997, *Réforme du service national*).

Le Conseil a toutefois décidé, en 1985, qu'il ne lui était pas impossible d'apprécier la régularité d'une loi promulguée, à l'occasion de l'examen de dispositions législatives qui « la modifient, la complètent ou affectent son domaine » (85-187 DC du 25 janvier 1985, *État d'urgence en Nouvelle-Calédonie*).

C'est ce qu'il fit quatre ans plus tard, en acceptant d'examiner au fond, à la demande des autorités de saisine, une loi de 1970 relative à l'expropriation pour cause d'utilité publique (89-256 DC du 25 juillet 1989, *TGV Nord*).

Il n'est pas rare, depuis lors, de voir le Conseil pratiquer ce type de contrôle non prévu par les textes. Il s'est même estimé compétent pour examiner des dispositions que la loi nouvelle modifie « sans en changer la portée » (99-414 DC du 8 juillet 1999, *Loi d'orientation agricole*).

Cette jurisprudence audacieuse permet au Conseil d'examiner des lois que l'opposition parlementaire n'a pas pu ou n'a pas voulu lui déférer. Tel fut le cas, notamment, de la loi sur la sécurité quotidienne adoptée à la suite des attentats du 11 septembre 2001. Promulguée le 15 novembre, cette loi contenait notamment des dispositions permettant le stockage des données de connexions à l'Internet. Cette disposition, qui avait échappé au contrôle faute de saisine du Conseil, a pu être examinée à l'occasion d'un recours dirigé contre la loi de finances rectificatives pour 2001, qui en étendait le champ d'application (2001-457 DC du 27 décembre 2001, *Loi de finances rectificatives pour 2001*).

Le Conseil, en l'espèce, a jugé que la disposition en question était conforme à la Constitution. Mais que se serait-il passé s'il avait statué en sens inverse ? Le cas s'est présenté une seule fois, lorsque le Conseil a déclaré contraire au principe de la nécessité des peines l'inéligibilité automatique, pour une période de cinq ans, de toute personne déclarée en faillite (99-410 DC du 15 mars 1999, *Loi organique relative à la Nouvelle-Calédonie*). Cette disposition était en vigueur depuis 1985, et le Conseil constitutionnel lui-même, lorsqu'il avait examiné la loi qui instituait cette peine automatique, n'avait rien trouvé à y redire (85-183 DC du 18 janvier 1985, *Redressement et liquidation judiciaires*). Treize ans plus tard, il la juge inconstitutionnelle. Cela implique-t-il que les juges administratifs ou judiciaires doivent refuser d'en faire application ? La question demeure en suspens. Comme l'a constaté le Conseil d'État dans son arrêt *Rambert* du 15 février 2002, la disposition concernée a été promptement abrogée par le législateur, et il n'était donc pas nécessaire « de rechercher si la décision n° 99-410 du 15 mars 1999 [...] aurait habilité le juge administratif, de son propre chef, à priver [l'art. 194 du Code de commerce] de toute portée avant même qu'il ne soit abrogé ».

L'éventuel essor du contrôle de constitutionnalité de la loi promulguée demeure donc suspendu au crédit que le juge ordinaire se montrera disposé à accorder aux décisions rendues, en cette matière, par le Conseil constitutionnel.

c) Un contrôle abstrait

Le contrôle *a priori* est un contrôle *abstrait* : la conformité de la loi à la Constitution est envisagée indépendamment de son application future. Le Conseil a souligné à maintes reprises qu'une loi n'est pas inconstitutionnelle du seul fait qu'elle puisse être appliquée de manière inconstitutionnelle : « l'éventualité [...] d'un abus dans l'application d'une loi ne saurait la faire regarder comme contraire à la Constitution » (86-207 DC des 25 et 26 juin 1986, *Privatisations*).

Le Conseil, pour autant, accepte souvent d'envisager les conditions de mise en œuvre de la loi qu'il examine. Il admet qu'une loi puisse être rendue inconstitutionnelle par l'application qui pourrait en être faite dans telle ou telle série de circonstances. La création d'un délit d'entrave à la circulation des trains, par exemple, n'encourt, en tant que telle, aucune critique de constitutionnalité. Mais le Conseil prend soin de préciser que les peines prévues par le texte « ne sauraient viser les personnes exerçant légalement le droit de grève reconnu par la Constitution, même si la cessation de leur travail a pour effet de perturber ou de supprimer la circulation des véhicules » (80-127 DC des 19 et 20 janvier 1981, *Sécurité et liberté*).

Ce faisant, il émet ce que la doctrine appelle une « réserve d'interprétation ». Cette « réserve » indique la manière dont il convient de comprendre et d'appliquer la loi pour que celle-ci demeure conforme à la Constitution. Le juge conditionne la validité de la loi à l'interprétation qu'il en fait, soulignant même parfois que « toute autre interprétation serait contraire à la Constitution ».

Une telle admonestation, à l'évidence, produira les effets que le juge ordinaire acceptera de lui faire produire. Lui seul pourra sanctionner une application de la loi jugée, par le Conseil, contraire à la Constitution.

B. L'ÉTENDUE DU CONTRÔLE

Aux termes de l'article 61 de la Constitution, le contrôle de constitutionnalité des lois, obligatoire pour les lois organiques, porte uniquement, s'agissant des autres lois, sur celles qui sont déférées au Conseil, avant leur promulgation, par les autorités de saisine énumérées par la Constitution. La grande majorité des textes votés échappe à ce contrôle facultatif.

Le Conseil s'est en outre déclaré incompétent pour contrôler trois types de lois : les lois référendaires, les lois portant révision de la Constitution, les lois de transposition en droit interne des dispositions inconditionnelles et précises d'une directive communautaire.

La loi adoptée par référendum sur le fondement de l'article 11 de la Constitution échappe, a déclaré le Conseil constitutionnel, à tout contrôle contentieux. Affirmée à l'occasion d'une loi référendaire qui visait à réviser la Constitution (62-20 DC du 6 novembre 1962, *Loi référendaire*), cette solution a été réaffirmée à propos d'un référendum tendant à autoriser la ratification d'un traité (92-313 DC du 23 novembre 1992, *Maastricht III*). Le Conseil se déclare incompétent au motif que ces lois « constituent l'expression directe de la souveraineté nationale ».

Les lois adoptées par le Parlement réuni en Congrès aux fins de réviser la Constitution bénéficient également d'une immunité juridictionnelle dont il est aujourd'hui établi qu'elle est totale : « le Conseil constitutionnel ne tient ni de l'article 61, ni de l'article 89, ni d'aucune autre disposition de la Constitution le pouvoir de statuer sur une révision constitutionnelle » (2003-469 DC du 26 mars 2003, *Loi constitutionnelle relative à l'organisation décentralisée de la République*).

Enfin, le Conseil refuse, depuis le 10 juin 2004 (2004-496 DC, *Loi pour la confiance dans l'économie numérique*) de vérifier la conformité à la Constitution d'une loi portant transposition d'une directive, sous réserve toutefois que deux conditions soient remplies.

La première condition a d'abord été formulée en des termes relativement sibyllins. En 2004, le Conseil avait en effet réservé l'hypothèse de la violation d'« une disposition expresse de la Constitution ». Il faut comprendre par là, expliqua-t-il en 2006, « un principe ou une règle inhérent à l'identité constitutionnelle de la France » (2006-540 DC du 27 juillet 2006, *Loi relative au droit d'auteur et aux droits voisins dans la société de l'information*). S'il était porté atteinte, par exemple, au principe de laïcité, le Conseil constitutionnel retrouverait la plénitude de sa compétence.

La seconde condition concerne le contenu des dispositions législatives soumises à son examen. Le Conseil distingue celles qui « se bornent à tirer les conséquences nécessaires de dispositions inconditionnelles et précises » du texte communautaire (qu'il se déclare incompétent pour contrôler) de toutes les autres dispositions que peut contenir une loi de transposition. Le Conseil doit donc, désormais, analyser séparément puis comparer terme à terme les prescriptions de la directive d'une part, le contenu de la loi française d'autre part. Il lui appartient de distinguer, au sein d'une même loi, entre les dispositions qui bénéficient d'une immunité contentieuse et celles qui restent contestables devant lui.

L'étendue du contrôle qu'il opère a ainsi vocation à être déterminée au cas par cas.

§2. LE FONDEMENT DES DROITS OPPOSABLES AU LÉGISLATEUR

Le fondement des droits et libertés opposables au législateur doit naturellement être un fondement textuel. Le Conseil constitutionnel a estimé que la Constitution était le seul texte qu'il était en mesure d'opposer à la volonté générale exprimée par le Parlement (74-54 DC du 15 janvier 1975, *IVG*). Il refuse de confronter la loi ordinaire aux traités auxquels la France est partie. Le contrôle de conventionnalité des lois, nous l'avons vu, est exercé par les juridictions ordinaires.

Le texte constitutionnel français présente une double spécificité : c'est un texte composite, formé de plusieurs sous-ensembles textuels ; c'est un texte « ouvert », appelé à être complété, sous le contrôle du constituant dérivé, par le juge constitutionnel.

A. UN TEXTE CONSTITUTIONNEL COMPOSITE

« Le juge constitutionnel français dispose de règles et des principes dont l'énoncé ou l'émergence se déploie sur près de deux siècles » (7).

---

(7) G. Vedel, « Le Conseil constitutionnel, gardien du droit positif ou défenseur de la transcendance des droits de l'homme », *Pouvoirs*, nº 13, 1991, p. 215.

Par le Préambule de la Constitution de 1958, le peuple français a en effet « proclam[é] solennellement son attachement aux droits de l'homme et aux principes de la souveraineté nationale tels qu'ils ont été définis par la Déck•ration de 1789, confirmée et complétée par le préambule de la Constitution de 1946 ». Il en résulte que le législateur est tenu de respecter un « bloc de constitutionnalité » qui se compose des articles numérotés du texte adopté en 1958, des dix-sept articles de la Déclaration de 1789, et du Préambule de 1946. Celui-ci énumère un certain nombre de « principes politiques, économiques et sociaux » considérés comme « particulièrement nécessaires à notre temps », et « réaffirme solennellement », d'autre part, « les principes fondamentaux reconnus par les lois de la République ».

Toutes ces dispositions sont dotées, selon l'expression du juge, d'une « pleine valeur constitutionnelle ».

Dans sa décision 81-132 DC du 16 janvier 1982 relative aux nationalisations, le Conseil avait estimé que le Préambule « tend seulement à compléter » les droits de l'homme et du citoyen consacrés par la Déclaration de 1789. Il accordait ainsi au texte révolutionnaire une forme de prééminence sur le Préambule adopté à la Libération. Plus largement, certains analystes de la jurisprudence constitutionnelle considèrent qu'il existe des droits et libertés mieux protégés que d'autres, qui formeraient une sorte de « noyau dur » des droits de l'homme. Il y aurait ainsi une hiérarchie matérielle entre les normes constitutionnelles, observable notamment lorsque le Conseil est amené à concilier des droits en conflits.

Mais il est très difficile de fonder juridiquement cette entreprise de hiérarchisation entre les différents textes (ou les différents principes) qui figurent au sein du « bloc de constitutionnalité ». Le Conseil ne s'y est d'ailleurs jamais risqué.

Dans le choix d'une méthode d'interprétation des textes applicables, il déploie par ailleurs un remarquable « éclectisme tactique » (8). Pour déterminer le sens d'une disposition, il se rapportera tantôt à l'intention de ses auteurs, tantôt à l'évolution de la société et du droit (89-256 DC du 25 juillet 1989, *TGV Nord*). Il affiche parfois une stricte fidélité à la lettre du texte, mais n'hésite pas à s'en délier lorsque des considérations pragmatiques militent dans le sens d'une lecture nettement plus « constructive » (86-225 DC du 23 janvier 1987, *Amendement Séguin*). De façon générale, la richesse et la diversité des textes qui composent le « bloc de constitutionnalité » ouvrent au Conseil constitutionnel une importante marge de manœuvre dans le choix de la disposition qu'il jugera applicable à l'espèce.

---

(8) J. Carbonnier, *Droit civil I*, PUF, 27ᵉ éd., 2002, n° 160.

B. UN TEXTE CONSTITUTIONNEL OUVERT

Contrairement à ce que laisse entendre la métaphore du « bloc », les normes constitutionnelles forment un ensemble meuble, dont les contours sont flous et délibérément indéfinis.

La Préambule de 1946 comprend en effet une catégorie au contenu indéterminé : la catégorie des « principes fondamentaux reconnus par les lois de la République ».

a) *Les principes fondamentaux reconnus par les lois de la République*

Le préambule en consacre la valeur supralégislative, mais sans apporter le moindre élément de réponse aux trois questions dont Jean Rivero a souligné le caractère crucial (9) : quelle République ? Quelles lois ? Quels principes ?

Une telle indétermination laisse le Conseil libre de refuser à certains principes la qualification de « principes fondamentaux reconnus par les lois de la République », et de l'accorder à d'autres. Il prend rarement la peine d'expliciter les critères sur lesquels il s'est fondé pour parvenir à cette décision.

À ce jour (mais un tel décompte est par nature instable), le Conseil constitutionnel a « découvert » dix principes fondamentaux reconnus par les lois de la République : la liberté d'association (71-44 DC du 16 juillet 1971, *Liberté d'association*), le respect des droits de la défense (76-70 DC du 2 décembre 1976, *Prévention des accidents du travail*), la liberté individuelle (76-75 DC du 12 janvier 1977 ; *Fouille des véhicules*) (10), la liberté de l'enseignement (77-87 DC du 23 novembre 1977, *Loi Guermeur*), la liberté de conscience, pourtant explicitement consacrée par le texte constitutionnel (même déc.) l'indépendance de la juridiction administrative (80-119 DC du 22 juillet 1980, *Validation d'actes administratifs*), l'indépendance des professeurs d'université (83-165 DC du 20 janvier 1984, *Libertés universitaires*), la compétence propre de la juridiction administrative en matière de contentieux de l'excès de pouvoir (86-224 DC du 23 janvier 1987, *Conseil de la concurrence*), la compétence de l'auto-

---

(9) J. Rivero, « Les "principes fondamentaux reconnus par les lois de la République" : une nouvelle catégorie constitutionnelle ? », *D.,* 1972, rééd. *in* J. Rivero, *Le Conseil constitutionnel et les libertés*, Economica, 1987.

(10) Ce principe a ensuite été rattaché à l'article 66 de la Constitution, puis aux premiers articles de la Déclaration de 1789, avant d'être classé, aux côtés de la liberté d'aller et venir et l'inviolabilité du domicile, dans la catégorie *sui generis* des « libertés publiques constitutionnellement garanties » (94-352 DC, *Vidéosurveillance*).

rité judiciaire en matière de protection de la propriété immobilière (89-256 DC du 25 juillet 1989, *TGV Nord*), et « l'atténuation de la responsabilité pénale des mineurs, comme la nécessité de rechercher le relèvement éducatif et moral des enfants délinquants par des mesures adaptées » (2002-461 DC, *Loi de programmation et d'orientation pour la justice*).

La décision 88-244 DC du 20 juillet 1988 (*Loi d'amnistie*) a précisé que « la tradition républicaine ne saurait être utilement invoquée pour soutenir qu'un texte législatif qui la contredit serait contraire à la Constitution ». Le principe doit donc avoir pris corps dans un texte de loi. Ce texte doit être antérieur à 1946. Le principe qu'il énonce doit avoir été affirmé sans interruption, il doit être suffisamment général, et doté d'une certaine « importance » (98-407 DC, écartant comme trop peu « importante » la règle de priorité au candidat le plus âgé en cas d'égalité des suffrages).

Toutes ces conditions sont nécessaires à la reconnaissance d'un principe fondamental reconnu par la république, mais elles ne sont pas suffisantes et limitent assez faiblement le pouvoir d'appréciation du Conseil constitutionnel.

b) Les principes et les objectifs de valeur constitutionnelle

Les *principes de valeur constitutionnelle (ou « à » valeur constitutionnelle)* sont des principes que le Conseil ne rattache pas de façon explicite à un texte. Il ne fournit aucune explication sur leur origine. Relèvent de cette catégorie : la liberté d'aller et venir (79-107 DC du 12 juillet 1979, *Ponts à péage*), le principe de la continuité des services publics et, généralement, de la vie nationale (79-105 DC du 25 juillet 1979, *Droit de grève à la radio et à la télévision*, et 79-111 DC du 30 décembre 1979, *Vote du budget II*), la protection de la santé et de la sécurité des personnes et des biens (80-127 DC des 19 et 21 décembre 1981, *Sécurité et liberté*), le principe de l'inapplicabilité des règles légales plus rigoureuses aux situations acquises intéressant une liberté publique (84-181 DC des 10 et 11 octobre 1984, *Entreprises de presse*, présenté *infra* p. 139).

La consécration de ces principes, on le voit, vise aussi bien à dégager des droits fondamentaux qu'à permettre l'aménagement ou la limitation de leur exercice.

Les *objectifs de valeur constitutionnelle* sont apparus, dans la jurisprudence du Conseil, avec la décision 82-141 DC du 27 juillet 1982, *Loi sur la communication audiovisuelle*. Trois objectifs de valeur constitutionnelle ont été dégagés par cet arrêt : la sauvegarde de l'ordre public, le respect de la liberté d'autrui et la préservation du caractère pluraliste des courants d'expression socioculturels.

Le caractère pluraliste des courants d'expression socio-culturels a donné lieu à une abondante jurisprudence. Le Conseil a précisé qu' « en définitive, l'objectif à réaliser est que les lecteurs [...] soient à même d'exercer leur libre choix sans que ni les intérêts privés ni les pouvoirs publics puissent y substituer leurs propres décisions ni qu'on puisse en faire l'objet d'un marché » (84-181 DC, préc.). Quant à la nécessité de sauvegarder l'ordre public, le Conseil a souligné que, sans elle, « la sauvegarde des libertés ne saurait être assurée » (97-389 DC, *Loi portant diverses dispositions relatives à l'immigration*).

Viendront s'ajouter à ces trois premiers « objectifs » : la protection de la santé publique (93-325 DC du 13 août 1993, *Maîtrise de l'immigration*), la possibilité pour toute personne de disposer d'un logement décent (95-359 DC du 19 janvier 1995, *Diversité de l'habitat*), et, surtout, l'accessibilité et l'intelligibilité de la loi (99-421 DC du 16 décembre 1999, *Codification par voie d'ordonnances*).

La fixation de ces « objectifs » assigne au législateur un but qu'il demeure naturellement libre de chercher à atteindre par les moyens qui lui paraissent les plus opportuns. Le Conseil s'assure toutefois que ces moyens sont convenablement adaptés, ou proportionnés, à l'objectif visé.

La consécration des objectifs de valeur constitutionnelle habilite également le législateur à restreindre l'exercice des droits garantis. Pour se rapprocher de l'objectif que constitue la possibilité pour toute personne de disposer d'un logement décent, par exemple, le législateur peut apporter au droit de propriété un certain nombre de limitations, à la condition toutefois que « celles-ci n'aient pas un caractère de gravité tel que le sens et la portée de ce droit en soient dénaturés » (98-403 DC du 29 juillet 1998, *Loi d'orientation relative à la lutte contre les exclusions*).

§3. LES TECHNIQUES DE PROTECTION DES DROITS ET LIBERTÉS

En contentieux constitutionnel des droits et libertés, certaines techniques de contrôle jouent un rôle particulièrement important.

A. LA THÉORIE DE L'INCOMPÉTENCE NÉGATIVE

L'inaction du législateur, en droit français, ne peut pas être sanctionnée. Il est toutefois possible au Conseil constitutionnel de censurer une inaction relative, c'est-à-dire le caractère incomplet d'un texte.

Le Conseil a en effet élaboré, dès la fin des années soixante, une théorie dite de l'incompétence négative, qui repose sur l'idée que le Parlement doit exercer la totalité de la compétence qui lui est attribuée par la Constitution. Il ne peut pas « abandonner au pouvoir discrétionnaire du gouvernement la fixation des règles » que l'article 34 lui donne mission d'adopter (83-162 DC des 19 et 20 juillet 1983, *Démocratisation du secteur public*), ou « abandonner au pouvoir réglementaire la détermination du champ d'application de la règle que [la loi] pose » (84-173 DC du 26 juillet 1984, *Réseaux câblés*). En d'autres termes, il incombe au législateur de préciser le contenu et la portée de la règle qu'il formule, afin que l'autorité chargée de l'appliquer ne dispose pas, à ce double égard, d'une trop grande marge d'appréciation. Le Conseil accueille très largement le grief tiré de l'incompétence négative du législateur, à qui il impose d'aller, comme dit la doctrine, « jusqu'au bout de sa compétence ».

De l'obligation de légiférer qui pèse sur le législateur, le Conseil a tiré un certain nombre de conséquences relatives à la qualité rédactionnelle de la loi. Dans une décision 84-183 DC du 18 janvier 1985 (*Redressement et liquidation judiciaires*), il a ainsi précisé que l'obligation faite au Parlement de fixer les règles concernant la détermination des infractions signifie que la loi doit « en définir les éléments constitutifs en des termes clairs et précis ». Ce principe de clarté de la loi, qui découle de l'article 34 de la Constitution, a ensuite été combiné avec l'objectif de valeur constitutionnelle d'intelligibilité de la loi pour imposer au législateur, « afin de prémunir les sujets de droits contre une interprétation contraire à la Constitution ou contre le risque d'arbitraire, d'adopter des dispositions suffisamment précises et des formules non équivoques » (2001-455 DC du 12 janvier 2002, *Loi de modernisation sociale*).

B. L'EFFET CLIQUET

L'effet cliquet (ou cliquet « anti-retour ») désigne une technique de contrôle qui amène le Conseil constitutionnel à s'assurer que la loi soumise à son examen n'est pas moins protectrice, en matière de libertés, que la loi antérieure qu'elle abroge ou modifie.

Ce principe a été posé par la décision 84-181 DC des 10 et 11 octobre 1984, *Entreprises de presse*. Il comporte deux composantes. La première peut être formulée de manière très générale : « s'agissant d'une liberté fondamentale, [...] la loi ne peut en réglementer l'exercice qu'en vue de le rendre plus effectif ou de le concilier avec celui d'autres règles ou principes de valeurs constitutionnelles ».

Cette solution, réaffirmée par la décision *Maîtrise de l'immigration* du 13 août 1993 (« le législateur ne peut réglementer les conditions du droit à l'asile que pour le rendre plus effectif ») signifie qu'« en matière de libertés, le char de l'État n'a plus de marche arrière » (11). La seconde composante de ce principe concerne les situations individuelles. Les situations acquises intéressant une liberté publique, ne peuvent être remises en cause que dans deux hypothèses : « celle où ces situations auraient été illégalement acquises ; celle où leur remise en cause serait réellement nécessaire pour assurer la réalisation de l'objectif constitutionnel poursuivi ».

Mais le Conseil semble avoir renoncé à imposer au législateur le respect de la règle du cliquet. Il est revenu à une formulation plus ancienne (dégagée par la décision 83-165 DC du 20 janvier 1984, *Libertés universitaires*), plus explicitement respectueuse du pouvoir d'appréciation du Parlement, plus modeste aussi, mais qui l'a déjà conduit à accepter un certain nombre de « reculs » du droit des libertés : « il est à tout moment loisible au législateur, dans le domaine de sa compétence, d'adopter, pour la réalisation ou la conciliation d'objectifs de nature constitutionnelle, des modalités nouvelles dont il lui appartient d'apprécier l'opportunité ; l'exercice de ce pouvoir ne doit cependant pas aboutir à priver de garanties légales des exigences de valeur constitutionnelle » (2002-461 DC du 29 août 2002, *Loi d'orientation et de programmation pour la justice*).

C. L'UNIFORMITÉ TERRITORIALE DES CONDITIONS D'EXERCICE D'UNE LIBERTÉ PUBLIQUE

Les « conditions essentielles » d'exercice d'une liberté publique doivent être identiques sur l'ensemble du territoire national. Elles ne sauraient « dépendre de décisions des collectivités territoriales » (84-185 DC du 18 janvier 1985, *Loi Chevènement*).

La prise en compte des spécificités locales ou des inégalités entre les territoires justifie bien souvent une différentiation des règles applicables, voire l'instauration de « discriminations positives territoriales ». Mais ces ruptures d'égalité ne sauraient concerner les conditions d'exercice des libertés ou de jouissance des droits sociaux. L'octroi d'une prestation allouée aux personnes âgées dépendantes, par exemple, ne peut être confié aux départements qu'à la condition d'être strictement encadrée par la loi (96-387 C du 21 janvier 1997, *Prestation spécifique dépendance* ; même solution pour le RMI : 2003-487 DC du 18 décembre 2003, *Décentralisation du RMI*).

---

(11) G. Carcassonne, *La Constitution*, Seuil, Points, 8e éd., 2007, n° 380.

D'une certaine façon, cette solution s'inscrit dans le prolongement de la théorie de l'incompétence négative : elle réaffirme que c'est au législateur (national) qu'il incombe de « fixer les règles concernant les garanties fondamentales accordées aux citoyens » (art. 34 de la Constitution).

La révision constitutionnelle du 28 mars 2003 a confirmé le principe dégagé par le Conseil constitutionnel. Elle ouvre aux collectivités territoriales la possibilité de « déroger, à titre expérimental et pour un objet et une durée limitée, aux dispositions législatives ou réglementaires qui régissent l'exercice de leurs compétences » (art. 72, al. 4 de la Constitution). Mais elle prend soin de préciser que les libertés publiques ne pourront pas donner lieu à cette forme d'« expérimentation législative » : « lorsque sont en cause les conditions essentielles d'une liberté publique ou d'un droit constitutionnellement garanti », les autorités nationales demeurent seules compétentes.

Section 4 Les juges européens

En Europe, deux systèmes de protection juridictionnelle de protection des droits fondamentaux s'ajoutent aux dispositifs nationaux de garantie des droits.

Le premier d'entre eux bénéficie à toute personne résidant dans l'un des 47 États membres du Conseil de l'Europe.. La Cour européenne des droits de l'homme, qui siège à Strasbourg, veille au respect des droits consacrés par la Convention de sauvegarde des droits de l'homme et des libertés fondamentales (ou « CEDH », pour « Convention européenne des droits de l'homme), signée à Rome le 4 novembre 1950.

Au sein de l'Union européenne, qui regroupe désormais 27 États, la Cour de Justice des Communautés européennes est garante, depuis Luxembourg, d'une seconde panoplie de droits et libertés.

1. LA COUR EUROPÉENNE DES DROITS DE L'HOMME

En vertu du principe d'applicabilité directe de la Convention européenne des droits de l'homme, toute partie à un procès devant une juridiction nationale peut invoquer le bénéfice des droits garantis par cet instrument, y compris dans des litiges interindividuels : la Convention européenne des droits de l'homme est pleinement intégrée au droit des libertés que le juge national a pour mission de faire appliquer.

Mais le respect par les États des droits et libertés proclamés par la Convention est également contrôlé par une juridiction supranationale : la Cour européenne des droits de l'homme. Ce pouvoir de contrôle, déclenché le plus souvent par des requêtes individuelles, est révolutionnaire par rapport aux conceptions classiques du droit international.

A. LA SAISINE DE LA COUR

Depuis le 1er novembre 1998, date d'entrée en vigueur du Protocole n° 11 adopté le 11 mai 1994, le système de garantie de la CEDH repose sur une Cour unique et permanente (12).

La Cour se compose « d'un nombre de juges égal à celui des Hautes Parties Contractantes » (art. 20 de la Convention amendée par le Protocole n° 11), c'est-à-dire aujourd'hui 47. Les juges sont élus, pour une durée de six ans renouvelables, par l'assemblée parlementaire du Conseil de l'Europe, sur une liste de trois candidats présentés par chaque État contractant. Mais ils siègent à titre individuel et ne représentent donc pas leur État d'origine. Ils « doivent jouir de la plus haute considération morale et réunir les conditions requises pour l'exercice de hautes fonctions judiciaires ». Leur indépendance et leur impartialité sont garanties.

La Cour comprend plusieurs formations : des comités de trois juges, qui se prononcent sur la recevabilité des requêtes ; des chambres composées de sept juges, qui statuent sur le fond des requêtes ; une grande chambre, composée de dix-sept juges, appelée à se prononcer lorsqu'une partie a fait appel d'une décision rendue par une chambre, ou lorsqu'une chambre s'est dessaisie à son profit, après avoir constaté que l'affaire pendante devant elle « soulève une question grave relative à l'interprétation de la Convention ou de ses protocoles », ou

---

(12) Dans le système initial, c'était d'abord la Commission européenne des droits de l'homme qui était saisie. Composée de membres élus par le Comité des ministres pour six ans renouvelables, la Commission statuait sur la recevabilité des requêtes, puis, en cas de décision positive (c'est-à-dire dans un cas sur dix), elle s'efforçait de favoriser un règlement amiable. En cas d'échec, elle émettait un avis sur le fond de l'affaire, qui se trouvait alors renvoyée soit à la Cour européenne des droits de l'homme, soit au Comité des ministres, organe intergouvernemental qui constitue l'instance décisionnelle du Conseil de l'Europe.

que sa solution « peut conduire à une contradiction avec un arrêt rendu antérieurement par la Cour ».

La Cour (ou, avant novembre 1998, la Commission) peut être saisie par tout État contractant ou par « toute personne physique, toute organisation non gouvernementale ou tout groupe de particuliers qui se prétend victime d'une violation par l'une des hautes parties contractantes des droits reconnus dans la Convention ou ses protocoles » (art. 34 de la CEDH).

Les recours étatiques, en pratique, ont été fort peu nombreux, de sorte que le contentieux est essentiellement alimenté par des requêtes individuelles. Pour être recevables, celles-ci doivent être formées dans les six mois qui suivent la notification effective de la décision interne définitive. Le requérant doit avoir été personnellement victime d'une violation des droits qu'il tire de la Convention (il n'est pas admis à se plaindre, dans l'abstrait, de l'inconventionnalité d'une loi ou d'un règlement). Il doit avoir épuisé toutes les voies de recours internes.

Cette règle de l'épuisement des voies de recours internes montre bien que le contrôle opéré par le juge de Strasbourg est subsidiaire par rapport à la protection offerte en droit interne. « Le mécanisme de sauvegarde instauré par la Convention revêt un caractère subsidiaire par rapport aux systèmes nationaux de garantie des droits de l'homme », car « les autorités de l'État se trouvent en principe mieux placées que le juge international pour se prononcer » (CEDH, 7 décembre 1976, *Handyside c. Royaume-Uni*).

Cela suppose que le plaignant ait mis les juridictions internes en mesure de redresser l'atteinte faite à ses droits : il doit avoir invoqué, devant elles, des griefs tirés de la violation de la Convention (ou, depuis un arrêt *Guzzardi* du 6 novembre 1980, avoir soulevé des moyens de droit interne dont le contenu est équivalent). Les organes de la Convention admettent toutefois que le requérant n'est pas tenu d'exercer des recours inadéquats, inefficaces ou inutiles.

Le caractère subsidiaire du mécanisme européen de garantie des droits fonde la théorie (jurisprudentielle) de la marge nationale d'appréciation.

En vertu de cette théorie, les États disposent d'une « marge d'appréciation » dans la mise en œuvre des obligations qui leur sont imposées par la Convention. Cette marge sera plus ou moins étroite selon qu'il existe ou non une certaine convergence de vues entre les États européens. Le droit au respect de la vie privée, par exemple, est une valeur assez largement partagée pour que la Cour s'oppose à la pénalisation par un État des relations homosexuelles entre adultes consentants (*Dudgeon c. Royaume-Uni* du 23 octobre 1981). Il en va autrement, a-t-elle estimé, du droit à l'adoption d'enfants par des couples homosexuels. Dans ce domaine où ne règne aucun consensus, les États restent libres d'instaurer des différences de traitement à raison de l'orientation sexuelle (*Fretté c. France* du 26 février 2002, partiellement remis en cause par l'arrêt *E.B. c. France* du 22 janvier 2008).

Le principe de subsidiarité implique également que la Convention vise à déterminer, en matière de droits fondamentaux, un *standard minimum*, qui peut toujours être dépassé par les droits internes. Si la norme nationale est plus protectrice pour l'individu, elle doit prévaloir sur la norme européenne.

B. LES ARRÊTS DE LA COUR

La Cour rend des arrêts qui constatent la violation (ou l'absence de violation) de la Convention ou de l'un de ses protocoles. Ces constats de violation sont à la fois déclaratoires et obligatoires.

Ils sont *déclaratoires* en ceci que la Cour ne peut pas annuler la règle ou la décision nationale incriminée. Sa déclaration d'incompatibilité avec la Convention n'entraîne pas l'invalidité de l'acte illicite : c'est à l'État mis en cause qu'il appartient de remédier à la violation constatée. Il a le choix des moyens pour parvenir à ce résultat, car la Cour ne peut ni lui prescrire des mesures correctives, ni lui adresser des injonctions.

Les arrêts rendus « au principal » (qui constatent la violation de la Convention) peuvent être complétés, si le droit interne « ne permet d'effacer qu'imparfaitement les conséquences de cette violation » (art. 41), par un « arrêt de prestation » ordonnant le versement à la partie lésée d'une « satisfaction équitable » réparant le préjudice matériel ou moral découlant de la violation de la Convention.

Les arrêts du juge de Strasbourg sont *obligatoires*. Aux termes de l'article 46 de la Convention, « les hautes parties contractantes s'engagent à se conformer aux arrêts définitifs de la Cour dans les litiges auxquels elles sont parties », en faisant cesser la violation et en en effaçant les conséquences.

Ils s'imposent aux juridictions suprêmes nationales, tenues de s'y conformer dans toutes les affaires similaires dont elles pourraient avoir à connaître. L'arrêt *B. c. France* du 25 mars 1992 a ainsi amené la Cour de cassation française à renverser promptement sa jurisprudence antérieure : par un arrêt d'assemblée plénière du 11 décembre 1992, *Marc X et René X*, elle accorde aux transsexuels le droit de faire modifier leur état civil. Mais le juge français se montre parfois plus réticent : le Conseil d'État a longtemps maintenu que l'article 6 § 1 de la CEDH était inapplicable devant les juridictions disciplinaires (*Subrini* du 11 juillet 1984 ; *Diennet* du 29 octobre

1990) avant d'admettre, par un arrêt *Maubleu* du 14 février 1996, la solution dégagée par le juge européen.

L'État, à strictement parler, n'est pas tenu de modifier la règle générale dont l'application lui a valu d'être condamné. L'autorité de chose jugée dont est revêtu l'arrêt est limitée à l'espèce tranchée. L'État a toutefois intérêt, s'il veut tarir le contentieux, à mettre son droit en conformité avec les solutions dégagées par le juge de Strasbourg, même lorsqu'elles l'ont été dans le cadre de l'examen d'une requête provenant d'un autre État partie à la Convention. Les arrêts de la Cour exercent ainsi, au-delà de l'espèce qu'ils tranchent, une très profonde influence sur l'évolution du droit français.

En l'absence même de condamnation de la France, on constate ainsi une mise en conformité « spontanée » du droit national avec les exigences européennes.

Certaines solutions jurisprudentielles cherchent manifestement à prévenir une condamnation de la France. Tel est le cas, par exemple, des deux arrêts du 17 février 1995 admettant la recevabilité des recours pour excès de pouvoir dirigés contre les décisions infligées des punitions aux militaires (*Hardouin*) et aux prisonniers (*Marie*), ou de l'arrêt *Diop* du 30 novembre 2001 reconnaissant le caractère discriminatoire d'une différence de traitement entre anciens combattants de nationalité française et anciens combattants ayant renoncé à cette nationalité.

Le législateur tend également à anticiper les griefs d'inconventionnalité qui pourraient être invoqués à l'encontre de la loi qu'il se propose d'adopter : les débats qui ont précédé la loi du 15 mars 2004 sur la laïcité scolaire ont ainsi ménagé une assez large place à l'examen de sa compatibilité avec l'article 9 de la CEDH relatif à la liberté religieuse.

Le Conseil constitutionnel lui-même se montre attentif à l'évolution du droit européen des libertés. Pour enrichir les normes constitutionnelles dont il est tenu d'imposer le respect au législateur, il procède à des « emprunts », généralement non avoués, à l'œuvre des juges de Strasbourg et de Luxembourg. Il a ainsi considéré que l'alinéa 10 du Préambule de la Constitution de 1946 (« la Nation assure à l'individu et à la famille les conditions nécessaires à leur développement ») doit s'interpréter comme garantissant un « droit de mener une vie familiale normale » dont le contenu semble largement similaire au « droit au respect de la vie familiale » consacré par l'article 8 de la CEDH. De la même manière, le Conseil a dégagé, en 1996, un « droit d'exercer un recours effectif devant une juridiction » (13) qui ressemble comme un frère au « droit d'accès aux

---

(13) 96-373 DC du 9 avril 1996, *Autonomie de la Polynésie française I.*

tribunaux » découvert par la Cour européenne des droits de l'homme dans son arrêt *Golder c. Royaume-Uni* du 21 février 1975, ou au « droit au juge » protégé par la Cour de Justice des Communautés européennes en tant que principe général de droit (arrêt *Johnston*, du 15 mai 1986). Mais le juge constitutionnel français a tenu à faire découler ce droit du principe de séparation des pouvoirs affirmé par l'article 16 de la Déclaration de 1789 (2000-437 DC du 19 décembre 2000, *Loi de financement de la sécurité sociale*).

C'est donc parfois en empruntant des voies indirectes, et même tortueuses, que progresse « un droit commun européen des droits et libertés » (14).

§2. LA COUR DE JUSTICE DES COMMUNAUTÉS EUROPÉENNES

Les traités constitutifs des communautés européennes ne comportent pas de dispositions spécifiques concernant les droits fondamentaux. Mais la Cour de Justice des Communautés, dans le silence des textes, a élaboré un système effectif de garantie des droits fondamentaux au niveau de l'Union européenne.

La Cour de justice n'avait pas reçu compétence pour imposer aux organes communautaires le respect de règles extérieures au texte des traités. Par les arrêts *Stauder* du 12 novembre 1969 et *Internationale Handelsgesellschaft* du 17 décembre 1970, elle a toutefois posé que « le respect des droits fondamentaux fait partie intégrante des principes généraux du droit dont la Cour assure le respect ». Les institutions des Communautés (puis de l'Union), les organes créés par ces institutions ainsi que les États membres lorsqu'ils agissent en tant qu'organe d'exécution du droit communautaire, furent dès lors soumis au respect de principes généraux dont la Cour, au fil du temps, a déterminé le contenu.

Le juge de Luxembourg s'inspire, pour ce faire, des « traditions constitutionnelles communes aux États membres » (*Internationale Handelsgesellschaft*, préc.), mais aussi des « instruments internationaux » concernant la protection des droits de l'homme auxquels les États membres ont coopéré ou adhéré (*Nold c. Commission* du 14 mai 1974). La Cour se réfère ainsi au Pacte international relatif aux droits civils et politiques de 1966, à la Convention 111 de l'OIT, ou encore à la Charte sociale européenne du 18 novembre 1961. Mais c'est la

---

(14) F. Sudre, *La Convention européenne des droits de l'homme*, PUF, Que sais-je ?, 6ᵉ éd., 2004, p. 79.

Convention européenne des droits de l'homme qui occupe ici la première place : si la Cour a dû attendre l'adhésion de la France (le 3 mai 1974) pour viser expressément cet instrument (28 octobre 1975, *Rutili*), elle y a puisé par la suite un très grand nombre de « principes généraux » jugés applicables dans l'ordre juridique communautaire.

Le Traité sur l'Union européenne contient, depuis le Traité de Maastricht de 1992, un article 6 § 2 qui « codifie » la jurisprudence de la Cour en proclamant que « l'Union respecte les droits fondamentaux, tels qu'ils sont garantis par la Convention européenne de sauvegarde des droits de l'homme et des libertés fondamentales, signés à Rome le 4 novembre 1950, et tels qu'ils résultent des traditions constitutionnelles communes aux États membres, en tant que principes généraux du droit communautaire ». Le TUE comprend également, depuis le Traité d'Amsterdam entré en vigueur en 1999, un article 6 § 1 aux termes duquel « l'Union est fondée sur les principes de la liberté, de la démocratie, du respect des droits de l'homme et des libertés fondamentales, ainsi que de l'État de droit, principes qui sont communs aux États membres ».

Depuis le Traité d'Amsterdam, la Communauté et les États membres se disent également « conscients des droits sociaux fondamentaux » (art. 136 du traité CE modifié). L'article 136 n'énumère pas les droits en question, mais renvoie à deux instruments : la Charte sociale européenne signée dans le cadre du Conseil de l'Europe mais ratifiée par la plupart des pays membres de l'Union, et la Charte communautaire des droits sociaux fondamentaux des travailleurs qui, adoptée lors du Conseil européen de Strasbourg des 8 et 9 décembre 1989, énumère un ensemble de dix-neuf droits fondamentaux dont certains peuvent s'analyser comme des droits-créances (droit à une protection sociale adéquate et d'un niveau suffisant, droit à un revenu minimum, droit d'accéder à la formation professionnelle, droit à la protection de la santé et de la sécurité dans le milieu de travail).

Compte tenu de l'éparpillement de ces différents textes et des difficultés d'accès qui en résultent pour le citoyen européen, les chefs d'État et de gouvernement ont décidé, lors du sommet de Cologne de juin 1999, de doter l'Union d'un instrument unique qui rassemble les droits existants et « ancre de manière visible leur importance exceptionnelle et leur portée pour les citoyens de l'Union ».

Une « Charte européenne des droits fondamentaux » a ainsi été « proclamée » lors du sommet européen de Nice en décembre 2000. En énumérant de façon détaillée les droits auxquels l'article 6 § 1 faisait simplement référence, elle entend « renforcer la protection des droits fondamentaux » « en les rendant plus visibles » » (al. 4 du Préambule). Elle se donne comme une simple réaffirmation de droits déjà consacrés, dont elle propose toutefois une version « actualisée » qui tient compte « du progrès social et des développements scientifiques et technologiques » (al. 4 du Préambule). Elle contint ainsi des dispositions relatives à la bioéthique (art. 3) ou à la protection des données personnelles (art. 8). Elle envisage le droit au mariage (art. 9) dans une perspective qui, contrairement à l'article 12 de la Convention européenne des droits de l'homme, ne limite pas explicitement la jouissance de ce droit aux couples constitués d'un homme et d'une femme.

La Charte devait former la deuxième partie du Traité portant Constitution pour l'Union européenne. Les référendums français et néerlandais ayant conclu, en 2005, au rejet de ce texte, la Charte a été proclamée une nouvelle fois en décembre 2007. Elle figure désormais en annexe au Traité de Lisbonne, (ratifié par la France le 13 février 2008). Lorsque le nouveau traité entrera en application, la Charte sera pleinement opposable aux organes de l'Union – ce qu'elle est déjà d'une certaine façon, puisque la Cour de Justice n'a pas hésité à la viser dans un arrêt concernant une directive sur le regroupement familial (*Parlement c. Conseil* du 27 juin 2006).

CHAPITRE 2

LES GARANTIES NON JURIDICTIONNELLES

En appui du rôle joué par les juges en matière de protection des droits et libertés, des instances dépourvues de caractère juridictionnel jouissent d'une autorité non négligeable.

Section 1 Dans l'ordre international

Les traités internationaux relatifs aux droits de l'homme prévoient que leur violation par un État signataire peut être stigmatisée, au terme d'un contrôle qui peut être soit périodique, soit déclenché par une plainte. Dans bien des cas, les deux types de contrôle coexistent.

§ 1. LE CONTRÔLE SUR RAPPORTS PÉRIODIQUES

Le rapport est une technique prévue par la plupart des conventions internationales relatives aux droits de l'homme. Le principe est que les États signataires établissent eux-mêmes des rapports périodiques, pour présenter l'application qu'ils font de la Convention.

A. DANS LE CADRE DES NATIONS-UNIES

La technique du rapport périodique a reçu une consécration particulièrement nette avec l'instauration de *l'examen périodique universel* (EPU).

Le 15 mars 2006, l'Assemblée générale des Nations Unies a remplacé la Commission des droits de l'homme – son principal organe compétent en la matière – par un *Conseil des droits de l'homme* dont le mode de désignation et les règles de fonctionnement ont été profondément révisés. Élevé au rang d'organe subsidiaire de l'Assemblée générale, ce Conseil est composé de 47 États, élus par l'Assemblée générale à la majorité absolue. Ils y siègent pour une durée de trois ans renouvelables une fois (la France a été élue).

Le Conseil a notamment pour mission d'organiser « l'examen périodique universel », nouveau mécanisme qui permet de faire le point sur la situation générale des droits de l'homme dans chacun des 192 États. Au cours de sessions spécifiques (3 par an), la situation de 16 pays est examinée à partir de trois documents : un rapport de 20 pages présenté par le pays concerné (encouragé à procéder au préalable à « des consultations de grande envergure au niveau national ») ; une synthèse, par le Haut-Commissaire aux Droits de l'Homme, des informations rassemblées par l'ONU sur ce pays ; une synthèse, par le Haut-Commissaire également, de la position des ONG concernées.

La première session s'est tenue en avril 2008.

Parallèlement à cette approche globale, la plupart des instruments onusiens de protection des droits de l'homme sont dotés d'un mécanisme de suivi qui repose sur la technique du rapport périodique devant un organe spécifique.

Ce rapport porte sur l'application par chaque État des obligations qu'il a contractées en ratifiant la Convention. Il est prévu par les deux Pactes de 1966 (relatif aux droits civils et politiques pour l'un, aux droits économiques, sociaux et culturels pour l'autre), par la Convention sur l'élimination de toutes les formes de discrimination raciale (1965) et sur l'élimination de toutes les formes de discrimination à l'égard des femmes (1979), par la Convention sur la torture (1984), et par la Convention internationale des droits de l'enfant (1989).

Les différents comités qui reçoivent et examinent ces rapports formulent à leur sujet des « observations » qui ont parfois une certaine force persuasive sur les États concernés.

B. **DANS LE CADRE DU CONSEIL DE L'EUROPE**

Si la Cour européenne des droits de l'homme est une juridiction au sens plein du terme (voir *supra* pp. 126-130), certains instruments européens de protection des droits de l'homme sont assortis de mécanismes de suivi moins contraignants, ou à caractère préventif.

a) il en va ainsi de la *Convention européenne pour la prévention de la torture et des peines ou traitements inhumains ou dégradants.*

Entrée en vigueur le 1er février 1989, elle a été ratifiée par les 47 États membres du Conseil de l'Europe. Cette convention renforce les dispositions de l'article 3 de la CEDH, et institue un Comité européen pour la Prévention de la Torture (CPT) composé d'experts indépendants.

La mission du CPT est de procéder à des visites pour examiner la façon dont sont traitées, dans les pays ayant ratifié la convention, les personnes privées de liberté. Toutes les formes de détention sont concernées : prisons, hôpitaux psychiatriques, commissariats, centres de rétention...

Ces visites d'inspection sont périodiques, mais le Comité effectue aussi des visites dites « de suivi » (quelques mois plus tard) ainsi que des visites *ad hoc*. La Convention prévoit que les délégations (où ne figure jamais l'expert élu au titre du pays concerné) peuvent se rendre à leur gré dans tous les lieux de détention, et s'entretenir sans témoins avec les personnes privées de liberté.

Les rapports du comité sont strictement confidentiels, mais le pays concerné peut décider de le rendre public. Si les recommandations formulées ne sont pas suivies d'effet, le Comité peut, à la majorité des deux tiers, faire une déclaration publique.

Tous les pays membres ont déjà été visités au moins une fois depuis 1993. La France, depuis 1991, a fait l'objet de neuf visites. La première visite « ad hoc » (ou « exigée par les circonstances ») est intervenue en juin 2003, en raison de l'augmentation alarmante du surpeuplement dans les maisons d'arrêt (61 000 détenus pour 48 603 places). Les conditions d'hébergement dans les centres de rétention administrative et la zone d'attente de l'aéroport de Roissy, mais aussi les conditions de garde à vue ou encore les procédures d'éloignement du territoire ont également donné lieu à des recommandations du Comité.

b) La *Charte sociale européenne* du 18 octobre 1961 a été révisée le 3 mai 1996. La France l'a ratifiée le 7 mai 1999. Elle prévoit, elle aussi, qu'un comité d'experts indépendants, le Comité européen des droits sociaux, examine les rapports nationaux qui lui sont soumis tous les deux ans et parvient à des « conclusions » (à ne pas confondre avec les « décisions » qu'il adopte dans le cadre des réclamations collectives dont il est saisi – voir *infra*). Ces conclusions sont publiées et soumises à un comité gouvernemental, puis au comité des ministres du Conseil de l'Europe. Le Comité des ministres, par une résolution adoptée à la majorité des deux tiers, peut adresser des recommandations à un État – ce qu'il n'a jamais fait. Mais l'application de la Convention a donné lieu à la publication d'une « jurisprudence », et on peut penser qu'elle a inspiré des modifications législatives.

§2. LE CONTRÔLE SUR PLAINTES

A. LA RÉCLAMATION DEVANT LE BUREAU INTERNATIONAL DU TRAVAIL

L'Organisation internationale du travail est une institution spé-cialisée des Nations-Unies qui rassemble gouvernements, employeurs et travailleurs des États membres. Elle élabore des conventions inter-nationales relatives aux conditions de travail et veille à leur applica-tion. Son secrétariat permanent est assuré par le Bureau international du travail (BIT), devant qui un système de plaintes a été institué.

Ce système de plaintes permet à un État membre de dénoncer la violation d'une convention par un autre État membre. Il permet aussi à un syndicat de formuler une « réclamation » à l'encontre d'un État qui méconnaîtrait ses obligations.

Cette réclamation fait l'objet d'un examen par une commission tripartite (employeurs, travailleurs, gouvernements) désignée au sein du Conseil d'administration de l'OIT. La commission prépare un rapport qui, adopté par consensus, contient des recommandations à l'usage de l'État concerné. Il lui est généralement demandé de mettre son droit en conformité avec une convention de l'OIT.

Un rapport publié le 14 novembre 2007 demandait par exemple à la France de renoncer au « Contrat Nouvelle Embauche » créé par une loi de 2005, au motif qu'il contrevenait, par certains de ses aspects, à la Convention n° 158 de l'OIT. C'est le syndicat Force Ouvrière qui avait formulé une réclamation à ce sujet. De manière plus exceptionnelle, le Conseil d'administration de l'OIT peut aussi adresser des recommandations à d'autres pays que celui qui est concerné par la plainte : dans un rapport du 16 novembre 2000, il a ainsi invité tous les États membres à appliquer des sanctions à l'encontre de la Birmanie, qui admettait une pratique « généralisée » du travail forcé.

B. LA SAISINE DU COMITÉ DES DROITS DE L'HOMME

Plusieurs conventions internationales prévoient, outre le rapport périodique, un mécanisme de contrôle qui permet la saisine d'un organe de surveillance par un État partie à la convention (« recours étatique ») ou par un particulier (« communications individuelles »). C'est notamment le cas de la Convention pour l'élimination de la discrimination raciale, dont l'article 14 institue un Comité qui peut recevoir des « communications » émanant de particuliers (mais cette communication doit viser un État qui a expressément reconnu la compétence du Comité – ils sont 51 à ce jour, dont la France depuis août 1982). On peut aussi citer, toujours le cadre onusien, le Comité contre la torture chargé de veiller au respect de la Convention du 10 décembre 1954 contre la torture et autres peines ou traitements cruels, inhumains ou dégradants. Ses pouvoirs sont sans commune mesure avec ceux de son homologue européen, le Comité de Prévention de la torture (voir *supra*).

Le plus notable des organes de surveillance de l'application des traités est sans doute le Comité des droits de l'homme, chargé de superviser le respect par les États du Pacte international relatif aux droits civils et politiques, adopté le 16 décembre 1966 et entré en vigueur le 23 mars 1976.

Le Comité des droits de l'homme se compose de 18 personnalités élues pour quatre ans par les États parties. Il examine les rapports remis par les États, mais il peut aussi recevoir des « communications » de particuliers qui estiment avoir été victimes d'une violation, par un État partie, des droits et libertés garantis par le Pacte. Tous les recours internes doivent avoir été épuisés pour que la communication soit déclarée recevable. Le Comité demande alors à l'État mis en cause de lui fournir des explications sur la violation alléguée, et sur les mesures qu'il a prises pour y remédier. L'auteur de la plainte peut commenter la réponse de l'État. Le comité formule enfin des « constatations », qu'il rend publiques.

Ces constatations ont conduit des États à prendre des mesures individuelles, voire à modifier leur législation.

Leur impact réel sur les droits nationaux ne doit toutefois pas être surestimé. Le Comité est un organe non juridictionnel, qui ne rend pas de décisions s'imposant à tous.

Sa constatation du 3 avril 1989 estimant que la France avait violé l'article 26 du Pacte en refusant aux retraités sénégalais de l'armée française les mêmes droits à pension qu'aux retraités français a ainsi été superbement ignorée par le Conseil d'État, qui a jugé que l'article 26 ne s'appliquait pas à l'exercice du droit à pension, analysé par lui comme un droit de nature économique et non civil ou politique (avis contentieux du 15 avril 1996, *Mme Doukouré*). S'il a admis, par un arrêt *Diop* du 30 novembre 2001, que cette différence de traitement était contraire à la Convention européenne des droits de l'homme, il n'en a pas moins réaffirmé, contre l'avis du Comité des droits de l'homme, que l'article 26 du Pacte relatif aux droits civils et politiques n'était pas invocable dans cette affaire dite de la « décristallisation des pensions » (CE 7 juillet 2006, *GISTI*).

C. LA RÉCLAMATION DEVANT LE COMITÉ EUROPÉEN DES DROITS SOCIAUX

La Charte sociale européenne « révisée » fait l'objet, nous l'avons vu, d'un contrôle par voie de rapports. Mais une seconde procédure, issue d'un protocole additionnel du 22 juin 1995, permet un contrôle sur plaintes inspiré de la procédure en vigueur devant le BIT.

Il s'agit en effet d'un système de réclamations collectives ouvert aux seules organisations d'employeurs et de travailleurs (internationales ou nationales), ainsi qu'aux organisations non gouvernementales dotées d'un statut consultatif auprès du Conseil de l'Europe. La réclamation doit avoir un objet général, c'est-à-dire porter sur une règle ou une pratique dont on demande au Comité de constater qu'elle contrevient à la Charte sociale européenne.

Le Comité européen des droits sociaux, s'il juge la réclamation recevable, rend un avis sur le fond. Cet avis est ensuite transmis au Comité des ministres du Conseil de l'Europe, qui pourra décider, par une résolution adoptée à la majorité des deux tiers, d'adresser une recommandation à l'État convaincu de ne pas appliquer la Charte de manière satisfaisante.

Dans les faits, le Comité des Ministres ne relaye qu'avec beaucoup de prudence l'action du comité européen des droits sociaux. Il se contente généralement d'adopter une résolution dans laquelle il « prend note » de la décision des experts, qu'il donne l'impression de nuancer en présentant la liste des contre-arguments développés par l'État mis en cause. À propos par exemple de la décision *Autisme-Europe c. France* rendue par le Comité européen des droits sociaux le 4 novembre 2003, le Comité des ministres a publié, le 10 mars 2004, une résolution « prenant acte » tout à la fois du fait que l'insuffisance des structures d'accueil pour autistes s'analysait comme une violation par la France de la Charte sociale européenne, et des efforts engagés par le gouvernement français pour remédier à la situation.

Section 2 Dans l'ordre interne

En matière de protection des libertés publiques, deux types d'instances jouent un rôle désormais essentiel : les Autorités administratives indépendantes d'une part, les associations de l'autre.

§1 LES AUTORITÉS ADMINISTRATIVES INDÉPENDANTES

La création d'Autorités administratives indépendantes (AAI) correspond à un souci, apparu à partir des années soixante-dix, de soustraire à l'emprise de l'administration la régulation de certains secteurs jugés « sensibles ».

A. LA DIVERSITÉ DES DOMAINES D'INTERVENTION

Un grand nombre d'Autorités administratives indépendantes ont été créées à la suite du démantèlement d'un monopole d'État. Dans le domaine de l'énergie, des opérations boursières, des télécommunications, ou encore de l'audiovisuel, l'ouverture à la concurrence a impliqué une éviction de l'ancien maître du jeu, au profit d'un arbitre « neutre ».

En matière de libertés, la création d'une AAI tente également de cantonner la sphère d'intervention d'un État dont on redoute qu'il ne soit à la fois juge et partie.

Cette inspiration se marque de manière particulièrement nette dans le cas de la première AAI instituée en France, le Médiateur de la République (loi du 3 janvier 1973). Le Médiateur a en effet pour mission de régler à l'amiable les litiges entre les citoyens et l'administration. Dans le même esprit, la Commission d'accès aux documents administratifs (loi du 17 juillet 1978) veille au respect des droits des administrés en imposant à l'administration le respect d'un principe de « transparence ». La commission consultative du secret de la défense nationale donne quant à elle un avis sur l'application de la classification « secret-défense » (loi du 8 juillet 1998).

Les abus de la puissance publique contre lesquels les AAI ont pour mission de protéger les administrés sont de divers ordres.

Contre les abus dont peut être soupçonné l'État organisateur des élections, la loi du 15 janvier 1990 a créé la Commission de contrôle des campagnes électorales et des financements politiques. Contre les abus imputés aux « grandes oreilles » de l'État, la loi du 10 juillet 1991 a institué une Commission nationale de contrôle des interceptions de sécurité. Quant aux lois des 6 juin 2000 et 30 octobre 2007, elles ont créé respectivement la Commission nationale de déontologie de la sécurité et le Contrôleur général des lieux de privation de liberté, qui interviennent dans des domaines où l'État peut user du plus grand de ses pouvoirs : celui de recourir à la force.

Quatre autres AAI concourent à la protection des libertés (étant admis que la qualification d'autorité administrative reste sujette à discussion, et qu'aucune recension ne fait donc l'unanimité (1)).

---

(1) En ce sens, v. le rapport public 2001 du Conseil d'État, consacré aux Autorités administratives indépendantes.

Les menaces contre lesquelles cette deuxième catégorie d'AAI voudrait protéger les individus émanent à la fois des pouvoirs publics et des puissances privées. Elles protègent ainsi le droit à l'intimité de la vie privée contre les intrusions que permettent les techniques de fichage informatique (Commission nationale de l'informatique et des libertés, loi du 6 janvier 1978) ; elles garantissent le pluralisme (Conseil supérieur de l'audiovisuel, loi du 17 janvier 1989) ; elles veillent au respect des droits des personnes les plus vulnérables (Défenseur des enfants – loi du 6 mars 2000 – et Haute Autorité de lutte contre les discriminations et pour l'égalité – loi du 30 décembre 2004).

Les conditions de saisine de ces Autorités sont plus ou moins étroites. Si la Commission consultative du secret de la défense nationale ne peut être saisie que par l'administration (à la demande d'un juge), si le Médiateur de la République ou la Commission nationale de déontologie de la sécurité ne peuvent être saisis que par l'intermédiaire d'un parlementaire, d'autres Autorités sont accessibles à tous (CNIL, Défenseur des enfants, HALDE, Contrôleur général des lieux de privation de liberté...).

B. L'INDÉPENDANCE

Ces autorités sont dites « indépendantes » au sens où elles échappent à tout contrôle hiérarchique ou de tutelle. D'autre part leurs membres, nommés pour un mandat généralement non renouvelable, ne peuvent être démis de leurs fonctions.

Il convient toutefois de ne pas surestimer la portée de leur indépendance.

Le législateur peut, dès qu'il le souhaite, modifier les règles de composition et de fonctionnement d'une AAI, ou même la supprimer – à l'occasion par exemple d'une alternance politique (CC, 86-217 DC du 18 septembre 1986, *CNCL*).

De manière plus sournoise mais non moins efficace, le Parlement peut également priver une AAI des moyens d'exercer sa mission, en restreignant ses crédits ou en les imputant à un ministère qui pourra décider, en cours d'année, de les geler. Divers incidents ont prouvé, au cours des dernières années, que cette hypothèse n'avait rien d'une hypothèse d'école. Le Président de la CNCDS, M. Pierre Truche, a ainsi protesté publiquement, en 2005, contre une amputation de 20 % imposée par le Premier ministre au budget de son institution qui s'est alors trouvée, de fait, hors d'état de continuer à fonctionner. La même année, la Commission des finances du Sénat avait explicitement motivé la baisse des crédits alloués au Défenseur des enfants par les « réserves » que lui inspirait son rapport annuel pour 2004.

Conscient de ces difficultés (et, plus généralement, du niveau extrêmement faible des ressources dont disposent les AAI françaises au regard de leurs homologues européennes), le rapport Gélard a proposé de rassembler les crédits attribués aux AAI au sein d'une mission budgétaire « régulation et protection des libertés » (2). Mais cette proposition n'a pas été suivie d'effets.

C. L'ORIGINALITÉ DES MOYENS D'ACTION

Les pouvoirs de la dizaine d'Autorités qui ont vocation à protéger les droits et libertés s'exercent sous le contrôle du juge administratif.

À l'exception du Conseil supérieur de l'Audiovisuel et de la Commission nationale de l'informatique et des libertés, elles sont dépourvues de tout pouvoir de sanction. Le CSA et la CNIL sont également les seules AAI, dans le champ de la protection des droits et libertés, à disposer d'un pouvoir de décision individuelle ou d'un pouvoir réglementaire. Celui-ci se limite à l'adoption de « mesures de portée limitée tant par leur champ d'application que par leur contenu » (89-248 DC du 17 janvier 1989, *Conseil supérieur de l'audiovisuel*).

Le rôle qu'elles exercent est donc original au regard tant des moyens classiques de l'action administrative que de la protection juridictionnelle des droits et libertés. Ce rôle est double : il consiste, dans le traitement des cas individuels, à compléter ou faciliter la mission du juge ; il vise, de manière plus générale, à faire progresser le droit des libertés en exerçant une sorte de « magistrature d'influence ».

a) un adjuvant à la protection juridictionnelle des droits et libertés

Les AAI n'ont pas vocation à supplanter le juge dans son rôle de protecteur des libertés.

En amont du contentieux, elles exercent une fonction de médiation qui permet de dénouer le litige en voie de formation. Elles engagent, entre le justiciable et l'administration ou la personne privée concernée par l'affaire, une négociation destinée à régler le différend à l'amiable. La menace de rendre le cas public produit souvent des effets dissuasifs très efficaces. Le taux de succès obtenu par la CADA, par exemple, est tout à fait significatif. Le refus de l'administration

---

(2) Office parlementaire de l'évaluation de la législation, *Rapport sur les Autorités administratives indépendantes*, par P. Gélard, sénateur, 15 juin 2006.

de communiquer un document ne peut en effet être contesté devant le juge sans que la CADA ait été saisie au préalable. Or l'avis rendu par la CADA sur la communicabilité du document, s'il ne lie pas l'administration, ni évidemment le juge, n'en est pas moins doté d'une réelle portée persuasive, puisque l'administration s'y range dans 80 % des cas.

Lorsque l'action en justice est engagée, certaines AAI, notamment la HALDE, assistent le justiciable et/ou sont admis à présenter des observations devant la juridiction concernée. En matière répressive, la HALDE s'est même vue accorder, par la loi du 31 mars 2006, le pouvoir de proposer une transaction pénale.

De manière plus générale, les AAI sont toujours amenées à qualifier juridiquement les éléments de fait invoqués par les « réclamants ». Elles proposent des solutions adaptées, ou engagent une médiation. Dans certains cas (Commission nationale des comptes de campagne et des financements politiques, Commission nationale des interceptions de sécurité, CNIL, HALDE...), elles peuvent elles-mêmes transmettre le dossier au Parquet. La loi du 30 octobre 2007 instituant un Contrôleur général des lieux de privation de liberté rappelle à cet égard que celui-ci est tenu, comme toute autorité constituée, officier public ou fonctionnaire, de saisir sans délai le procureur des crimes ou délits dont il acquiert la connaissance dans l'exercice de ses fonctions (article 40 du Code de procédure pénale).

b) une « magistrature d'influence »

Les AAI disposent d'un pouvoir de proposition qui s'exprime par le biais de « recommandations », de « délibérations », d' « avis », de « recommandations »... Elles publient un rapport annuel qui contient, outre le bilan de leur activité, une présentation de leurs propositions de réforme et une analyse des suites qui ont été données aux propositions de l'année précédente.

L'accueil que le législateur ou le pouvoir réglementaire réserve à leurs propositions est largement fonction de leur audience dans l'opinion publique.

Le ressort de leur influence gît en effet dans ce que le rapport Gélard a appelé « le pouvoir juridique de savoir », qui leur permet d'obtenir des informations de la part des administrations et des acteurs privés du secteur qu'elles contrôlent. Elles disposent à cette fin de pouvoirs d'investigation qui varient d'une AAI à l'autre. Ce « pouvoir juridique de savoir » se prolonge en « pouvoir de faire savoir ». En rendant publics des dysfonctionnements ou des abus que l'administration aurait peut-être été tentée de dissimuler, les Autorités administratives indépendantes assurent une forme de « régulation par la transparence » qui repose, en dernière analyse, sur la capacité d'indignation des citoyens.

§2. LES ASSOCIATIONS

Depuis les années 1970, les associations de défense des droits se sont multipliées, et spécialisées. Ce double mouvement reflète la montée en puissance d'une « demande de droits » qui traverse la société tout entière, mais qui tend par ailleurs à s'émietter en revendications spécifiques.

Plus nombreuses et plus diversifiées, ces associations n'en partagent pas moins un objectif commun : la défense, mais aussi la construction militante, du droit des libertés.

A. LA MOBILISATION DE L'OPINION PUBLIQUE

La mobilisation de l'opinion publique passe par la diffusion de l'information, et vise à la structuration de l'action collective.

Sur le premier point, Internet offre aux associations un outil auquel elles ont très largement recours. La traditionnelle permanence juridique se double désormais d'une mise à disposition, en ligne, de l'information nécessaire à l'exercice des droits (foires aux questions, guides juridiques, veille jurisprudentielle, lettres-type...).

Plus largement, la diffusion de l'information a pour but de sensibiliser le grand public aux enjeux politiques et sociaux inhérents au droit des libertés. Les associations, qui tendent depuis les années 1990 à se fédérer en « collectifs », « réseaux d'alerte » et « forums », se donnent ainsi pour objectif de rassembler des données dispersées ou difficiles d'accès (Observatoire de l'homophobie, Observatoire international des prisons...). Certaines se constituent en véritables lieux de contre-expertise (sur la biométrie, la protection de l'environnement, le SIDA...).

Autre technique de sensibilisation de l'opinion : la participation à un procès présenté comme « exemplaire ». Un grand nombre d'associations, au même titre que les syndicats ou les ordres professionnels, sont en effet habilitées par la loi – certaines conditions étant remplies – à se constituer partie civile (art. 2-1 à 2-21 du Code de procédure pénale). SOS-Racisme, par exemple, se porte fréquemment partie civile dans des affaires qui lui semblent de nature à alerter l'opinion publique sur la réalité des discriminations. Les délits de presse offrent également une tribune de choix pour différents « porteurs de cause ».

Pour susciter et canaliser l'expression de l'action collective, les associations de défense des droits recourent évidemment aux techniques classiques qui permettent de barrer la route à un projet de réforme : campagnes de presse, rassemblements, manifestations, pétitions...

Mais les associations peuvent également appeler à refuser d'obéir à la loi. Sur le modèle du « Manifeste des 343 salopes » qui, en 1973, a certainement préparé les esprits à l'adoption de la loi Veil relative à l'interruption volontaire de grossesse, des « délinquants de solidarité » ont ainsi déclaré, en 2003, aider des étrangers en situation irrégulière (« si la solidarité est un délit, je demande à être poursuivi pour ce délit »).

Le recours à « l'action directe » peut également être encouragé, contre la loi mais au nom des droits : occupation de logements vacants, masquage de caméras de vidéosurveillance, arrachage d'OGM, destruction de portiques de contrôle biométrique...

B. LA PRESSION SUR LES POUVOIRS PUBLICS

Les associations de défense des droits cherchent à peser sur les choix opérés par le législateur ou le pouvoir réglementaire.

En fonction de leur degré d'insertion dans le paysage institution-nel, les formes de leur intervention varient : participation à des commissions, auditions parlementaires, rencontres directes avec les politiques... Les voies du *lobbying* sont extrêmement diverses. Quelques réformes législatives semblent pouvoir être imputées (au moins partiellement) au *lobbying* efficace mené par de grandes associations, par exemple celles qui défendent les intérêts et les droits des handicapés.

La Commissison nationale consultative des droits de l'homme, qui regroupe 33 associations nationales, est dotée d'un pouvoir de conseil et d'avis en matière de libertés publiques.

Le développement de stratégies contentieuses est également partie intégrante de l'action développée par les associations : mémoires adressés au Conseil constitutionnel, recours formés devant les juridictions administratives ou judiciaires, pourvoi devant la Cour européenne des droits de l'homme. Dans un pays comme la France où le « contentieux d'intérêt général » (*public interest litigation*) reste moins développé qu'ailleurs, quelques associations ont attaché leur nom à cette démarche qui consiste à « faire émerger le droit en le contestant » (3).

---

(3) L. Israël, « Faire émerger le droit des étrangers en le contestant, ou l'histoire paradoxale des premières années du GISTI », *Politix*, vol. 16, 2003.

CHAPITRE 3
LES RÉGIMES D'EXCEPTION

L'exercice des libertés n'est jamais absolu. Deux ordres de circonstances justifient que des limites lui soient assignées : lorsqu'il conduit à empiéter sur les droits d'autrui (« la liberté consiste à pouvoir faire tout ce qui ne nuit pas à autrui », rappelle l'article 4 de la déclaration de 1789) ; lorsqu'il risque de troubler l'ordre public (ce qui est au fond une autre manière de dire la même chose puisque le maintien de l'ordre public, dans ses différentes composantes, a pour finalité de permettre l'exercice par chacun de ses droits et libertés).

En dehors de ces deux séries d'hypothèses toujours prévues par le droit commun des libertés publiques, l'éventualité de circonstances *exceptionnelles* peut être envisagée.

Ces circonstances exceptionnelles autorisent des restrictions exceptionnelles, voire la suspension des libertés. Dans un régime démocratique, les textes essaient d'encadrer cet « état d'exception » (1). Ils s'efforcent de construire une « légalité de crise » qui se substitue à la légalité normale, afin d'éviter le triomphe complet de la raison d'État.

Section 1 Les régimes d'exception prévus en droit interne

Plusieurs régimes d'exception coexistent en droit interne. Le Comité de réflexion et de proposition sur la modernisation des institutions de la Vᵉ République, dit « Comité Balladur », a estimé que

---

(1) Pour une approche historique et théorique de la question, v. F. Saint-Bonnet, *L'état d'exception*, PUF, 2001.

leur maintien était justifié, compte tenu de « la diversité des menaces qui pèsent sur la sécurité nationale à l'ère du terrorisme mondialisé » (2). Il a toutefois proposé de mieux définir, par le biais d'une loi organique, les conditions d'application de l'état de siège et de l'état d'urgence. Il a également qualifié d' « anomalie » l'insuffisance des contrôles qui peuvent jouer en cas de mise en œuvre de l'article 16 de la Constitution.

§ 1. LES ARTICLES 16 ET 36 DE LA CONSTITUTION

A. L'ARTICLE 16 DE LA CONSTITUTION

L'article 16 prévoit un régime d'exception, qui permet une concentration du pouvoir entre les mains du Président de la République.

a) La décision de recourir à l'article 16

Pour que sa mise en œuvre puisse être décidée, deux conditions doivent être remplies : il faut d'abord qu'une menace « grave et immédiate » pèse sur « les institutions de la République, l'indépendance de la nation, l'intégrité du territoire ou l'exécution de ses engagements internationaux » ; il faut ensuite que « le fonctionnement régulier des pouvoirs publics [soit] interrompu ».

Le Président de la République, ici, est seul juge. Il est certes tenu de consulter le Premier ministre, les présidents des Assemblées et le Conseil constitutionnel, mais ces avis ne le lient pas. Sa décision, en outre, présente le caractère d'un « acte de gouvernement » et n'est donc pas susceptible d'être contestée devant le Conseil d'État (CE 2 mars 1962, *Rubin de Servens*).

Lors de la seule et unique mise en application, à ce jour, de l'article 16, le Conseil constitutionnel – dont l'avis est motivé et publié – avait considéré, d'une part, que les institutions étaient gravement et immédiatement menacées par le putsch commis à Alger par des généraux rebelles dont « le but avoué est de s'emparer du pouvoir dans l'ensemble du pays » et que, d'autre part, les pouvoirs publics constitutionnels ne pouvaient fonctionner de façon régulière (CC, avis du 23 avril 1961).

---

(2) E. Balladur (dir.), *Une Ve République plus démocratique*, Fayard/La Documentation française, 2008, p. 48.

Le putsch des généraux fut jugulé 48 heures à peine après l'entrée en vigueur de l'article 16. Celui-ci n'en fut pas moins maintenu pendant *plus de cinq mois*, jusqu'au 29 septembre 1961. Appelé à constater que les conditions du recours à l'article 16 s'étaient évanouies, le Conseil d'État a estimé qu'il ne lui appartenait pas de « contrôler la durée d'application » de la décision présidentielle (CE 2 mars 1962, *Rubin de Servens*).

Pour éviter qu'un tel abus ne se répète, le « Comité Balladur » a proposé qu'au terme d'un délai d'un mois après l'entrée en vigueur de l'article 16, soixante parlementaires puissent saisir le Conseil constitutionnel aux fins de vérifier si l'état de crise se poursuit (en période d'application de l'article 16, le Parlement est réuni de plein droit, et l'Assemblée nationale ne peut être dissoute). La plupart des propositions de révision constitutionnelle déposées au parlement ou avancées par la doctrine au cours des quarante dernières années vont dans le même sens.

b) Les « mesures » de l'article 16

La Constitution dispose que les mesures prises en application de l'article 16 « doivent être inspirées par la volonté d'assurer aux pouvoirs publics constitutionnels, dans les moindres délais, les moyens d'accomplir leur mission ». Le Conseil constitutionnel est consulté à leur sujet.

Entre le 23 avril et le 29 septembre 1961, seize « mesures » de l'article 16 lui furent soumises. On ignore le contenu de ses avis, non publiés.

La plupart des mesures prises relevaient du domaine de la loi, voire de la loi organique : création de tribunaux, modification de la procédure pénale, suspension de l'inamovibilité des magistrats du siège, habilitation du ministre de l'Intérieur à restreindre la liberté individuelle, ou à censurer des publications... Le Conseil d'État s'est déclaré incompétent pour contrôler les mesures touchant aux matières énumérées par l'article 34 (CE 2 mars 1962, *Rubin de Servens*). Son contrôle, de fait, s'est trouvé limité aux décisions individuelles prises sur le fondement d'une « mesure » à caractère législatif ou (plus rarement) réglementaire. Le contrôle exercé (CE Ass. 23 octobre 1964, *d'Oriano*) s'inspire de celui que le juge applique dans le cadre de la théorie des circonstances exceptionnelles (voir *infra*).

B. L'ÉTAT DE SIÈGE

L'article 36 de la Constitution prévoit que l'état de siège peut être décidé en Conseil des ministres et prorogé, au-delà de douze jours, par le Parlement. L'état de siège, dont le régime est fixé par une loi du 9 août 1849 plusieurs fois modifiée, est aujourd'hui régi par les articles L. 2121-1 et s. du Code de la défense. Il a pour but de permettre au pays de faire face au « péril imminent résultant d'une guerre étrangère ou d'une insurrection armée ».

Lorsqu'il est déclaré, l'autorité militaire se substitue à l'autorité civile dans l'exercice de ses pouvoirs de police. Elle peut également procéder à des perquisitions de jour comme de nuit, ordonner la remise d'armes appartenant à des particuliers, interdire des publications et des réunions, ou encore interdire l'accès à la zone en état de siège.

La liste de ces atteintes aux libertés individuelles se donne comme exhaustive : « nonobstant l'état de siège, l'ensemble des droits garantis par la Constitution continue de s'exercer, lorsque leur jouissance n'est pas suspendue en vertu des articles précédents » (art. L. 2121-8 du Code de la défense). Mais cette formule, reprise de l'article 11 de la loi du 9 août 1849, érige devant l'autorité militaire une simple barrière de papier. Dans son arrêt *Delmotte* du 6 août 1915, le Conseil d'État a admis la fermeture par l'autorité militaire de débits de boisson dans lesquels s'étaient produits des incidents, en acceptant de considérer que la loi sur l'état de siège doit être interprétée « en son sens le plus large », et qu'un débit de boisson peut, dans ce cadre, être considéré comme « un lieu de réunion ». Dans le même esprit, l'autorité militaire qui se substitue à l'autorité civile dans l'exercice de ses pouvoirs de police peut porter à la liberté individuelle et à la liberté du commerce et de l'industrie des atteintes qui auraient été jugées illégales en temps normal, par exemple interdire aux cafetiers de servir à boire aux prostituées (CE 28 février 1919, *Dames Dol et Laurent*).

Comme l'a souligné un commentateur de l'époque, une législation d'exception investit en fait le gouvernement « du pouvoir exceptionnel de prendre toutes les mesures convenables » (3).

Le régime de l'état de siège a largement inspiré, en 1955, celui de l'état d'urgence.

§2. L'ÉTAT D'URGENCE

Les « événements d'Algérie », comme on disait à l'époque, ne pouvaient s'analyser officiellement ni comme une guerre étrangère (« l'Algérie c'est la France ») ni comme une insurrection armée (on parlait de « troubles »). Le régime de l'état de siège n'était donc pas

---

(3) J. Barthélemy, « Le droit public en temps de guerre », *RDP*, 1915, p. 156.

applicable, et le Parlement créa, pour les besoins de la cause, un nouveau régime d'exception : l'état d'urgence. Il est prévu par une loi du 3 avril 1955, modifiée par l'ordonnance 60-372 du 15 avril 1960.

A. LE CADRE LÉGISLATIF

L'état d'urgence peut être proclamé sur tout ou partie du territoire en cas de « péril imminent résultant d'atteintes graves à l'ordre public », ou « d'événements présentant, par leur nature et par leur gravité, le caractère de calamité publique ». Sous la Ve République, il a été institué à trois reprises : du 23 avril 1961 au 24 octobre 1962 (sur tout le territoire national) ; du 12 janvier 1985 au 30 juin 1985 (en Nouvelle-Calédonie seulement) ; du 8 novembre 2005 au 3 janvier 2006 (pour faire face à la « crise des banlieues »).

L'entrée en vigueur de l'état d'urgence est décidée par un décret en Conseil des ministres, pour une durée maximale de douze jours.

Dès la publication de ce décret, les préfets sont habilités à imposer d'importantes restrictions à la liberté d'aller et venir et à créer des « zones de protection et de sécurité » dans lesquelles le séjour des personnes est règlementé. Les préfets ne sont pas tenus de motiver ces décisions (CE 6 décembre 1955, *Dame Bourobka*).

Le décret en Conseil des ministres est suivi d'un décret simple du Premier ministre, qui en limite l'application à certaines zones du territoire. Dans ces zones, les préfets pourront, si le décret en conseil des ministres le prévoit expressément, ordonner des perquisitions administratives de jour comme de nuit, et établir un contrôle sur la presse (cette dernière possibilité ne figurait pas dans le décret du 8 novembre 2005). Des assignations à résidence peuvent également être prononcées, mais « en aucun cas l'assignation à résidence ne pourra avoir pour effet la création de camps » (art. 7 de la loi du 4 avril 1955 et CE 3 février 1956, *Keddar*). Dans les zones concernées, l'autorité préfectorale peut interdire des réunions, fermer des salles de spectacles ou des débits de boisson.

Dans tous les départements concernés, interdictions de séjour et assignations à résidence peuvent faire l'objet d'un recours devant une commission *ad hoc*, composée de délégués du Conseil général et installée dès l'entrée en vigueur de l'état d'urgence. Les décisions de ces commissions peuvent être contestées devant le tribunal administratif, et en appel devant le Conseil d'État : il est d'autant plus important qu'elles soient constituées en temps et en heure (CE, ord. du 14 nov. 2005, *Rolin*).

À l'expiration de la période de douze jours, l'état d'urgence ne peut être prolongé que par la loi, qui en fixe la durée définitive.

Mais cette loi devient caduque en cas de dissolution de l'Assemblée (c'est ce qui arriva en octobre 1962). Le législateur peut aussi autoriser le gouvernement – comme en 2005 – à lever lui-même l'état d'urgence.

B. LES CONTRÔLES JURIDICTIONNELS

Contrairement à la décision présidentielle de mise en application de l'article 16, le décret instaurant l'état d'urgence peut être soumis au contrôle du Conseil d'État. Celui-ci a admis sa compétence en acceptant de rechercher, dans le cadre d'un recours en référé, s'il existait un doute sérieux quant à la légalité du décret du 8 novembre 2005 (Ord. du 14 nov. 2005, *Rolin*). Il a également accepté de contrôler le refus d'abroger le décret instaurant ce régime d'exception (Ord. du 9 déc. 2005, *Mme Allouache et autres*).

Les mesures prises pour rétablir l'ordre font, quant à elles, l'objet d'un contrôle dont le niveau d'exigence s'est élevé au fil du temps. Très restreint lors de la guerre d'Algérie (CE Ass., 16 déc. 1955, *Dame Bourokba*), il s'est élargi au contrôle de l'erreur manifeste lors de l'application de l'état d'urgence en Nouvelle-Calédonie (CE 25 juillet 1985, *Madame Dagostini*). Le Conseil d'État a en outre estimé que le juge judiciaire conservait l'intégralité de sa compétence pour contrôler les mesures prises par le ministre de l'Intérieur ou le préfet au titre de missions qui relèvent de la police judiciaire (Ord. du 14 nov. 2005, *Rolin*).

§3. LA THÉORIE JURISPRUDENTIELLE DES CIRCONSTANCES EXCEPTIONNELLES

Cette théorie, formulée par le Conseil d'État pendant la Première Guerre mondiale, permet d'admettre, en certaines circonstances, des décisions qui seraient illégales en temps normal. Elle est mobilisée par le juge pour l'examen des mesures prises dans le cadre d'une légalité d'exception (article 16, état de siège ou état d'urgence), mais aussi en dehors de ce cadre (risque d'éruption volcanique, par exemple : CE 18 mai 1983, *Rodes*).

La reconnaissance d'une légalité spéciale aux « circonstances exceptionnelles » s'est opérée à l'occasion du contrôle des mesures adoptées, dès 1914, par le Gouvernement qui prit, par décret, des décisions qui relevaient normalement de la compétence du législateur. Ce dernier ratifia la plupart d'entre elles, mais omit de valider un décret du 10 septembre 1914, qui suspendait l'application de l'article 65 de la loi du 22 avril 1905 prévoyant la communication de leur dossier aux fonctionnaires civils avant toute mesure disciplinaire.

Dans l'arrêt *Heyriès* (CE 28 juin 1918), le Conseil d'État admit la légalité de ce décret suspendant l'application d'une loi, en se fondant sur l'article 3 de la loi constitutionnelle du 25 février 1875, qui chargeait le Président de la République d'assurer l'exécution des lois. M. Heyriès avait été révoqué le 22 octobre 1916 de son emploi de dessinateur de deuxième classe du génie.

De même, le Conseil d'État admit, à la fin de la Seconde Guerre mondiale, qu'une circulaire avait pu édicter des règles normalement du domaine de la loi (CE 16 avril 1948, *Laugier*).

Les circonstances exceptionnelles enlèvent le caractère de voie de fait à des agissements qui normalement seraient qualifiés ainsi. Tel fut le cas des arrestations et internements arbitraires à la Libération (TC 7 mars 1952, *Dame de la Murette*).

Dans ses conclusions (contraires) sur l'arrêt *Laugier* (CE Ass., 16 avr. 1948), le commissaire du gouvernement Letourneur définit les conditions de mise en œuvre de la théorie des circonstances exceptionnelles. Il faut :

1° une situation anormale, c'est-à-dire soit l'absence des autorités régulières ou l'impossibilité, pour elles, d'exercer leurs pouvoirs, soit la survenance brutale d'un ou plusieurs événements graves et imprévus ;

2° l'impossibilité d'agir légalement ;

3° des effets limités à la durée de la situation anormale ou de l'événement imprévu.

Mais la notion de circonstances exceptionnelles ne se laisse enfermer dans aucune définition matérielle. Il s'agit, selon l'expression de Letourneur, d'une « idée imprécise qui ne saurait être définie et varie avec chaque espèce ». Tout dépend de la règle dont l'administration a suspendu ou restreint l'application. Le juge administratif, en réalité, examine l'opportunité de la violation de la règle, compte tenu des circonstances et de l'objectif d'intérêt général poursuivi.

Les événements de mai 68 ont ainsi été analysés par lui comme des « circonstances particulières » qui pouvaient dispenser le ministre de l'Éducation nationale de procéder aux consultations exigées par les textes pour réglementer des examens et prendre des dispositions applicables « exceptionnellement » (CE Ass. 12 juillet 1969, *Chambre de commerce et d'industrie de Saint-Étienne*). Les circonstances exceptionnelles de 1985 en Nouvelle-Calédonie ont également permis au gouvernement de dissoudre le conseil municipal de Thio pour assurer la continuité du service public (CE 3 novembre 1989, *Galliot*).

Section 2 Les régimes d'exception prévus par la Convention européenne des droits de l'homme

La plupart des traités internationaux de protection des droits de l'homme prévoient que les droits garantis puissent, dans certaines circonstances, faire l'objet de restrictions exceptionnelles. La Convention européenne des droits de l'homme organise à cet égard deux régimes distincts : un régime de dérogation (art. 15) et un régime de déchéance (art. 17).

§ 1. LA CLAUSE DE DÉROGATION (ARTICLE 15)

Selon l'article 15 de la Convention européenne, « en cas de guerre ou en cas d'autre danger public menaçant la vie de la nation, toute Haute Partie contractante peut prendre des mesures dérogeant aux obligations prévues par la présente Convention ». Ces mesures dérogatoires ne sont possibles que « dans la stricte mesure où la situation l'exige », et ne peuvent jamais porter sur des droits dits « indérogeables » (droit à la vie, interdiction de la torture, interdiction de l'esclavage et principe de légalité des délits et des peines). Elles ne doivent pas entrer en contradiction avec les autres obligations découlant du droit international (les Conventions de Genève, par exemple).

Lorsqu'elle a ratifié la Convention (le 3 mai 1974), la France a formulé une réserve indiquant que les conditions de mise en application des articles 16 et 36 de la Constitution et de la loi de 1955 sur l'état d'urgence « doivent être comprises comme correspondant à l'objet de l'article 15 de la Convention ». Le Conseil d'État a estimé que les dispositions de la loi de 1955 étaient compatibles avec la Convention (CE Ass., 24 mars 2006, *Rolin et Boisvert*). La Cour européenne ne s'est jamais prononcée sur ce point.

Elle exerce, dans le cadre de l'article 15, un contrôle qui porte d'abord sur l'existence d'un « danger public menaçant la vie de la nation ». Ce danger est défini comme « une situation de crise ou de danger exceptionnel et imminent qui affecte l'ensemble de la population et constitue une menace pour la vie organisée de la communauté composant l'État » (*Lawless c. Irlande* du 1er juillet 1961). La Commission européenne des droits de l'homme a précisé, dans l'*Affaire grecque* (rapport du 5 novembre 1969), que le danger doit être imminent et exceptionnel, au sens où les restrictions autorisées par la Convention pour assurer la sécurité et l'ordre public sont manifestement insuffisantes pour y faire face.

Mais une marge d'appréciation considérable est reconnue aux États parties pour déterminer si ces conditions sont remplies, ce qui explique que l'article 15 soit parfois jugé « inquiétant ». À ce jour, seule la Grèce des colonels a vu démentir par les organes de la Convention l'appréciation qu'elle portait sur la réalité du « danger public menaçant la vie de la nation » (Comm., rapport du 5 novembre 1969).

La Cour vérifie par ailleurs que les mesures prises les États étaient « strictement exigées par les circonstances » (*Branigan et Mc Bride c. Royaume-Uni*, 26 mai 1993). Elle apprécie l'existence matérielle des faits qui servent de fondement aux mesures prises, mais aussi la qualification juridique des faits. Ce contrôle, compte tenu de la marge d'appréciation reconnue aux États, reste toutefois assez limité. Le Royaume-Uni, par exemple, dispose d'une législation anti-terroriste qui n'a cessé de se durcir au cours des trente dernières années. Depuis les attentats de New York du 11 septembre 2001, la loi attribue aux forces de sécurité intérieure des pouvoirs « dérogatoires » d'une ampleur considérable, au point que le gouvernement britannique a invoqué l'article 15 pour suspendre l'application de l'article 5 (droit à la liberté et la sûreté) « dans la mesure nécessaire » à la lutte contre le terrorisme. Instituées en 2001, les prérogatives exorbitantes de la police anti-terroriste tendent à s'institutionnaliser...

§2. LA PROHIBITION DE L'ABUS DES DROITS ET LIBERTÉS (ARTICLE 17)

La plupart des instruments internationaux de protection des droits de l'homme interdisent l'« abus » des droits et libertés qu'ils consacrent, c'est-à-dire leur usage liberticide. L'article 30 de la Déclaration universelle des droits de l'homme précise ainsi qu' « aucune disposition de la Déclaration ne peut être interprétée comme impliquant pour un État, un groupement ou un individu un droit quelconque de se livrer à une activité ou d'accomplir un acte visant à la destruction des droits et libertés qui y sont énoncés ». Sous une forme parfois légèrement différente, la même prohibition figure dans le Pacte international des droits civils et politiques (art. 5), la Convention européenne des droits de l'homme (art. 17), ou encore la Charte des droits fondamentaux de l'Union européenne (art. 54).

L'article 17 de la Convention européenne des droits de l'homme, inspiré par le concept allemand de « démocratie apte à se défendre » (*werhafte Demokratie*), a pour objet de permettre aux États de se protéger contre des « ennemis intérieurs » animés par une idéologie hostile aux droits de l'homme.

L'article 17 peut être invoqué soit pour refuser la jouissance de certains droits, soit pour en limiter l'exercice au-delà de ce qu'autorise la « clause d'ordre public » attachée à la plupart d'entre eux. Il s'agit le plus souvent des droits garantis par l'article 10 (liberté d'expression) ou l'article 11 (liberté de réunion et d'association).

L'interprétation de l'article 17 de la CEDH a évolué avec le temps. Les organes de la Convention admettaient par exemple, dans les années 1950, que la « menace communiste » justifiait qu'il soit recouru à la théorie de l'abus des droits, les communistes « visant à la destruction des droits et libertés reconnus dans la Convention » (Commission, *Parti communiste d'Allemagne c. RFA, 20* juillet 1957). Avec la fin de la guerre froide, les perceptions se sont modifiées : un État n'est plus autorisé à interdire ce parti (Cour EDH, *Parti communiste unifié de Turquie c. Turquie,* 30 janv 1998), ni à restreindre la liberté d'opinion au-delà de ce que permet la nécessité du maintien de l'ordre : la révocation de fonctionnaires communistes, par exemple, n'est plus admise par la Cour (Cour EDH, *Vogt c. Allemagne* 26 septembre 1995). Les États issus du bloc soviétique peuvent toutefois encore mobiliser la théorie de la « démocratie apte à se défendre » pour interdire l'accès à la fonction publique aux anciens membres du KGB (*Sidrabas c. Lituanie* du 27 juillet 2004), ou même empêcher de se présenter aux élections les personnes ayant conservé un lien, après la chute du Rideau de fer, avec le parti communiste (*Zdanoka c. Lettonie* du 16 mars 2006).

Dans l'Europe contemporaine, d'autres « ennemis de la démocratie » peuvent être identifiés aux fins de les déchoir de leur droit à se prévaloir de certaines dispositions de la Convention, ou pour restreindre l'exercice de leurs droits au-delà de ce qu'autorise le texte. Il s'agit essentiellement des nostalgiques du régime national-socialiste (Commission, *HW, P. et K. c. Autriche*, 12 décembre 1989), des propagateurs de thèses racistes (*Glimmerveen et Hagenbeek c. Pays-Bas* du 11 octobre 1979) ou des « auteurs » négationnistes (*Garaudy c. France* du 24 juin 2003 : en vertu des dispositions de l'article 17 de la Convention, le requérant ne peut se prévaloir des dispositions de l'article 10 de la Convention en ce qui concerne les éléments relevant de la contestation de crimes contre l'humanité).

Le développement de l'islamisme radical pourrait également susciter à l'avenir, de la part de certains États, des mesures de suspension ou de restriction exceptionnelle des droits garantis. Dans un arrêt *Refah Partisi c. Turquie* du 13 février 2003, la Cour a déjà admis qu'un parti dont le projet politique, se réclamant de l'islam, « ne respecte pas une ou plusieurs règles de la démocratie ou vise la destruction de celle-ci, ne peut se prévaloir de la protection de la Convention » (pt 47).

TROISIÈME PARTIE
LES DROITS GARANTIS

CHAPITRE 1

LES DROITS TRANSVERSAUX

Un certain nombre de principes philosophiques structurent l'ordre juridique des États démo-libéraux. La plupart des textes conventionnels et constitutionnels accordent explicitement ce statut fondateur aux principes d'égalité, de dignité de la personne humaine et de respect du pluralisme.

Ces principes tendent à se prolonger en droits subjectifs, dont la jouissance est garantie aux individus.

Section 1 Le principe de non-discrimination

Spécification contemporaine du principe d'égalité, le principe de non-discrimination s'est concrétisé en un véritable droit à ne pas être victime de discrimination.

§ 1. UN PRINCIPE STRUCTURANT

En droit interne comme en droit communautaire, le principe d'égalité assume une fonction de structuration de l'ordre juridique.

A. EN DROIT INTERNE

L'égalité soutient tout l'édifice du droit public français. Il est fréquent que le juge constitutionnel s'y réfère comme à un principe général, sans chercher à le rattacher à l'une ou l'autre des nombreuses dispositions textuelles qui en consacre la valeur supra-législative.

En proclamant que « les hommes naissent et demeurent libres et égaux en droits » et que « les distinctions sociales ne peuvent être fondées que sur l'utilité commune », l'article premier de la Déclaration de 1789 pose un principe autour duquel s'ordonne le texte tout entier.

Ce principe est spécifié par les articles 6 et 13 (égal concours à la formation de la loi et égalité devant elle, égale admissibilité aux emplois publics et égalité devant l'impôt), mais ces précisions ne circonscrivent pas la portée d'un principe qui irrigue l'ensemble de la Déclaration. L'égalité est attachée à chacun des droits, qui sont proclamés *pour tous*. Le renvoi à la loi auquel procèdent la plupart des articles de la Déclaration ne se comprend qu'en gardant à l'esprit que « la loi doit être la même pour tous, soit qu'elle protège, soit qu'elle punisse » (art. 6). L'égalité, dans le texte de 1789, apparaît donc moins comme un droit à proprement parler (elle n'est pas mentionnée à l'article 2 qui énumère les droits « naturels et imprescriptibles de l'homme ») que comme la condition de possibilité et d'intelligibilité de tous les autres droits. Elle est un principe constitutif de l'ordre juridique issu de la Révolution.

Le Préambule de la Constitution de 1946 réaffirme que l'égalité (ou l'unicité du genre humain) est le fondement même des droits de l'homme : il « proclame *à nouveau* que tout être humain, sans distinction de race, de religion ni de croyance, possède des droits inaliénables et sacrés ». Certaines de ses traductions ou prolongements « particulièrement nécessaires à notre temps » sont précisés dans la suite du texte : égalité entre les sexes (al. 3), non-discrimination sur le lieu de travail (al. 5), égal accès aux services de santé, à l'instruction, à la formation et à la culture (al. 11 et 13), égalité devant les charges qui résultent des calamités nationales (al. 12).

Quant aux trois premiers articles numérotés de la Constitution du 4 octobre 1958, ils forment le socle d'un ordre juridico-politique républicain dont l'égalité constitue le ciment.

En posant que la République « assure l'égalité devant la loi de tous les citoyens sans distinction d'origine, de race ou de religion », l'article 1er de la Constitution n'interdit pas seulement les discriminations, c'est-à-dire les distinctions qui désavantagent une catégorie de citoyens par rapport à une autre, mais bien toute « distinction » : « Les Français ne sont citoyens qu'à raison des qualités qui leur sont communes, et non à cause de celles qui les différencient » (Sieyès).

Cette « fiction d'ignorance légale » (Hauriou) repose sur une construction juridico-politique dont le Conseil constitutionnel a eu l'occasion d'expliciter les composantes, en rappelant que le refus d'accorder toute sanction juridique à certains critères de distinction découle tout à la fois des principes d'indivisibilité de la République, de souveraineté nationale et d'égalité devant la loi. Ce triptyque issu de la Révolution a sans nul doute été profondément déstabilisé par les révisions constitutionnelles qui, au cours des dix dernières années, se sont succédé en rafales pour faire progresser la construction européenne, réaménager le statut des TOM ou instituer la parité. La conclusion tirée de leur combinaison n'en reste pas moins valide : « La Constitution ne connaît que le peuple français, composé de tous les citoyens français, sans distinction d'origine, de race ou de religion » (91-290 DC du 9 mai 1991, *Statut de la Corse*).

Principe jumeau du principe d'égalité, le principe constitutionnel d'unicité du peuple français s'oppose « à ce que soient reconnus des droits collectifs à quelque groupe que ce soit, défini par une communauté d'origine, de culture, de langue ou de croyance » (99-412 DC du 15 juin 1999, *Charte européenne des langues régionales ou minoritaires*). La France ne ratifie jamais les instruments européens ou internationaux qui, à l'instar de la Charte européenne des langues régionales et minoritaires ou de la Convention-cadre pour la protection des minorités nationales, consacrent juridiquement l'existence de minorités. Lorsque ces dernières sont visées par une partie seulement du texte, l'adhésion de la France est systématiquement accompagnée d'une réserve par laquelle « le gouvernement de la République déclare, compte tenu de l'article premier de la Constitution de la République française, que l'article *x* n'a pas lieu de s'appliquer en ce qui concerne la République ».

B. EN DROIT COMMUNAUTAIRE

En droit communautaire comme en droit interne, le principe d'égalité condense l'esprit du système, et fait figure de principe organisateur.

Dans sa formulation initiale, sa fonction essentielle était de permettre la construction d'un marché unique, en imposant la suppression de discriminations perçues comme autant de distorsions de concurrence et/ou de freins à l'allocation optimale des ressources. Le traité CE formulait ainsi une interdiction générale de discrimination à raison de la nationalité, mise en œuvre et concrétisée par une série de dispositions relatives à la libre circulation des travailleurs, au droit d'établissement et à la libre prestation des services. Formulé à l'article 119 (aujourd'hui 141), le principe de l'égale rémunération, pour un même travail, des travailleurs masculins et des travailleurs féminins, visait également à éviter le « dumping social » – dans l'industrie textile notamment – auquel les pays les moins avancés en matière d'égalité hommes/femmes auraient pu vouloir se livrer.

Mais le principe de non-discrimination, dès l'origine, est apparu comme le fondement de l'ordre juridique communautaire à un second titre, celui de son rôle politiquement unificateur : l'interdiction de la discrimination en raison de la nationalité a en effet débouché sur une obligation de traiter tout ressortissant communautaire à l'égal d'un national dans l'État où il séjourne ou exerce ses activités, permettant à tous les Européens de se sentir « chez eux » dans n'importe quel État membre. Le principe d'égalité a ainsi été l'adjuvant de la reconnaissance d'une « citoyenneté européenne ».

Cette évolution a été précipitée par la jurisprudence de la Cour de Justice des Communautés européennes, qui a très vite érigé « le principe général d'égalité » en « principe fondamental du droit communautaire » (*Italie c. Commission* du 17 juillet 1963), et affirmé que « le principe d'égalité de rémunération [entre les hommes et les femmes] fait partie des fondements de la Communauté » (*Defrenne II* du 8 avril 1976).

Depuis l'entrée en vigueur du traité d'Amsterdam (1999), la promotion de l'égalité entre les hommes et les femmes figure au nombre des « missions » de la Communauté (art. 2 TCE), et le Conseil, dans les limites de ses compétences, « peut prendre les mesures nécessaires en vue de combattre toute discrimination fondée sur le sexe, la race ou l'origine ethnique, la religion ou les convictions, un handicap, l'âge ou l'orientation sexuelle » (art. 13 TCE). La Charte des droits fondamentaux de l'Union européenne, lorsqu'elle entrera en vigueur, parachèvera cette évolution, car elle consacre le principe d'égalité sous sa forme la plus générale (« toutes les personnes sont égales en droit », art. 20).

§2. LE DROIT À NE PAS ÊTRE VICTIME DE DISCRIMINATION

Le Code pénal qualifie la discrimination d'« atteinte à la dignité de la personne », mais cette définition caractérise plus le préjudice subi que le fonctionnement concret de la discrimination.

Celle-ci consiste à refuser l'accès à un bien ou un service en fonction d'un critère illégitime, arbitraire, dénué de tout lien avec les principes qui régissent la distribution « normale » du bien ou du service considéré (emploi, salaire, logement, entrée dans une boîte de nuit...). Le principe de non-discrimination est bien un principe objectif (de répartition des biens et services). Mais il se double d'un droit subjectif à être protégé contre les différences de traitement arbitraires.

L'évolution récente du droit français tend à affirmer ce droit avec une vigueur accrue. Cette évolution est pour partie imputable au droit communautaire.

Une série de lois ont en effet été adoptées, au cours des dernières années, pour transposer en droit interne deux directives européennes :

la directive du 29 juin 2000 relative à l'égalité de traitement entre les personnes sans distinction de race ou d'origine ethnique, et celle du 27 novembre 2000 portant création d'un cadre général en faveur de l'égalité de traitement en matière d'emploi et de travail. Dans le même temps, le travail de transposition du stock de directives relatives à l'égalité entre les sexes a accéléré son rythme.

A. UN DROIT EN EXPANSION

Cette expansion se manifeste à un triple point de vue.

a) *L'extension de son champ d'application*

C'est en 1972 que le droit à ne pas être victime de discrimination a fait son entrée en droit positif. La voie retenue à l'époque est celle de la répression pénale. Aujourd'hui encore, cette voie est privilégiée par un très grand nombre de personnes victimes d'un refus discriminatoire de fourniture d'un bien ou d'un service, d'entrave à l'exercice normal d'une activité économique, d'un refus d'embauche ou d'un licenciement discriminatoires (art. 225-1 et suiv. du Code pénal).

Mais les victimes de discriminations peuvent choisir, dans bien des cas, entre la voie pénale et un recours devant des juridictions civiles. Le Code de travail, depuis les lois Auroux de 1982 sur les droits des travailleurs dans l'entreprise, comporte en effet des dispositions relatives aux discriminations. La loi du 16 novembre 2001 relative à la lutte contre les discriminations a étendu leur portée à la totalité de la relation d'emploi : les salariés sont désormais protégés tout au long de l'exécution du contrat de travail, « *notamment* en matière de rémunération, de formation, de reclassement, d'affectation, de qualification, de classification, de promotion professionnelle, de mutation ou de renouvellement de contrat » (art. L. 122-45 du Code du travail). La même loi a introduit dans le statut de la fonction publique les règles issues du droit communautaire de la non-discrimination.

Le droit de la non-discrimination s'est ensuite étendu aux relations locatives (loi de modernisation sociale du 17 janvier 2002) et à la relation de soin (« loi Kouchner » du 4 mars 2002).

S'agissant plus précisément de l'égalité entre les sexes, la nécessité de transposer des directives communautaires a conduit le législateur à supprimer ou généraliser les avantages accordés aux mères, mais non aux pères, en matière de calcul des pensions de retraites (loi du 22 août 2003) ou d'accès à la fonction publique (loi du 26 juillet 2005). Il a par ailleurs été amené à affirmer que le principe de non-discrimination entre les sexes s'appliquait au calcul des primes d'assurances (loi du 17 décembre 2007).

b) La multiplication des chefs de discrimination prohibée

L'extension du champ d'application de ce droit s'est accompagnée d'une multiplication des chefs ou motifs de discrimination interdite, c'est-à-dire des critères sur lesquels il est en principe interdit de fonder une différence de traitement.

Si le code pénal réprime depuis 1972 « toute distinction opérée entre les personnes physiques à raison de leur appartenance ou non-appartenance, vraie ou supposée, à une ethnie, une nation, une race ou une religion déterminée », cette liste s'est progressivement allongée pour inclure la situation de famille (1975), les mœurs (1985), le handicap (1989), l'état de santé (1990), les opinions politiques ou les activités syndicales (1994).

La loi du 16 novembre 2001 y ajoute deux critères imposés par la directive communautaire du 27 novembre 2000 : l'âge et « l'orientation sexuelle » (expression empruntée au droit américain et qui désigne, *grosso modo*, l'homosexualité – que la référence aux « mœurs » permettait déjà de protéger). Le législateur français a décidé, de son propre chef, de réprimer également la discrimination fondée sur « l'apparence physique » et « le patronyme ».

L'ajout des caractéristiques génétiques (loi du 4 mars 2002), puis de l'état de grossesse (loi du 23 mars 2006) a porté à 18 le nombre des critères de distinction qui ne peuvent être pris en compte pour fonder un traitement défavorable.

c) L'élargissement de la définition matérielle de la discrimination

Les faits de discrimination visés par les différents codes recouvrent désormais, outre la discrimination directe, trois autres séries de comportements ou situations : la discrimination indirecte, le harcèlement, et l'injonction à discriminer.

La loi du 16 novembre 2001 introduit dans le Code du travail et le Code de la fonction publique (mais pas dans le Code pénal) la notion de discrimination indirecte. Sous la pression de la Commission européenne, le législateur français a dû préciser, par une loi de mai 2008, que cette notion revêtait, en droit interne, le même sens qu'en droit communautaire. Cette précision, techniquement inutile, a été exigée par la Commission au nom d'une meilleure garantie du principe de sécurité juridique.

Contrairement à la discrimination directe qui consiste à traiter moins bien une personne en raison d'une caractéristique dont elle est porteuse et dont la loi interdit la prise en compte, la discrimination indirecte ne repose pas sur la prise en compte d'un critère prohibé. Elle a simplement *pour effet* de « désavantager particulièrement des personnes d'un sexe par rapport à des personnes de l'autre sexe » (1), ou « est susceptible d'entraîner un désavantage particulier pour des personnes d'une race ou d'une origine ethnique donnée (2) [ou d'une religion, de convictions, d'un handicap, d'un âge ou d'une orientation sexuelle donnés (3)] par rapport à d'autres personnes ».

La discrimination indirecte *résulte* de l'application « d'une disposition, un critère ou une pratique apparemment neutres ». En fixant un critère de distinction apparemment anodin, on parvient au même résultat qui si l'on s'était directement fondé sur un critère prohibé. C'est ce qui se produit lorsqu'on impose, par exemple, une taille minimum pour l'accès à certains types d'emploi : les femmes seront, dans une proportion très supérieure aux hommes, désavantagées par le choix d'un tel critère.

Mais il ne suffit évidemment pas de constater le déséquilibre produit par l'application d'un critère de sélection pour conclure à l'existence d'une discrimination indirecte. Celle-ci n'est caractérisée que dans la mesure où il s'avère que le critère choisi n'est pas « objectivement justifié par un but légitime », et proportionné à celui-ci.

Avantager les familles nombreuses revient sans doute, dans un grand nombre de contextes, à accorder *de fait* un avantage particulier à des personnes d'une religion, d'une origine ethnique, d'une orientation sexuelle ou d'un âge donnés. Dans la France contemporaine, on pourrait probablement établir que les bénéficiaires de cette mesure seront plus souvent catholiques qu'athées, Peuls que Berrichons, hétérosexuels qu'homosexuels, jeunes que vieux. Pour autant, la préférence accordée pourra ne pas être jugée (indirectement) discriminatoire si elle est mise au service d'un but légitime, et qu'elle lui est proportionnée. De la même façon, la probabilité de maîtriser une langue étrangère ou de posséder un diplôme d'ingénieur est très inégalement répartie dans la population. Ces exigences, pour autant, seront le plus souvent tenues pour légitimes et pertinentes.

L'interdiction du harcèlement moral et du harcèlement sexuel a été posée par la loi du 17 janvier 2002. Mais une loi de mai

---

(1) Directive 2006/54/CE du 5 juillet 2006 relative à la mise en œuvre du principe d'égalité des chances et de l'égalité de traitement entre hommes et femmes en matière d'emploi et de travail (refonte).

(2) Directive 2006/43 CE du 29 juin 2000 relative à l'égalité de traitement entre les personnes sans distinction de race ou d'origine ethnique.

(3) Directive 2006/78/CE du 27 novembre 2000 portant création d'un cadre général en faveur de l'égalité de traitement en matière d'emploi et de travail.

2008 a dû mettre le droit interne en conformité avec les directives communautaires relatives à la non-discrimination. La Commission a effet exigé, dans une lettre de mise en demeure du 21 mars 2007, que le droit français qualifie expressément le harcèlement comme une forme de discrimination, et qu'il le définisse explicitement comme un agissement (pas nécessairement répété) « qui a pour objet ou pour effet de porter atteinte à la dignité d'une personne et de créer un environnement intimidant, hostile, dégradant, humiliant ou offensant ».

La Commission a également reproché à la France le caractère universel des dispositions relatives au harcèlement moral, qui protège tous les salariés quels qu'ils soient. Il convient selon elle de réserver la qualification de harcèlement à un agissement lié à l'un des 8 critères de discrimination énoncés par les directives (sexe, race, origine ethnique, religion, convictions, handicap, âge, orientation sexuelle). Le législateur français s'est incliné. En contrepartie de cette importante restriction, la portée de l'interdiction du harcèlement a été étendue à la sphère extra-professionnelle.

L'injonction à discriminer, considérée en droit communautaire comme une forme de discrimination à part entière, désigne le fait d'enjoindre à quelqu'un de pratiquer une discrimination sur le fondement de l'un des 8 critères de discrimination prohibés en droit communautaire. Elle a été introduite en droit français par la loi de mai 2008.

De fortes pressions s'exercent aujourd'hui sur le législateur pour obtenir la consécration de concepts complémentaires, comme celui de discrimination multiple (multi-critères), ou encore celui de discrimination « par association » (qui consisterait à discriminer une personne liée à celle qu'on veut en fait discriminer). L'importation en France d'un raisonnement fondé sur la notion de « catégories protégées » conduit nécessairement à ce type d'acrobaties conceptuelles.

B. UN DROIT PLUS EFFECTIF

La volonté de rendre plus effectif le droit à ne pas être victime de discrimination a conduit le législateur à développer son action dans quatre directions : la pénalisation accrue des comportements discriminatoires ; la facilitation de l'administration de la preuve ; l'aide aux victimes ; le développement d'obligations positives en matière de non-discrimination.

a) La pénalisation accrue des comportements discriminatoires

Singularité française, la dimension pénale du droit de la non-discrimination a été très fermement soulignée par les lois adoptées au cours des dernières années.

Le législateur, en 2002, a ainsi choisi la voie pénale pour qualifier les faits de harcèlement moral ou sexuel. Il a érigé en délit la provocation à la haine ou à la violence, la diffamation ou l'injure, lorsqu'elles visent « une personne ou un groupe de personnes à raison de leur sexe, de leur orientation sexuelle ou de leur handicap » (loi du 30 décembre 2004). Il a alourdi les sanctions pénales encourues par les auteurs de discrimination (loi « Perben II » du 9 mars 2004). Il a fait du mobile raciste, antisémite ou xénophobe une circonstance aggravant les peines encourues pour un certain nombre de crimes et délits (loi Lellouche du 3 février 2003), et a étendu cette solution aux infractions dont le mobile est l'homophobie (loi sur la sécurité intérieure du 18 mars 2003).

Dans un domaine voisin de celui de la lutte contre les discriminations, on a assisté à un durcissement des textes réprimant l'expression de certaines formes de haine ou de mépris. La loi de décembre 2004 portant création de la HALDE comprend ainsi des dispositions qui élargissent le champ d'application de certaines catégories de délits institués par la loi du 1er juillet 1972 modifiant la loi du 29 juillet 1881 relative à la liberté de la presse. La provocation à la haine ou à la violence d'une part, la diffamation ou l'injure d'autre part, exposent désormais leurs auteurs à des poursuites pénales lorsqu'elles visent « une personne ou un groupe de personnes à raison de leur sexe, de leur orientation sexuelle ou de leur handicap ».

Le durcissement du droit pénal s'accompagne, comme il est normal, du développement d'un volet préventif (ou éducatif). Un important effort de formation au droit de la non-discrimination (ou « à la citoyenneté ») a été entrepris, sous l'égide notamment de l'Agence nationale pour la cohésion sociale et l'égalité des chances (ACSE).

Depuis la loi « Perben II », ce type de formation est proposé, à titre de peine de substitution, aux auteurs de discriminations. De manière plus originale (ou plus anecdotique), le législateur a également décidé que les candidats à la création ou à la reprise d'un débit de boisson auraient l'obligation de suivre une formation à la non-discrimination (loi du 31 mars 2006 et décret 2007-911 du 15 mai 2007).

b) La facilitation de l'administration de la preuve

Devant les juridictions civiles, la charge de la preuve est désormais répartie entre les deux parties. Depuis la loi du 16 novembre

2001 et la loi de modernisation sociale du 17 janvier 2002, toute personne qui s'estime victime de discrimination en matière d'emploi ou d'accès au logement peut présenter « des éléments de faits qui laissent supposer l'existence d'une discrimination directe ou indirecte ». Elle ne doit plus *prouver* la discrimination (preuve souvent difficile à rapporter), mais simplement produire des éléments matériels susceptibles de faire naître une présomption. C'est alors à l'employeur ou au bailleur qu'il incombe de « *prouver* que sa décision est justifiée par des éléments objectifs étrangers à toute discrimination ».

En matière pénale, c'est toujours la victime qui doit prouver – par tout moyen – la réalité de la discrimination. Celle-ci doit être directe et intentionnelle. Mais les juridictions, depuis le début des années 2000, accueillent de plus en plus volontiers la technique du *testing*. Un *testing* commence avec la formation d'un couple de demandeurs d'emploi (ou de clients d'une banque, d'une discothèque, d'une agence immobilière...). Les deux membres du couple, qui présentent séparément leur candidature, se ressemblent en tous points mais diffèrent l'un de l'autre par *une* caractéristique, dont la prise en compte est en l'occurrence interdite par la loi (couleur de peau, origine supposée, sexe, handicap...). Si l'un des deux membres du couple est accepté alors que l'autre est refusé, on pourra imputer cette différence de traitement à l'unique caractéristique qui les distingue l'un de l'autre. Un *testing* (surtout s'il est répété) permet ainsi de confondre les auteurs de discriminations directes.

c) L'aide aux victimes

Parallèlement aux innovations introduites en matière de preuve, les pouvoirs publics se sont efforcés de développer les dispositifs d'aide aux victimes de discrimination. Dès la fin des années 1990, les initiatives en ce sens se sont multipliées : campagnes d'information du grand public, mobilisation des Parquets et création de « magistrats référents », formations spécifiques des agents de certains services publics, création d'un « numéro vert » (le 114).... La loi du 16 novembre 2001, en renforçant les possibilités d'action des syndicats, des associations et de l'inspection du travail, donne aux victimes les moyens de sortir de leur isolement.

Une étape importante a été franchie avec la création, en décembre 2004, de la HALDE (Haute Autorité de Lutte contre les Discriminations et pour l'Égalité). En effet, cette autorité administrative indépendante a notamment pour mission d'« assiste[r] la victime de discrimination dans la constitution de son dossier [et de l'] aide[r] à identifier les procédures adaptées à son cas » (art. 7 de la loi du 30 décembre 2004). Elle s'efforce par ailleurs d'inscrire son action dans le prolongement des initiatives antérieures, en incitant les acteurs de droit de la non-discrimination (barreaux, police, gendarmerie) à se former et à se mobiliser.

Contrairement à d'autres autorités administratives indépendantes, la HALDE n'a ni pouvoir de décision, ni pouvoir de sanction. Les compétences qui lui sont dévolues dessinent les contours de sa mission principale : apporter aide et assistance à ceux qui la saisissent d'une « réclamation ».

Elle peut user à cette fin (certaines conditions étant remplies) des pouvoirs d'investigation qui lui sont attribués. Ses investigations ne constituent pas une véritable enquête : il s'agit le plus souvent d'une synthèse des faits accompagnée de quelques pièces. La HALDE, après analyse de la réclamation et conduite, le cas échéant, de quelques « investigations », recourra à l'une des trois séries de pouvoirs dont elle est investie : pouvoir d'initiative des poursuites (elle transmet le dossier au Parquet, ou le porte à la connaissance de l'administration concernée) ; pouvoir de recommandation à propos des faits dont elle est saisie (ces recommandations, adressées à une entreprise ou une collectivité publique, ne produisent aucun effet juridique et sont dénuées de toute portée coercitive – CE, 13 juill. 2007, nº 297742, 294195 et 295761) ; pouvoir de médiation (elle tente de faire procéder à la résolution à l'amiable des différends portés à sa connaissance). Depuis la loi « pour l'égalité des chances » du 31 mai 2006, son pouvoir de médiation s'accompagne de la faculté de proposer une transaction pénale à l'auteur de la discrimination. Cette proposition doit être acceptée par les parties, et homologuée par le procureur de la République.

Dans son rôle d'assistance aux victimes de discrimination, l'action de la HALDE semble répondre à un réel besoin social. Les réclamations dont elle a été saisie en 2007 restent dix fois moins nombreuses que celles reçues par le Médiateur de la République (6 200 contre 62 000), mais elles dépassent déjà très largement celles qui parviennent au Défenseur des enfants (moins de 1500) ou à la Commission nationale de déontologie de la sécurité (moins de 200).

La HALDE développe en outre, comme la plupart des autres Autorités administratives indépendantes, son pouvoir d'avis et de proposition. Elle exerce ainsi une sorte de magistrature d'influence (voir *supra* p. 144). Elle tend même à s'auto-attribuer « une mission générale de régulation », non seulement dans le champ de la lutte contre les discriminations, mais aussi dans le champ de la promotion de l'égalité.

d) Le développement d'obligations positives en matière de non-discrimination

Sans pouvoir ici dresser un inventaire des diverses obligations positives imposées aux personnes publiques et privées au titre de la lutte contre les discriminations (4), on soulignera que le législateur français reste très attaché à une technique traditionnelle (et assez typiquement française) : le quota.

En bénéficient les femmes d'une part, les handicapés de l'autre.

Les personnes bénéficiant d'une reconnaissance administrative de leur handicap bénéficient de « l'obligation d'emploi » imposée – à hauteur de 6 % de leur effectif – aux employeurs publics et privés occupant plus de vingt personnes. Les entreprises peuvent s'exonérer de cette obligation en s'acquittant d'une « contribution de substitution ». Une loi du 11 février 2005 a durci ces sanctions financières, et les a étendues au secteur public.

S'agissant des femmes, la jurisprudence du Conseil constitutionnel impose de distinguer entre le domaine électoral, où la fixation de quotas contraignants est possible, et toutes les autres matières, où les quotas sont simplement indicatifs, ou même interdits.

En matière électorale, la révision constitutionnelle du 8 juillet 1999 a modifié l'article 3 de la Constitution, qui prévoit désormais que « la loi favorise l'égal accès des femmes et des hommes aux mandats électoraux et fonctions électives ». L'article 4 précise que les partis et groupements politiques « contribuent à la mise en œuvre du principe énoncé au dernier alinéa de l'article 3 dans les conditions déterminées par la loi ».

Adoptée sur le fondement de ces nouvelles dispositions, la loi du 6 juin 2000 tendant à favoriser l'égal accès des femmes et des hommes aux mandats électoraux et fonctions électives organise l'application du principe paritaire. Le mécanisme est contraignant pour tous les scrutins de liste, puisque les listes qui ne comprennent pas un nombre égal d'hommes et de femmes sont déclarées irrecevables. Pour les scrutins uninominaux, le choix du législateur s'est porté sur un système de pénalité financière. Seuls les partis qui proposent au suffrage des Français un nombre égal de candidats des deux sexes peuvent percevoir la totalité de l'aide publique prévue par les lois de financement de la vie politique. Les autres subissent des pénalités dont le montant est proportionnel au déséquilibre hommes/femmes parmi les candidats présentés et les candidats élus.

Dans les matières autres que la matière électorale, toutes les tentatives d'extension de la démarche paritaire se sont heurtées au veto du Conseil constitutionnel, qui a décidé, seul, de faire peser son contrôle sur ces dispositions dont nul ne contestait la conformité à la Constitution.

Il a ainsi jugé inconstitutionnels les quotas par sexe imposés aux scrutins non politiques, comme le quota de 50 % institué pour

---

(4) G. Calvès, *La discrimination positive*, PUF, 2e éd., 2008.

l'élection au Conseil supérieur de la Magistrature (200-445 DC du 19 juin 2001, *Loi organique relative au statut des magistrats*). Il a également censuré une loi qui imposait aux entreprises publiques et privées de féminiser, à hauteur de 20 % au moins, leurs conseils d'administration et comités d'entreprises (2006-433 DC du 16 mars 2006, *Loi relative à l'égalité salariale entre les hommes et les femmes*). Dans cette dernière décision, il a posé que la discrimination positive en faveur des femmes heurte rien moins que l'article 1er de la Déclaration (« Les hommes naissent et demeurent libres et égaux en droits. Les distinctions sociales ne peuvent être fondées que sur l'utilité commune »), ainsi que l'article 1er la Constitution (« La France [...] assure l'égalité devant la loi de tous les citoyens sans distinction d'origine, de race ou de religion »).

Au sujet des jurys de concours et de validation des acquis de l'expérience, il a formulé des « réserves d'interprétation » qui insistent sur le caractère non contraignant de l'objectif de « représentation équilibrée entre les femmes et les hommes ». Le Conseil d'État a confirmé cette solution dans un arrêt *Lesourd* du 22 juin 2007.

Contre la volonté plusieurs fois exprimée du législateur et du constituant, le Conseil constitutionnel a donc étroitement borné la sphère d'application des techniques paritaires. Les dispositions constitutionnelles adoptées en 1999, estime-t-il, « ne s'appliquent qu'aux élections à des mandats et fonctions *politiques* ». Dans les autres domaines, la Constitution s'oppose à l'édiction de « règles contraignantes fondées sur le sexe des personnes ».

Pour contredire cette interprétation restrictive, le Constituant pourrait être amené à « reprendre la parole ». Un Comité de réflexion sur le Préambule de la Constitution a en effet été chargé, le 9 avril 2008, de proposer une nouvelle révision qui habiliterait le législateur a « mieux garantir l'égal accès des femmes et des hommes aux responsabilités, en dehors même de la sphère politique ».

Section 2 La dignité de la personne

Le premier instrument international de protection des droits de l'homme qui se réfère à la dignité de la personne humaine est la Déclaration universelle de 1948. Le premier considérant de son Préambule pose que « la reconnaissance de la dignité inhérente à tous les membres de la famille humaine et de leurs droits égaux et inaliénables constitue le fondement de la liberté, de la justice et de la paix dans le monde ».

Ce statut principiel s'exprime avec la même clarté à l'article 1er de la Loi fondamentale allemande de 1949 : « « La dignité de l'être humain est intangible. Tous les pouvoirs publics ont l'obligation de la respecter et de la protéger. En conséquence, le peuple allemand reconnaît à l'être humain des droits inviolables et inaliénables comme fondement de toute communauté humaine ».

Au lendemain de la Seconde Guerre mondiale, la référence à la dignité de la personne humaine offre à la consécration de droits fondamentaux un ancrage philosophique, ou à tout le moins méta-juridique. La dignité est moins un droit que le fondement des droits.

Dans différents pays européens, un certain nombre de droits individuels ont toutefois été déduits de l'affirmation générale du principe de respect de la personne humaine : droit au respect de l'intégrité physique (avec de nombreuses applications sur le terrain du droit pénal, de la procédure pénale, de la bioéthique ou du droit de la santé) ; droits sociaux (droit à un logement décent, droit à des moyens convenables d'existence...) ; droit de pas être humilié ou traité comme une chose, qui peut justifier une restriction de l'exercice d'autres droits et libertés (liberté d'expression, liberté du commerce et de l'industrie).

Dans le cas français, le Code pénal incrimine, au titre « d'attein-tes à la dignité », des comportements aussi divers que les discrimina-tions, la traite des êtres humains, le proxénétisme, l'exploitation de la mendicité, les conditions indignes de travail et d'hébergement, les atteintes au respect dû aux morts.

On se limitera ici à examiner le cas des droits que les personnes peuvent, au nom du principe de dignité, opposer au corps médical.

§1. LES DROITS DES PERSONNES HORS LA RELATION THÉRAPEUTIQUE

Le terme de « bioéthique » apparaît dans les années quatre-vingt. C'est bien d'éthique qu'il s'agit quand les médecins sont confrontés à des questions qui ne relèvent pas de la relation thérapeutique. Des lois sont nécessaires pour leur permettre de procéder à des actes non directement thérapeutiques, qu'il s'agisse des prélèvements d'organes ou des recherches biomédicales. Un Comité consultatif national d'éthique pour les sciences de la vie et de la santé est créé par décret du 23 février 1983. Ses compétences ont été élargies par la loi du 6 août 2004 relative à la bioéthique.

Initialement, le terme de « bioéthique » correspond à la mise en œuvre de techniques de procréation médicalement assistée. Premier « bébé éprouvette », Louise Brown naît, en Angleterre, en 1978.

À partir de 1994, le législateur a défini de nouveaux droits dont il a désigné comme titulaire non seulement l'être humain, ou la personne, mais encore le corps humain, ce qui est étrange du point de vue de la théorie des droits de l'homme. Il protège, aussi, « l'espèce humaine ».

A. DONS D'ÉLÉMENTS ET DE PRODUITS DU CORPS HUMAIN

Le don d'organes, comme celui des produits du corps humain – le sang par exemple – a toujours été régi en France par les principes de gratuité, d'anonymat et de consentement. Ces trois principes protègent la liberté du donneur. Affirmés dès 1952 pour le don du sang (loi du 21 juillet 1952), et, pour les prélèvements d'organes, par la loi du 22 décembre 1976 (dite loi Caillavet), ils sont repris sous forme de principe général par la loi relative au respect du corps humain du 29 juillet 1994.

Pour assurer le respect du principe de gratuité, cette loi limite la possibilité de prélèvement d'organes, de tissus ou de cellules sur une personne vivante aux parents au premier ou second degré du receveur, exceptionnellement au conjoint. Elle l'interdit sur les majeurs protégés ou les mineurs, sauf dérogation pour la moelle osseuse, au bénéfice d'un frère ou d'une sœur de ces derniers.

La loi du 6 août 2004 relative à la bioéthique élargit les catégories de donneurs potentiels, pour pallier le défaut d'organes. Outre le père, la mère ou leur éventuel conjoint, le conjoint du receveur ou la personne qui vit avec lui depuis au moins deux ans, ses frères et sœurs, ses grands-parents, oncles, tantes et cousins germains peuvent procéder à un don d'organe. La procédure de consentement a lieu devant le président du tribunal de grande instance, après avis d'un comité d'experts.

Les règles qui régissent le prélèvement sur cadavre ont également été modifiées par la loi du 6 août 2004 : le principe demeure que le prélèvement est possible lorsque la personne ne s'y est pas opposée de son vivant. Mais la loi prévoit qu'en l'absence d'une connaissance directe d'un refus, les médecins peuvent consulter « les proches », et non plus seulement « la famille ».

Dans le cas d'une personne décédée, la finalité scientifique d'un prélèvement d'organe est admise. L'Agence de la biomédecine, créée par la loi du 6 août 2004, doit être tenue informée du protocole de recherche qui justifie ce prélèvement. Dans ce cas comme dans celui du don d'organe, la loi exige le consentement du défunt, exprimé directement ou par le témoignage de ses proches. Le prélèvement qui a pour but de rechercher les causes du décès, ou autopsie, n'est en revanche pas soumis à l'exigence de consentement, car il s'inscrit dans le prolongement de la démarche thérapeutique.

B. LES RECHERCHES BIOMÉDICALES

Le législateur préfère le terme de « recherche » à celui d'expérimentation.

La loi du 20 décembre 1988, dite loi Huriet-Sérusclat permet les recherches biomédicales sur des personnes, moyennant certaines garanties. Elle permet les recherches sans finalité thérapeutique directe, même sur les femmes enceintes, les mineurs, les majeurs sous tutelle, les personnes séjournant dans un établissement sanitaire ou social, mais non sur les personnes privées de liberté par une décision judiciaire ou administrative.

Elle admet le versement d'une « indemnité » aux personnes qui se prêtent à une recherche sans finalité thérapeutique. Mais elle exige le consentement préalable de la personne, libre, éclairé et exprès. Toutefois, dans des « situations d'urgence », le seul consentement des « proches » peut être sollicité. La loi du 25 juillet 1994 limite le consentement aux membres de la famille. Elle permet, pour les recherches en psychologie, de ne donner qu'une information préalable succincte.

La loi prévoit, dans chaque région, l'institution de comités consultatifs de protection des personnes dans la recherche biomédicale, dont l'avis doit être donné, préalablement à toute recherche sur l'être humain. Les avis défavorables sont communiqués au ministre chargé de la santé. Celui-ci peut suspendre ou interdire une recherche biomédicale.

Pour la recherche biomédicale sur une personne en état de mort cérébrale, la loi du 25 juillet 1994 exige le consentement exprimé directement ou par le témoignage de sa famille. Elle comble un vide législatif, qui avait suscité une jurisprudence du Conseil d'État. Celui-ci avait considéré que l'expérimentation sur les personnes décédées devait respecter des « principes déontologiques fondamentaux relatifs au respect de la personne humaine ». Le Conseil d'État exigeait un consentement donné par l'intéressé de son vivant ou l'accord de ses proches, s'il en existait (CE Ass. 2 juillet 1993, *Milhaud*). La loi du 25 juillet 1994 a préféré « la famille » aux proches. Le régime applicable reste donc plus restrictif que pour les prélèvements d'organes.

C. LA BREVETABILITÉ DES INVENTIONS BIOTECHNOLOGIQUES

La non patrimonialité du corps humain pose la question de la brevetabilité des découvertes génétiques. La directive du 6 juillet 1998 relative à la protection juridique des inventions biotechnologiques réaffirme, d'abord, au nom de la dignité et de l'intégrité de l'homme, le principe selon lequel le corps humain, dans toutes les phases de sa constitution et de son développement, cellules germinales comprises, ainsi que la simple découverte d'un de ses éléments ou d'un de ses produits, y compris la séquence ou séquence partielle d'un gène humain, ne sont pas brevetables. Mais elle admet que, dès lors qu'un élément du corps humain est isolé ou produit par un procédé technique, il peut constituer une invention brevetable.

Elle exclut toutefois les procédés de clonage des êtres humains, les procédés de modification de l'identité génétique germinale de l'être humain, les utilisations d'embryons à des fins industrielles ou commerciales... et les procédés de modification de l'identité génétique des animaux.

La Cour de justice des communautés européennes a considéré que « la directive encadre le droit des brevets de façon suffisamment rigoureuse pour que le corps humain demeure effectivement indisponible et inaliénable et qu'ainsi la dignité humaine soit sauvegardée » (CJCE 9 octobre 2001, *Royaume des Pays-Bas*).

Cette directive du 6 juillet 1998 a été transposée par la loi du 6 août 2004 relative à la bioéthique. Le Conseil constitutionnel, devant qui il était argué que ces dispositions portaient atteinte, en méconnaissance de l'article 11 de la Déclaration de 1789, à l'exigence de pluralisme qui « vaut également pour la connaissance scientifique » (!), a appliqué la solution dégagée par sa décision du 10 juin 2004 (2004-496, *Loi pour la confiance dans l'économie numérique*) : il a constaté que les dispositions critiquées se bornaient à tirer les conséquences nécessaires de dispositions inconditionnelles et précises de la directive de 1998, et a donc rejeté comme inopérant, « en l'absence d'une disposition expresse contraire de la Constitution », le grief d'inconstitutionnalité dirigé contre la loi (2004-498 DC du 7 août 2004, *Loi relative à la bioéthique*).

§2. LA QUESTION DE L'EMBRYON

Les embryons sont-ils des personnes dont la dignité est protégée ? Le développement de la procréation médicalement assistée a relancé une question déjà posée par les opposants à l'interruption volontaire de grossesse, qui réclament un « statut » de l'embryon.

A. L'INTERRUPTION VOLONTAIRE DE GROSSESSE

Au XIXᵉ siècle, l'avortement était un crime. Les nombreux acquittements prononcés par les Cours d'assises entraînèrent l'adoption de la loi du 27 mars 1923, qui correctionnalisa l'avortement. Un mouvement pour la liberté de l'avortement et de la contraception fut créé en 1973.

La loi du 28 décembre 1967, modifiée par une loi du 4 décembre 1974, réglemente la vente des contraceptifs.

La loi du 17 janvier 1975 permet à la femme enceinte, que son état place dans une situation de détresse, de demander à un médecin l'interruption de sa grossesse, avant la fin de la dixième semaine. La loi du 4 juillet 2001 prolonge ce délai à la fin de la douzième semaine. La loi suspendait, pendant cinq ans, l'application des dispositions du Code pénal réprimant l'avortement. Celles-ci sont écartées de façon définitive par la loi du 31 décembre 1979, lorsque l'interruption volontaire de grossesse est pratiquée dans les conditions prévues par la loi.

Mais le médecin n'est jamais tenu de donner suite à une demande d'interruption de grossesse, non plus qu'un établissement d'hospitalisation privé, sauf s'il participe à l'exécution du service public hospitalier et si les besoins locaux ne sont pas satisfaits par d'autres établissements.

La loi prévoit également la possibilité d'interruption volontaire de grossesse pour motif thérapeutique, en cas de « péril grave » pour « la santé de la femme » ou de forte probabilité que l'enfant à naître soit atteint d'une affection d'une particulière gravité, reconnue comme incurable au moment du diagnostic. Cette interruption peut être pratiquée « à toute époque ». Elle requiert une attestation de deux médecins. La loi du 4 juillet 2001 requalifie de « médical » ce motif.

La loi du 31 décembre 1982 permet son remboursement par la Sécurité sociale.

Les opposants au principe de l'interruption volontaire de grossesse s'appuient sur l'idée de « droit à la vie », qui existerait, non à partir de la naissance, mais dès la conception. L'embryon est ainsi assimilé à une personne. Ils saisirent le Conseil constitutionnel, en arguant d'une violation de la Convention européenne des droits de l'homme, qui, dans son article 2, pose le principe du « droit de toute personne à la vie ». Mais le Conseil s'estima incompétent pour « examiner la conformité d'une loi aux stipulations d'un traité ou d'un accord international » (74-54 DC du 15 janvier 1975, *IVG*).

Saisi d'un recours contre un arrêté autorisant la distribution de la « pilule abortive », le Conseil d'État a examiné la question de la compatibilité de la loi du 17 janvier 1975 avec la Convention européenne des droits de l'homme, pour conclure par l'affirmative, compte tenu des conditions posées par le législateur (CE Ass. 21 décembre 1990, *Confédération nationale des associations familiales catholiques*). La Cour de cassation a également affirmé la compatibilité de la loi du 17 janvier 1975 avec la Convention européenne des droits de l'homme, le Pacte relatif aux droits civils et politiques et la Convention internationale des droits de l'enfant (Cass. crim. 27 novembre 1996).

Le Code pénal du 22 juillet 1992 érigeait en délit le fait pour la femme de pratiquer l'interruption de grossesse sur elle-même. Ce délit fut supprimé par une disposition de la loi du 27 janvier 1993. Cette même loi créa un délit d'entrave aux opérations d'interruption volontaire de grossesse.

La loi du 13 décembre 2000, relative à la contraception d'urgence, permet la délivrance, sans prescription, aux mineurs, de médicaments ayant pour but la contraception d'urgence. La loi du 4 juillet 2001 permet à une femme mineure de demander l'interruption de grossesse, sans le consentement de ses parents.

B. ASSISTANCE MÉDICALE À LA PROCRÉATION ET CLONAGE

Le législateur a refusé le terme de « procréation médicalement assistée », pour lui préférer celui d'assistance médicale à la procréation, sous lequel il entend « les pratiques cliniques et biologiques permettant la conception *in vitro*, le transfert d'embryons et l'insémination artificielle », ainsi que « toute pratique d'effet équivalent permettant la procréation en dehors du processus naturel ». Elle est « destinée à répondre à la demande parentale d'un couple ».

La loi du 29 juillet 1994 limite cette pratique quant à ses fins : « remédier à l'infertilité dont le caractère pathologique a été médicalement diagnostiqué » ou « éviter la transmission à l'enfant d'une maladie d'une particulière gravité ». Elle la limite aussi quant à ses bénéficiaires : ce sont « l'homme et la femme formant le couple », « vivants, en âge de procréer, mariés ou en mesure d'apporter la preuve d'une vie commune d'au moins deux ans ».

La loi permet que les embryons fécondés *in vitro* soient conservés, à la demande du couple concerné, pendant une durée de cinq ans. Au-delà de ce délai, elle en autorise la destruction, au motif que le principe du respect de tout être humain dès le commencement de la vie n'est pas applicable à ce type d'embryons. Le Conseil constitutionnel a estimé qu'il ne lui appartenait pas, « au regard de l'état des connaissances et des techniques », de remettre en cause cette appréciation (94-343/344 DC du 27 juill. 1994, *Bioéthique*).

La loi permet, sans le nommer ainsi, le don d'embryon à un autre couple. Elle organise une procédure d'« accueil » de l'embryon, qui se rapproche de celle de l'adoption, et subordonne cette pratique à une décision de l'autorité judiciaire.

Le « diagnostic biologique effectué à partir de cellules prélevées sur l'embryon *in vitro* », dit diagnostic pré-implantatoire, n'est autorisé qu'à titre exceptionnel, lorsque le couple a « une forte probabilité de donner naissance à un enfant atteint d'une maladie génétique d'une particulière gravité reconnue comme incurable au moment du diagnostic », répondant ainsi à ceux qui y voyaient un risque d'eugénisme. Le Conseil constitutionnel n'y a pas vu d'atteinte au droit à la vie.

L'exercice des différentes activités d'assistance médicale à la procréation par des établissements de santé ou des laboratoires d'analyses médicales est subordonné à une autorisation administrative, délivrée pour une durée de cinq ans, après avis de la Commission nationale de médecine et de biologie de la reproduction et du diagnostic prénatal (Agence de la biomédecine depuis la loi du 6 août 2004 relative à la bioéthique).

Ce qu'on a appelé le « prêt d'utérus » ou la pratique des « mères porteuses » est condamné par le législateur : « toute convention portant sur la procréation ou la gestation pour le compte d'autrui est nulle ». C'est sur le fondement de l'indisponibilité du corps humain que la Cour de cassation avait déclaré illicites de telles conventions (Cass. 1re civ. 13 décembre 1989 et Ass. plén. 31 mai 1991), de même que le Conseil d'État (CE Ass. 22 janvier 1988, *Association « Les cigognes »*).

La loi du 6 août 2004 relative à la bioéthique interdit le clonage reproductif, en inscrivant dans le Code civil un article 16-4, troisième alinéa : « est interdite toute intervention ayant pour but de faire naître un enfant ou se développer un embryon humain qui ne seraient pas directement issus des gamètes d'un homme et d'une femme ». Il reprend l'interdiction énoncée par la Déclaration universelle sur le génome humain du 11 novembre 1997, le Protocole additionnel à la Convention européenne sur la biomédecine, du 12 janvier 1998, mais aussi la Charte des droits fondamentaux de l'Union européenne.

Mais la loi de 2004 n'interdit pas seulement le clonage reproductif, elle vise également le clonage thérapeutique.

C. RECHERCHE ET CLONAGE THÉRAPEUTIQUE

La loi du 6 août 2004 interdit de concevoir et d'utiliser un embryon humain à des fins commerciales ou industrielles, mais aussi à des fins d'étude, de recherche ou d'expérimentation. Ce principe, posé en 1994, a été réaffirmé en 2004.

Quelques dérogations au principe, vivement débattues en amont des travaux parlementaires et au sein du Parlement (5), sont toutefois aménagées par la loi du 6 août 2004. Les embryons surnuméraires issus d'une fécondation *in vitro* dans le cadre d'une procréation médicalement assistée, destinés normalement à être détruits passés un certain délai, peuvent ainsi servir, certaines conditions étant remplies, à la recherche scientifique.

Cette possibilité de dérogation n'est ouverte que si les recherches projetées « sont susceptibles de permettre des progrès thérapeutiques majeurs », et s'il n'existe pas de méthode alternative. Elle est subordonnée à l'avis conforme de l'Agence de la biomédecine. Le couple qui est à l'origine des embryons concernés doit avoir renoncé à son projet parental, et être dûment informé de la destination promise aux embryons surnuméraires.

L'interdiction du clonage thérapeutique, en revanche, ne souffre aucune dérogation. Il s'agit d'un « transfert de noyau somatique » d'une cellule adulte dans un ovule énuclée, dans le but de cultiver, *in vitro*, des cellules souches embryonnaires, puis des lignées de cellules ou de tissus, susceptibles d'être utilisées, notamment par greffe, dans un but thérapeutique.

Cette possibilité, envisagée un temps, avait suscité des prises de position opposées. Le groupe européen d'éthique des sciences et des nouvelles technologies avait mis en avant une question technique, plus qu'éthique : l'hypothèse de recherches sur des cellules souches adultes (avis du 14 novembre 2000). L'Angleterre a adopté une position favorable, au contraire de l'Allemagne. Le Comité consultatif national d'éthique y a été favorable, au contraire de la Commission nationale consultative des droits de l'homme. Les partis politiques s'étaient également divisés sur ce point.

§3. LES DROITS DES MALADES

La loi du 4 mars 2002 relative aux droits des malades et à la qualité du système de santé, a synthétisé et renforcé ces droits. Son Titre II, intitulé « démocratie sanitaire », distingue entre les droits de la personne et les droits des usagers.

---

(5) Conseil d'État, *Les lois de bioéthique : cinq ans après*, La Documentation française, 1999 ; A. Claeys, Cl. Huriet, *L'application de la loi n° 94-654 du 29 juillet 1994*, AN n° 1407, Sénat, n° 232, 18 février 1999.

A. DROITS DE LA PERSONNE

a) Non-discrimination

Aucune personne ne peut faire l'objet de discriminations dans l'accès à la prévention ou aux soins. En particulier, nul ne peut faire l'objet de discriminations en raison de ses caractéristiques génétiques.

Le principe de non-discrimination signifie aussi l'interdiction pour les assurances, qui proposent une garantie des risques invalidité ou décès, de tenir compte des résultats de l'examen des caractéristiques génétiques d'une personne. Elles ne peuvent, même, poser aucune question relative aux tests génétiques et à leurs résultats, ni demander à une personne de se soumettre à des tests génétiques (art. L 1141-1 Code de la santé publique).

Une convention doit être conclue entre l'État, les assurances et les associations représentant les personnes malades ou handicapées, pour permettre aux personnes exposées à un risque aggravé du fait de leur état de santé de contracter des prêts. Une telle convention avait été conclue, dès 1991, pour les personnes séropositives au VIH, renouvelée en 2000.

Une circulaire du 2 février 2005 relative à la laïcité dans les établissements de santé rappelle le principe de neutralité du personnel soignant et réaffirme le principe de non-discrimination à raison des convictions ou pratiques religieuses.

b) Droit au respect de la vie privée

Toute personne a droit au respect de sa vie privée et du secret des informations la concernant (art. L 1110-3 du Code de la santé publique). Le droit au secret médical a été mis en question par l'informatique.

La constitution de registres épidémiologiques à partir de données nominatives en matière de santé, sans que les personnes concernées en soient informées, a longtemps ignoré la loi du 6 janvier 1978 relative à l'informatique, aux fichiers et aux libertés et la Convention européenne du 28 janvier 1981, qui prévoit des garanties appropriées pour le traitement des données à caractère personnel relatives à la santé et le secret médical.

La loi du 1er juillet 1994 exige que les personnes auprès desquelles sont recueillies des données nominatives ayant pour fin la recherche dans le domaine de la santé soient informées de la nature des informations transmises, de la finalité du traitement des données, des personnes physiques ou morales destinataires de ces données. Elles ont un droit d'opposition. Mais leur consentement préalable, éclairé et exprès, n'est nécessaire que lorsque la recherche nécessite le recueil de prélèvements biologiques identifiants.

La mise en œuvre d'un tel traitement est subordonnée à une autorisation de la Commission nationale de l'informatique et des libertés, précédée de l'avis d'un comité consultatif sur le traitement de l'information en matière de recherche dans le domaine de la santé, avis qui porte sur « la nécessité du recours à des données nominatives et la pertinence de celles-ci par rapport à l'objectif de la recherche ».

Dans une délibération du 4 février 1997, la CNIL a mis en garde les professionnels de santé contre la transmission de données à des tiers, à des fins de promotion ou de prospection commerciale.

Plus généralement, la loi du 4 mars 2002 a prévu un encadrement juridique particulier pour l'hébergement des données de santé à caractère personnel. Les règles concernant leur conservation sur support informatique et leur transmission par voie électronique ont été aménagées par un décret du 4 janvier 2006, qui soumettait les hébergeurs à une procédure d'agrément spécifique. Mais la lourdeur de cette procédure, jointe à un grand nombre de difficultés techniques, a conduit le législateur à suspendre le dispositif pour une durée de deux ans à compter du 2 février 2007 (loi du 30 janvier 2007). Pendant cette période transitoire, c'est le régime de droit commun qui s'applique (sur la loi Informatiques et Libertés du 6 janvier 1978, voir *infra pp. 244 s.*).

La procédure d'agrément spécifique est toutefois maintenue pour les dossiers médicaux personnels.

Le dossier médical personnel a été créé par la loi du 13 août 2004 portant réforme de l'assurance-maladie. Il a vocation à améliorer les échanges d'information entre les professionnels de santé amenés à traiter le même patient. Tout bénéficiaire de l'assurance-maladie dispose d'un dossier médical personnel, dans lequel sont stockées les données le concernant. Or le mode de gestion de ces données – qui ne sont pas accessibles à partir de la carte vitale « 2e génération » – a donné lieu à un véritable feuilleton bureaucratico-juridique dont l'épilogue n'est pas encore connu. La mise en place du dossier médical personnel a en effet eu lieu par voie expérimentale, sous l'égide d'un Groupement d'intérêt public chargé de tester plusieurs hypothèses et options techniques. Les contrôles effectués par la CNIL ont établi que l'impératif de confidentialité des informations était mal respecté par les expérimentations engagées, dans un certain désordre, entre 2005 et 2007. Les conditions d'une généralisation du dispositif ne sont donc pas encore réunies (6).

---

(6) Ass. Nat., Rapport d'information n° 659 du 29 janvier 2008, *Le dossier médical personnel.*

B. DROITS DES USAGERS

Leur droit à l'information « trouve son fondement dans l'exigence du respect du principe constitutionnel de sauvegarde de la dignité de la personne humaine » (Cass. 1re Civ. 9 octobre 2001, *M. Franck X*). Il est la condition d'exercice du consentement libre et éclairé.

a) *Droit à l'information*

Il est affirmé, de façon générale, par la loi du 4 mars 2002 : « toute personne a le droit d'être informée sur son état de santé ». La loi en tire une conséquence nouvelle : le droit d'accès direct du malade à son dossier médical, précisé par un décret du 29 avril 2002. Ce droit lui était refusé par la loi « informatique et libertés », comme par la loi du 12 avril 2000, relative aux droits de citoyens dans leurs relations avec l'administration, comme par le Code de la santé publique. Le malade n'avait qu'un accès indirect à son dossier, par l'intermédiaire d'un médecin. Ce droit avait été fortement revendiqué, notamment au cours des États généraux de la santé organisés en 1998-1999.

Le Conseil d'État, comme la Cour de cassation, avait fait porter sur le médecin la charge de la preuve de l'information sur les risques connus de décès ou d'invalidité que comporte une intervention, même s'ils ne se réalisent qu'exceptionnellement (Cass. 25 février 1997, *Hédreul* ; CE 15 janvier 2001, *APHP*).

b) *Le consentement aux soins*

Au nom du respect de la dignité, « le consentement de l'intéressé doit être recueilli préalablement [à tout traitement], hors le cas où son état rend nécessaire une intervention thérapeutique à laquelle il n'est pas à même de consentir » (art. 16-3 C. civ). Le médecin doit respecter la volonté de la personne, après l'avoir informée des conséquences de son choix.

Le Conseil d'État a considéré que le droit pour le patient d'accepter ou de refuser un traitement revêt le caractère d'une liberté fondamentale (CE 16 août 2002, *Mme Feuillatey*). Mais il a souligné que « les médecins ne portent pas à cette liberté fondamentale une atteinte grave et manifestement illégale lorsqu'après avoir tout mis en œuvre pour convaincre un patient d'accepter les soins indispensables, ils accomplissent, dans le but de tenter de le sauver, un acte indispensable à sa survie et proportionné à son état ». Si par exemple le recours à une transfusion sanguine est un acte indispensable à la survie d'un

Témoin de Jéhovah, il pourra être pratiqué, nonobstant la volonté contraire de l'intéressé (CE 26 oct. 2001, *Mme Senanayake*).

Dans le cadre de l'injonction de soins qui peut être imposée aux auteurs de crimes ou délits, le consentement du condamné est également requis, même s'il est clair que les conséquences d'un refus contraignent assez fortement sa liberté. L'injonction de soins peut être prononcée par la juridiction de condamnation (il s'agit alors d'une peine complémentaire) ou par le juge de l'application des peines (au titre du suivi socio-judiciaire). La loi « Dati » du 10 août 2007 vise à systématiser l'injonction de soins dans le cadre du suivi socio-judiciaire des auteurs de crimes ou délits sexuels. On constate toutefois que l'injonction de soins, instituée par une loi du 17 juin 1998, est assez rarement prononcée, en raison de la pénurie des médecins susceptibles d'en assurer l'application.

La loi du 27 juin 1990, relative aux droits et à la protection des personnes hospitalisées en raison de troubles mentaux, pose le principe de la nécessité de leur consentement, mais ne modifie pas fondamentalement le système mis en place par la loi du 30 juin 1838, lorsqu'elle aménage la procédure d'hospitalisation sur demande d'un tiers ou d'office. Elle limite la durée pour laquelle l'hospitalisation peut être prononcée et institue une commission départementale des hospitalisations psychiatriques, organe consultatif, composé de magistrats et de psychiatres.

Le Conseil d'État a considéré que l'exigence de motivation, formulée par la Convention européenne des droits de l'homme pour toute mesure privative de liberté, était respectée par l'obligation faite au préfet de motiver l'ordre de placement d'office (CE 3 novembre 1997, *ministre de l'Intérieur c. M.-G.*).

La loi du 4 mars 2002 pose des conditions plus strictes pour l'hospitalisation d'office. Il faut que ces troubles mentaux « nécessitent des soins et compromettent la sûreté des personnes ou portent atteinte, de façon grave, à l'ordre public ». Un risque simple ne suffit plus.

C. DROIT AU « LAISSER MOURIR »

Créée en octobre 2003, une mission parlementaire sur l'« accompagnement de la fin de vie » a remis en juillet 2004 un rapport intitulé *Vivre ou laisser mourir. Respecter la vie, accepter la mort.*

La loi du 22 avril 2005 sur les droits des malades et sur la fin de vie en est issue. Elle s'inscrit dans le prolongement de la loi de 2002 sur les droits des malades, en autorisant la suspension des soins médicaux dès lors qu'ils apparaissent « inutiles, disproportionnés ou n'ayant d'autre effet que le seul maintien artificiel de la vie ». Certaines conditions étant remplies (volonté du patient exprimée à plusieurs reprises, directives anticipées s'il est inconscient...), le médecin pourra renoncer à l'« acharnement thérapeutique », et s'efforcera, en développant les soins palliatifs, de ménager au mourant une fin qui sauvegarde sa dignité.

Section 3 Le pluralisme

Le pluralisme, identifié au respect de la diversité des idées et des croyances, est volontiers présenté comme une condition de la démocratie.

La Cour européenne des droits de l'homme lui accorde à ce titre un niveau de protection très élevé, estimant que « la liberté d'expression constitue l'un des fondements essentiels d'une société démocratique, l'une des conditions primordiales de son progrès et de l'épanouissement de chacun. Sous réserve du paragraphe 2 de l'article 10 [CEDH], elle vaut non seulement pour les 'informations' ou 'idées' accueillies avec faveur ou considérées comme inoffensives ou indifférentes, mais aussi pour celles qui heurtent, choquent ou inquiètent l'État ou une fraction quelconque de la population. Ainsi le veulent le pluralisme, la tolérance et l'esprit d'ouverture sans lesquels il n'est pas de 'société démocratique' (*Handyside c. Royaume-Uni du 18 mai 1976*).

En droit interne, le caractère pluraliste de l'expression des courants de pensée et d'opinion est également reconnu comme une « condition de la démocratie », et son respect constitue un objectif de valeur constitutionnelle (86-217 DC du 18 septembre 1986, *Liberté de communication*).

C'est ce qui justifie, et même appelle, une intervention « protectrice » des pouvoirs publics sur des marchés qui ne sont pas tout à fait des marchés comme les autres : celui de la presse écrite, de l'audiovisuel, du cinéma et de l'Internet.

§1. LA PRESSE ÉCRITE

La loi du 29 juillet 1881 avait fondé l'indépendance de la presse vis-à-vis de l'État. Pour autant, la liberté n'était pas acquise. Le prix de vente des journaux, maintenu trop bas par rapport à l'augmentation des charges, faisait passer la presse sous la coupe de groupes financiers qui achetaient de façon parfois officielle, mais le plus souvent occulte, des journaux ou des journalistes. Le Comité des forges achète *Le Temps*, en 1927. Les rubriques financières sont quasiment affermées. La Banque de France dicte des articles. Le lancement, par Stavisky, de la Compagnie foncière et d'entreprises générales est soutenu par la presse. Daladier déclare à la commission d'enquête parlementaire, en 1934 que « les quatre cinquièmes des journaux existants » sont subventionnés par des hommes d'affaires.

Des gouvernements étrangers, aussi, payaient des articles favorables, comme le gouvernement tsariste pour l'emprunt russe. Après la Première Guerre mondiale, ce sont surtout les États d'Europe centrale et méridionale qui demandent à la presse d'appuyer leurs revendications. L'Italie donne vingt-deux millions de francs en 1919, pour lutter contre les prétentions yougoslaves. Un accord est signé en 1920 entre *Le Temps* et la Bulgarie. L'ensemble de la presse française reçoit des subventions du Gouvernement grec.

Par ailleurs, la liberté donnait lieu à des abus que la loi de 1881 ne permettait pas de réprimer. Une campagne de presse calomnieuse, lancée par *L'Action française* et *Gringoire* contre le ministre de l'Intérieur du Gouvernement du Front populaire, Roger Salengro, mène celui-ci au suicide.

Enfin, après avoir été munichoise, une partie de la presse collabore avec l'occupant allemand et publie ce que le commandement allemand ou le Gouvernement de Vichy lui dicte.

De plus, il n'y a toujours pas de statut général de la presse. Sa nécessité est périodiquement évoquée. Tout au plus, un statut professionnel du journaliste est institué par une loi du 29 mars 1935. Elle insère dans le Code du travail une section intitulée « Des journalistes professionnels ». Jusque-là, les journalistes ne bénéficiaient pas de la protection du droit du travail, pour les conditions de travail, les congés, les conditions de licenciement.

Leur statut particulier de « travailleur intellectuel » conduit à leur accorder une protection particulière, en cas de changement de propriétaire. C'est la « clause de conscience ». Le journaliste qui résilie lui-même son contrat de travail a, néanmoins, droit à une indemnité de licenciement, quand son départ est motivé par « un changement notable dans le caractère ou l'orientation du journal ou du périodique, si ce changement a créé pour la personne employée une situation de nature à porter atteinte à son honneur, sa réputation et, d'une manière générale, ses intérêts moraux ».

Les mouvements de la Résistance entendent réagir contre la vénalité de la presse et la soustraire à l'influence des « puissances d'argent ». Mais les tentatives qu'ils font en ce sens ne seront pas vraiment couronnées de succès. Les textes ne seront pas appliqués, puis seront abrogés.

À la Libération, une série de textes visent à établir, contre les puissances occultes, la transparence de la presse. La IVe République poursuit cet effort, par l'aide de l'État à la presse. Sous la Ve République, l'inanité des textes provoque de nouvelles tentatives à l'encontre, cette fois, de la concentration des entreprises de presse, un capitalisme de presse s'étant développé.

A. LIBÉRATION ET IVe RÉPUBLIQUE

Le premier mouvement est une réaction à la collaboration pratiquée par des journaux. Une ordonnance du 30 septembre 1944 interdit la publication des journaux et périodiques, qui ont commencé à paraître après l'armistice, soit le 25 juin 1940. Une ordonnance du même jour interdit la publication des journaux et périodiques, qui ont continué à paraître pendant plus de quinze jours, dans la zone Nord, après l'armistice, dans la zone Sud, après son occupation, le 11 novembre 1942. Ils ne pourront reparaître qu'après autorisation. Les biens de ces journaux sont placés sous séquestre. L'usage même du titre est interdit. Une exception sera faite pour le journal *La Croix*.

L'agence Havas, agence d'information qui disposait, avant 1939, d'un monopole de fait et avait été utilisée par le Gouvernement de Vichy, est également mise sous administration provisoire et ses biens sont mis à la disposition de l'agence France-Presse, créée à partir de la fusion entre trois agences de presse de la France Libre.

Ce n'est que la loi du 28 février 1947 qui supprime l'autorisation préalable, mais le rapporteur à l'Assemblée nationale, Paul Coste-Floret explique qu'il veut néanmoins « préserver les droits des journaux de la Résistance » et empêcher « les puissances financières de s'emparer des journaux actuels ».

On voudra affirmer l'indépendance de la presse à l'égard des puissances d'argent et de l'État.

a) Indépendance de la presse à l'égard des puissances d'argent

Elle doit être assurée par la transparence, un système coopératif et l'aide financière de l'État.

La « transparence » doit permettre de connaître les propriétaires de journaux et périodiques. L'ordonnance du 26 août 1944 impose à toute publication périodique de faire connaître au public les noms et qualités de ceux qui en ont la direction de droit ou de fait. Tous les trois mois, la liste complète des propriétaires doit être publiée. La responsabilité est assumée par un « directeur de la publication », ce titre se substituant à celui de gérant. Sous la IIIe République, le gérant était souvent un homme de paille. L'ordonnance interdit la pratique des prête-noms. Si une personne détient la majorité du capital, elle doit être directeur du journal. Des incompatibilités sont édictées entre la fonction de directeur et une autre fonction commerciale ou industrielle. La même personne ne peut être directeur de plus d'un quotidien. Recevoir des fonds de gouvernements étrangers ou travestir en information de la publicité financière constitue une infraction.

L'ordonnance du 2 novembre 1945 applique ces principes de transparence aux agences de presse, tant pour les capitaux que pour la direction. Elle proscrit les fonds occultes.

La structure coopérative est utilisée dans le même but d'indépendance de la presse à l'égard des puissances financières. Elle est appliquée à la diffusion. La loi du 2 avril 1947 affirme le principe de liberté : « la diffusion de la presse imprimée est libre » ; mais elle ne permet qu'à des sociétés coopératives de messageries de presse d'assurer le groupage et la distribution de plusieurs journaux et publications périodiques.

Avant 1945, les messageries Hachette avaient un quasi-monopole. Le monopole postal avait été abandonné à l'égard des journaux et périodiques par la loi du 6 avril 1878. À la suite d'accords avec les compagnies de chemins de fer, les messageries Hachette avaient obtenu l'accès aux trains rapides, des tarifs préférentiels et l'exclusivité des bibliothèques de gare.

Mais la loi du 2 avril 1947 permettait aux sociétés coopératives de confier l'exécution de certaines opérations matérielles à d'autres sociétés, dans le capital desquelles elles seraient majoritaires. Ainsi fut constituée la société des « Nouvelles messageries de la presse parisienne ». Le capital en était détenu à 51 % par les sociétés coopératives, à 49 % par la Société de gérance des messageries Hachette, filiale des anciennes messageries Hachette.

L'aide de l'État s'avérait évidemment nécessaire. La loi du 11 mai 1946 prononce le transfert à l'État des biens des entreprises de presse et des agences d'information qui ont été mis sous séquestre, en application de l'ordonnance du 30 septembre 1944. Le transfert devait s'analyser en une confiscation, à titre de sanction de faits de collaboration, ou en une expropriation. Les confiscations furent rares. Cette loi crée la Société nationale des entreprises de presse, établissement public industriel et commercial, auquel est confiée la gestion et l'exécution des mesures d'attribution de ces biens, à des journaux nouveaux, généralement issus de la Résistance.

Les journaux louaient leurs installations. La loi du 2 août 1954 leur permet de les acquérir.

Une structure coopérative est également mise en place pour l'achat du papier. En 1936, avait été créé un Comité des papiers de presse, réunissant producteurs et utilisateurs. En 1947, seuls les représentants des consommateurs composent la Société profession- nelle des papiers de presse, qui devient, en 1961, une union de coopératives. L'État donne une subvention, d'abord aux entreprises de presse, puis aux producteurs de papier, qui le vendent au prix du marché international, inférieur à leur propre prix de revient.

Les aides fiscales sont multiples. Ce sont des exonérations de la taxe professionnelle, de la TVA, l'aide à l'achat de matériel d'im- pression et de composition. Elles sont complétées par des tarifs postaux et téléphoniques préférentiels. Une commission paritaire des publications et agences de presse, créée par décret du 25 mars 1950, donne son avis pour l'application aux journaux et périodiques des exonérations fiscales et des tarifs postaux spéciaux.

Mais cette aide peut poser à nouveau le problème de l'indépen- dance à l'égard de l'État.

b) Indépendance à l'égard de l'État

Si la loi de 1881 permettait de tourner une page quant à l'inter- vention de l'État, destinée à empêcher des journaux de paraître ou de publier certaines informations, elle ne coupait pas nécessairement court à l'intervention positive de l'État, destinée à faire publier des informations qu'il orienterait.

Sous la IVe République, le problème s'est posé pour l'Agence France-Presse. L'ordonnance du 3 novembre 1945 faisait de l'agence un établissement industriel et commercial. La nomination de son directeur était à la discrétion du Gouvernement. Sept directeurs se succèdent de 1945 à 1954.

La loi du 10 janvier 1957 tend à accroître son indépendance à l'égard du Gouvernement. Le terme d'« objectivité » fait son appari- tion. « L'Agence France-Presse ne peut en aucune circonstance tenir compte d'influences ou de considérations de nature à compromettre l'exactitude ou l'objectivité de l'information ; elle ne doit, en aucune circonstance, passer sous le contrôle de droit ou de fait d'un groupe- ment idéologique, politique ou économique ».

L'agence devient un organisme de droit privé. Son président- directeur général est désigné par un conseil d'administration, composé de représentants de la presse, de la radio-télévision, des usagers, des journalistes. Mais l'État y dispose du tiers des sièges et reste le principal client de l'agence.

B. LA Ve RÉPUBLIQUE

Un statut de la presse n'est toujours pas défini. Un mouvement en faveur des sociétés de rédacteurs, qui permettent aux journalistes de prendre part aux décisions, se dessine à la fin des années 60. En 1970, une commission présidée par M. Lindon propose de définir un statut de l'entreprise de presse, dans lequel les sociétés de rédacteurs joueraient un rôle. Elle propose aussi la création d'un Conseil de la presse, destiné à garantir la liberté de la presse.

À la suite du rapport Serisé, sur l'aide de l'État à la presse, qui évalue celle-ci à un huitième du chiffre d'affaires des entreprises de presse, un décret du 13 mars 1973 institue une aide exceptionnelle en faveur des quotidiens à faibles ressources publicitaires. De fait, les ressources publicitaires, après avoir permis la survie de la presse, commandent largement son existence et son contenu, jusqu'à menacer sa liberté, en faussant le jeu de la concurrence entre les publications.

Un rapport, présenté par M. Vedel au Conseil économique et social en 1979, fait du maintien du pluralisme l'objectif prioritaire d'un système moderne d'aide économique à la presse.

Pourtant, les dispositions de 1944 tendent à être effacées, malgré la promotion constitutionnelle de la notion de pluralisme.

Le Conseil constitutionnel a fait du pluralisme des quotidiens d'information politique et générale un objectif de valeur constitution-nelle (84-181 DC des 10-11 octobre 1984, *Entreprises de presse*), ce qu'est aussi la transparence. Les lecteurs sont des « destinataires » de la liberté d'expression proclamée par l'article 11 de la Déclaration des droits de l'homme. Leur « libre choix » ne doit être entravé ni par les intérêts privés, ni par les pouvoirs publics : « La libre communication des pensées et des opinions garanties par l'article 11 de la Déclaration des droits de l'homme et du citoyen de 1789 ne serait pas effective si le public auquel s'adressent les quotidiens n'était pas à même de disposer d'un nombre suffisant de publications de tendances et de caractères différents ; qu'en définitive l'objectif à réaliser est que les lecteurs, qui sont au nombre des destinataires essentiels de la liberté proclamée par l'article 11 de la Déclaration de 1789 soient à même d'exercer leur libre choix, sans que ni les intérêts privés ni les pouvoirs publics puissent y substituer leurs propres décisions ni qu'on puisse en faire l'objet d'un marché. »

Le Conseil constitutionnel a eu à se prononcer sur la constitution-nalité de deux lois successives : une loi du 23 octobre 1984, visant à limiter la concentration et à assurer la transparence financière et le pluralisme des entreprises de presse et une loi du 1er août 1986, portant réforme du régime juridique de la presse.

Les deux lois visaient, en fait, un groupe de presse, celui constitué par M. Robert Hersant. Celui-ci avait acheté, en 1975, *Le Figaro*, en 1976, *France-Soir*, ce qui portait à douze quotidiens, neuf hebdo-madaires et onze magazines techniques ou spécialisés le nombre des publications de son groupe, qui comprenait aussi une agence de presse. En 1977 l'Union nationale des syndicats de journalistes avait porté plainte, pour violation de l'ordonnance du 26 août 1944, qui interdit à une même personne d'être directeur de plus d'un quotidien. M. Hersant fut inculpé en 1978 et dix-huit de ses directeurs le furent en 1982, comme prête-noms. En 1984, aucun jugement au fond n'était encore rendu. Manifestement l'ordonnance du 26 août 1944 ne pouvait être appliquée par les tribunaux. Par ailleurs, l'ordonnance n'était pas faite pour les groupes de sociétés et sociétés holdings.

La loi du 23 octobre 1984, abrogée par la loi du 1er août 1986, visait à redonner vie à l'ordonnance de 1944. Elle réaffirma l'obligation de transparence, en interdisant de prêter son nom à toute personne, non seulement qui possède, mais qui contrôle une entreprise de presse. Les actions doivent être nominatives, non seulement pour les entreprises de presse, mais pour toute société qui détient 20 % du capital social d'une entreprise de presse.

Pour protéger le pluralisme, le législateur voulait limiter les concentrations, en ne permettant à une personne de posséder ou contrôler plusieurs quotidiens d'information politique et générale que si le total de leur diffusion n'excédait pas 15 % de la diffusion de tous les quotidiens nationaux de même nature (soit, environ, 300 000 exemplaires par jour). Le même seuil était fixé pour les quotidiens régionaux, départementaux ou locaux (soit, environ, un million d'exemplaires par jour). Ces seuils étaient fixés à 10 %, pour chaque catégorie, en cas de possession ou de contrôle à la fois de quotidiens nationaux et de quotidiens locaux.

Dans sa décision des 10-11 octobre 1984, le Conseil a considéré, d'une part, que ces seuils ne s'appliquaient qu'aux acquisitions et prises de contrôle et non aux créations et au développement du tirage de quotidiens existants, faute de quoi cela constituerait une atteinte à la « liberté des lecteurs » et à la « liberté de création et de développement naturel des quotidiens ». Il a considéré, d'autre part, que ces seuils ne s'appliquaient pas aux situations existantes, des « situations existantes intéressant une liberté publique » ne pouvant être remises en cause que si elles ont été illégalement acquises ou si cela est nécessaire pour assurer la réalisation de l'objectif constitutionnel poursuivi. Or, « actuellement », l'exigence de pluralisme n'est pas méconnue « de façon tellement grave ».

Donc la loi ne s'appliquait pas au groupe Hersant, mais à des groupes qui voudraient le concurrencer. La loi ne concernait pas non plus les publications du parti communiste, ne visant que les quotidiens.

La loi institua l'obligation pour tout quotidien d'information politique et générale de comporter sa propre équipe rédactionnelle permanente. Cela visait directement les pratiques du groupe Hersant, qui, notamment vendait, sous deux titres différents, *L'Aurore* et *Le Figaro*, le même journal.

Enfin la loi instituait une Commission pour la transparence et le pluralisme de la presse, qui était une autorité administrative indépendante. La mise en place d'une telle institution s'expliquait par l'expérience de l'impossible application de l'ordonnance de 1944. Le Président de la République, le président de l'Assemblée nationale, le président du Sénat en désignaient, chacun, un membre ; s'y ajoutaient un membre du Conseil d'État, un membre de la Cour de cassation, un membre de la Cour des comptes. La commission était informée des acquisitions et cessions de quotidiens d'information politique et générale. Si elle considérait qu'il s'agissait d'une atteinte au pluralisme, elle en avertissait les personnes intéressées.

Ce texte prévoyait, qu'en attendant une sanction pénale, la commission pouvait, si les mesures qu'elle avait prescrites n'étaient pas prises, priver la ou les publications des avantages fiscaux et postaux. Le Conseil constitutionnel a considéré qu'il s'agissait d'une sanction ayant « des effets équivalents à ceux d'un régime d'autorisation préalable », contraire à l'article 11 de la Déclaration de 1789 et que, même s'il s'agissait de « réprimer des abus », « cette répression ne saurait être confiée à une autorité administrative ».

La loi du 1er août 1986 devait abroger les dispositions de la loi de 1984. Elle réduisit l'obligation de transparence et augmenta le seuil de diffusion à 30 %, sur l'ensemble du territoire national, des quotidiens d'information politique et générale. Dans sa décision n° 86-210 DC du 29 juillet 1986, le Conseil constitutionnel estima que cette disposition privait de protection légale le principe du pluralisme, car elle ne prévoyait pas que cette prohibition s'appliquât « à une personne morale ou physique juridiquement distincte de l'acquéreur, quand bien même ce dernier serait sous son autorité ou sa dépendance ». La loi du 27 novembre 1986 étendit donc aux personnes physiques ou morales et aux groupements de personnes physiques ou morales l'application du seuil de 30 %.

La loi du 1er août 1986 supprima l'obligation pour tout quotidien d'information politique et générale d'avoir sa propre équipe rédactionnelle.

Elle supprima aussi la Commission pour la transparence et le pluralisme de la presse.

§ 2. LA COMMUNICATION AUDIOVISUELLE

L'expression « communication audiovisuelle » a presque totalement disparu de notre droit. La loi du 21 juin 2004 pour la confiance dans l'économie numérique lui a substitué la notion de « communication au public par voie électronique », définie comme « toute mise à disposition du public ou de catégories de public, par un procédé de communication électronique, de signes, de signaux, d'écrits, d'images, de sons ou de messages de toute nature qui n'ont pas le caractère d'une correspondance privée ».

Mais ce toilettage de la loi du 29 juillet 1881 sur la liberté de la presse et des différents codes comprenant des dispositions applicables à l'audiovisuel ne change rien à la façon dont se pose, en ce domaine, le problème du pluralisme.

Plusieurs libertés sont en jeu. La première semble être la liberté d'expression, comme dans la presse. C'est la liberté de s'exprimer par les moyens audiovisuels. Elle a longtemps été niée. En ce qui concerne la télévision, compte tenu des moyens financiers nécessaires, elle tend à se confondre avec la liberté d'entreprendre, liberté économique.

Une autre liberté concernée par la communication audiovisuelle est la liberté d'opinion. En effet, le monopole étatique, puis la concentration, touchent à la liberté du choix de l'information. Comme en matière de presse, après avoir parlé d'indépendance et d'objectivité, on parlera de pluralisme.

Le pluralisme concerne aussi la protection, voire la survie, des différents médias et des différentes sources de production audiovisuelle.

La liberté de communication audiovisuelle ne serait qu'une liberté de second rang. Son exercice peut être soumis à autorisation (art. 10 de la Convention européenne des droits de l'homme ; Conseil constitutionnel, décision 82-141 DC du 27 juillet 1982). Il peut donner lieu à des sanctions administratives (décision 248 DC du 17 janvier 1989), considérées comme inconstitutionnelles en matière de presse écrite. La communication audiovisuelle accepte difficilement la liberté.

Le monopole d'État, établi au lendemain de la Deuxième Guerre mondiale, a porté atteinte à la liberté d'expression et à la liberté d'opinion. Mais il a été, et il est encore, soutenu au nom de la qualité inhérente à la notion de service public.

La suppression du monopole, en 1982, a libéré, partiellement, la radiodiffusion et la télévision de la tutelle étatique, mais la liberté d'opinion n'est pas pour autant garantie, pas plus que la qualité culturelle, face aux exigences des féodalités financières qui se sont constituées. Celles-ci sont largement multinationales.

Quant à la liberté des tiers, elle est très faiblement protégée. Il fallut attendre la loi du 3 juillet 1972, pour voir reconnu un droit de réponse. Celui-ci est accordé, non quand une personne est simplement nommée, comme en matière de presse, mais quand il est porté atteinte à son honneur ou à sa réputation, c'est-à-dire dans les cas constitutifs de diffamation, en matière de presse, c'est-à-dire d'infraction pénale.

A. LE MONOPOLE

Le monopole de la radiodiffusion trouve son origine dans une assimilation à la transmission télégraphique. Celle-ci fut soumise au monopole de l'État par une loi des 2-6 mai 1837, puis par un décret du 27 décembre 1851.

L'article 85 de la loi de finances du 30 juin 1923 étend le monopole à l'émission et à la réception des signaux radio-électriques de toute nature. La réception est soumise à simple déclaration, pour les Français, à autorisation, pour les étrangers. L'émission est soumise à autorisation du ministre chargé des Postes et téléphones. À la veille de la Seconde Guerre mondiale, treize postes émetteurs privés existaient.

Mais l'ordonnance du 23 mars 1945 révoque toutes les autorisations.

Cependant, compte tenu de la technique de radiodiffusion, qui, déjà, ne connaît pas les frontières territoriales, le monopole apparaît partiellement comme une fiction. En effet, il ne concerne que l'émission à partir du territoire français et ne peut être opposé à l'installation de postes périphériques, au Luxembourg (Radio Luxembourg) ou en Sarre (Europe n° 1). L'État les contrôle, plus ou moins, financièrement, par l'intermédiaire d'une société d'économie mixte, la SOFI-RAD.

Le monopole est critiqué à plusieurs titres. La première critique, d'ordre économique et financier, touche à la lourdeur de la gestion. Un déficit financier chronique s'installe. Cela suscite une succession de réformes, touchant à l'organisation interne du monopole.

L'ordonnance du 4 février 1959 fait de la Radio-télévision française un établissement industriel et commercial. La loi du 27 juin 1964 crée l'ORTF (Office de la radiodiffusion-télévision française), dont la gestion devait, en principe, être plus libre. En 1969, sont créées des régies autonomes d'information. La loi du 3 juillet 1972 prévoit la création d'« unités fonctionnelles », sous forme de régies ou d'établissements publics. La loi du 7 août 1974 fait éclater l'Office en sept organismes : quatre sociétés nationales de programmes (Télévision française 1, Antenne 2, France-Régions 3, Radio-France), une société de production (la Société française de production, SFP), un établissement public de diffusion (Télédiffusion de France) et un établissement chargé de la conservation des archives, des recherches de création audiovisuelle et de la formation professionnelle (l'Institut national de l'audiovisuel, INA).

La seconde critique, d'ordre politique, touche au contrôle étatique de l'information, établi à la fin de la IVe République et renforcé après 1958. Le ministre de l'Information, en avril 1965, A. Peyrefitte, expose clairement que le rôle de la radio-télévision est de rétablir un équilibre par rapport à la presse écrite, dont il pense que l'opposition a le quasi-monopole. Après les grèves de mai 1968, l'ORTF est épuré. Toutefois, le Service de liaison interministériel pour l'information est supprimé en 1968, le ministère de l'Information, en 1969. Mais, en 1974, est créée la Délégation générale à l'Information, à nouveau chargée de contrôler l'information.

La loi n° 78-787 du 28 juillet 1978 sanctionnait pénalement les atteintes au monopole.

B. LA SUPPRESSION DU MONOPOLE

Les innovations techniques, tant sur le plan des émetteurs radiophoniques que sur le plan de la diffusion télévisée par câbles et par satellites, rendaient le monopole intenable. Le changement de majorité politique, en 1981, précipita son abandon.

La loi du 9 novembre 1981 porte d'abord « dérogation au monopole d'État de la radiodiffusion ». Mais c'est le Premier ministre qui délivre les dérogations, à des associations. Le monopole est aboli par la loi du 29 juillet 1982 qui, dans son article 1er, pose le principe : « la communication audiovisuelle est libre ». C'est un écho de l'article 11 de la Déclaration de 1789, selon lequel, « la libre communication des pensées et des opinions est un des droits les plus précieux de l'homme ».

En application de la loi du 29 juillet 1982, sont créées des chaînes privées de télévision. La loi du 30 septembre 1986 permet la privatisation d'une chaîne publique, Télévision française 1 (TF1). Elle est vendue, pour 50 % au groupe Bouygues, spécialisé dans les travaux publics.

Pour autant, la liberté est-elle assurée dans ce domaine ? Pour garantir la liberté d'expression, la liberté d'opinion et le droit à la culture, le législateur s'efforce, à partir de 1982, d'affirmer l'indépendance de la communication audiovisuelle par rapport aux pouvoirs publics et le pluralisme.

a) L'indépendance

Elle est limitée par les pouvoirs que conserve l'État et a été battue en brèche du fait de l'alternance, qui a provoqué une succession de lois, changeant les hommes et les institutions.

1. Les pouvoirs de l'État

Ils appartiennent essentiellement au Gouvernement. Un secteur public subsiste, pour la radiodiffusion et la télévision. La diffusion reste placée sous l'autorité de l'État. Quant aux services de communication audiovisuelle, si le principe de liberté s'y applique, ils sont soumis par la loi de 1982, soit au régime de la déclaration, pour les services télématiques, soit au régime de l'autorisation pour les radios et télévisions locales, soit au régime de la concession de service public pour les chaînes privées nationales de télévision.

Le Conseil constitutionnel n'estime pas les régimes d'autorisation et de concession contraires à l'article 11 de la Déclaration de 1789. Une conciliation est nécessaire entre la liberté, les contraintes techniques et des objectifs de valeur constitutionnelle : « Il appartient au législateur de concilier, en l'état actuel des techniques et de leur maîtrise, l'exercice de la liberté de communication telle qu'elle résulte de l'article 11 de la Déclaration des droits de l'homme avec, d'une part les contraintes techniques inhérentes aux moyens de la communication audiovisuelle et, d'autre part, les objectifs de valeur constitutionnelle que sont la sauvegarde de l'ordre public, le respect de la liberté d'autrui et la préservation du caractère pluraliste des courants d'expression socioculturels auxquels les modes de communication, par leur influence considérable, sont susceptibles de porter atteinte » (82-141 DC du 27 juillet 1982, *Communication audiovisuelle*).

La loi du 30 septembre 1986 remplace le régime de la concession par un régime d'autorisation, qui s'applique désormais à toutes les radios et télévisions, qu'elles soient diffusées par voie hertzienne terrestre, par satellite ou par câble.

Enfin, c'est le Premier ministre qui répartit annuellement, entre les organismes nationaux du service public, le produit attendu de la redevance et de la publicité. Le Parlement, lui, autorise la perception de la redevance et approuve sa répartition. Il approuve aussi le montant du produit attendu des recettes publicitaires.

La loi du 1er février 1994 crée une nouvelle société de télévision « favorisant l'accès au savoir, à la formation et à l'emploi sur l'ensemble du territoire ». Elle dépend directement de l'État qui en est actionnaire majoritaire.

2. L'alternance

L'alternance du pouvoir politique, après les élections législatives de 1986 et les élections présidentielles de 1988, a entraîné l'adoption de nouvelles lois.

Pour garantir l'indépendance de la communication audiovisuelle, la loi du 29 juillet 1982 avait institué une autorité administrative indépendante, la Haute autorité de la communication audiovisuelle. Ses membres étaient nommés, à l'instar de ceux du Conseil constitutionnel, par le Président de la République, celui de l'Assemblée nationale et celui du Sénat.

La loi du 30 septembre 1986 remplaça cette autorité par une Commission nationale de la communication et des libertés, composée de treize membres.

Le Conseil constitutionnel ne considéra pas que, en ayant mis fin de façon anticipée au mandat des membres d'une autorité administrative indépendante, le législateur avait violé la Constitution (86-217 DC du 18 septembre 1986, *Liberté de communication*).

La loi du 17 janvier 1989 remplaça la CNCL par un Conseil supérieur de l'audiovisuel, revenant au mode de désignation de la Haute autorité.

Les dirigeants des sociétés nationales de programmes sont également remplacés à chaque mouvement de l'alternance. Les conseils d'administration sont nouvellement composés. C'est la CNCL qui avait été chargée d'en désigner les présidents. La loi du 2 août 1989 institue une présidence commune des sociétés Antenne 2 et France-Régions 3. Le Conseil supérieur de l'audiovisuel est chargé de cette désignation.

Les chaînes privées nationales de télévision sont « réattribuées » en 1987. Dès le 30 juillet 1986, des décrets avaient résilié les concessions des cinquième et sixième chaînes. Le Conseil d'État annula le décret de résiliation de la concession de la sixième chaîne, comme non fondé sur un motif d'intérêt général (CE 2 février 1987). Le même jour, de nouveaux décrets furent pris, fondés sur la loi du 30 septembre 1986.

b) Le pluralisme

Un protocole du Traité d'Amsterdam sur le système de radiodiffusion dans les États membres énonce la nécessité de préserver le pluralisme dans les médias et permet, pour cela, un financement public.

Plusieurs acceptions de la notion de pluralisme se font jour.

1. Le pluralisme de l'information

Le législateur, dès 1964, impose des obligations concernant le contenu des émissions, visant à permettre l'accès à l'antenne des différents courants d'opinion et tendances de pensée. Le droit à l'antenne des différents partis politiques lors des campagnes électorales est garanti, successivement, par plusieurs lois, de façon générale par la loi du 29 décembre 1966.

Le terme de pluralisme apparaît dans la loi du 29 juillet 1982. Il concerne encore le « pluralisme de l'information » et des programmes, assuré par le service public. Il revient, à plusieurs reprises, dans la loi du 30 septembre 1986, toujours dans le sens d'« expression pluraliste des courants d'opinion ». Ce sont presque les termes mêmes du Conseil constitutionnel qui faisait, dans sa décision du 27 juillet 1982, un objectif de valeur constitutionnelle de la « préservation du caractère pluraliste des courants d'expression socioculturels ».

2. Le contrôle des concentrations

Dans sa décision n° 86-217 DC du 18 septembre 1986, le Conseil constitutionnel donne au pluralisme un sens également organique. Il distingue entre le secteur public et le secteur privé. Dans le secteur public, le pluralisme garde son sens fonctionnel. Il consiste dans le libre accès au service public des groupements politiques, pendant les campagnes électorales, dans le droit de réplique aux déclarations du Gouvernement, dans l'accès à l'antenne, non seulement des formations politiques, mais aussi des organisations syndicales et professionnelles, dans la programmation d'émissions à caractère religieux. Ce pluralisme est garanti par la CNCL, sous le contrôle du juge de l'excès de pouvoir, et par les cahiers des charges, qui doivent se conformer aux principes fondamentaux du service public et, notamment au principe d'égalité et à son corollaire, le principe de neutralité du service.

Dans le secteur privé, le pluralisme repose sur un contrôle des concentrations. Or, celui qui est prévu par le législateur ne satisfait pas à l'exigence constitutionnelle de préservation du pluralisme. Il s'agit de dispositions qui limitent la possibilité, pour une même personne, d'être titulaire de plusieurs autorisations relatives à un service de communication audiovisuelle ou d'exercer une influence prépondérante au sein d'une société titulaire de plusieurs autorisations.

La loi du 27 novembre 1986 posa alors de nouvelles limites, en interdisant le cumul de deux autorisations d'exploitation d'une chaîne nationale de télévision et en limitant le cumul d'autorisations de plusieurs chaînes locales de télévision ou de chaînes de télévision et de radio.

Le Conseil constitutionnel fait référence, dans son exigence de pluralisme, aux auditeurs et téléspectateurs, qui doivent être « à même d'exercer leur libre choix, sans que, ni les intérêts privés, ni les pouvoirs publics, puissent y substituer leurs propres décisions », comme il l'avait fait pour la presse. Il fait même du pluralisme une des conditions de la démocratie.

La loi du 1er février 1994 tend, selon son exposé des motifs, à favoriser « le développement de groupes audiovisuels dynamiques, publics et privés, à armes égales avec leurs concurrents européens et internationaux ». Autrement dit, cette loi tend à accroître la concentration.

Elle porte de 25 à 49 % la part de capital d'une chaîne de télévision hertzienne terrestre que peut détenir une même personne physique ou morale et de 45 à 150 millions d'habitants la population pouvant « être desservie » par les réseaux radiophoniques d'une même personne physique ou morale. Les chaînes de télévision nationales sont autorisées à effectuer des « décrochages locaux » pendant trois heures par jour.

Pour garantir aux opérateurs privés la continuité d'exploitation, les autorisations peuvent être reconduites deux fois pour une durée de cinq ans hors appel aux candidatures. Le Conseil d'État interprète strictement les exceptions au principe du renouvellement automatique (CE 19 mars 1997, *Association Ici et Maintenant*). Des autorisations de six mois peuvent être délivrées sans appel aux candidatures.

Le Conseil constitutionnel n'a pas considéré que ces dispositions portaient une atteinte inconstitutionnelle au principe de pluralisme (93-333 DC du 21 janvier 1994, *Autorisations d'émission*).

Les entreprises privées obtiennent d'être placées sur le même plan que les sociétés publiques, à l'égard desquelles le CSA dispose désormais d'un pouvoir de sanction.

Mais on a pu considérer que le CSA n'avait pas pu ou pas voulu contrôler les concentrations (7). La loi du 1er août 2000 tend à renforcer la diversité des opérateurs, ainsi que le pluralisme de l'information et à introduire le pluralisme dans le numérique hertzien, qui s'installe en France, en limitant le nombre de canaux que peut détenir un même opérateur. Elle prend également en compte la radio et la télévision par câble et par satellite et les intègre dans le dispositif anti-concentrations « plurimédias » qui inclut les publications quotidiennes d'information politique et générale (8).

La loi du 1er février 1994 permet aux organisations professionnelles et syndicales, au Conseil national des langues et cultures régionales et aux associations familiales reconnues par l'Union nationale des associations familiales de saisir le CSA d'une demande de sanction à l'encontre des sociétés nationales de programme et des titulaires d'autorisation. Ce droit n'a pas été reconnu aux associations de téléspectateurs.

3. *La publicité*

Elle est limitée surtout pour protéger l'existence des autres types de médias, notamment la presse écrite, en leur assurant une part des ressources publicitaires.

Une Commission « pour une nouvelle télévision publique » a été mise en place le 19 février 2008, après l'annonce, par le Président de la République, de la suppression de la publicité dans l'audiovisuel public.

---

(7) Rapport D. Mathus, sur le projet de loi relative à la liberté de communication, AN n° 1578, 5 mai 1999.
(8) Cf. E. Derieux, « Communication audiovisuelle : dispositif anticoncentration et garanties du pluralisme », *Petites Affiches*, 23 janvier 2001, p. 4.

4. La production d'œuvres françaises et européennes

Il s'agit du pluralisme culturel au niveau mondial, qu'on a appelé l'exception culturelle, terme auquel certains préfèrent celui de diversité culturelle (9), le terme d'exception faisant penser que le principe est la culture américaine. Des textes européens, dans le cadre du Conseil de l'Europe, comme dans celui de la Communauté européenne, visent à fixer des règles communes, pour favoriser la circulation des programmes de télévision.

Tant la production que la diffusion d'œuvres françaises ou européennes est obligatoire pour les chaînes de télévision. Elles sont tenues d'investir au minimum 20 % de leur chiffre d'affaires dans la production française, 15 %, lorsqu'elles s'engagent à diffuser aux heures de grande écoute au moins cent vingt heures d'œuvres françaises.

Un décret du 26 janvier 1987 fixa des minimums de diffusion, à la télévision, de 50 % d'œuvres d'expression d'origine française et de 60 % d'œuvres d'origine communautaire.

Une Convention européenne sur la télévision transfrontière, adoptée par les délégués des ministres au Conseil de l'Europe, le 15 mars 1989, signée par la France le 12 février 1991 mit au nombre des objectifs culturels la réservation à des œuvres européennes d'une proportion majoritaire du temps de diffusion. Une loi du 28 juin 1994 a autorisé son approbation. Une loi du 20 décembre 2001 a autorisé l'approbation du protocole portant amendement à cette convention (décret du 3 mai 2002).

La directive communautaire du 3 octobre 1989 invita les États membres à diffuser, en majorité, des œuvres européennes, ce qui a été repris dans la nouvelle directive du 30 juin 1997, pour une période de cinq ans.

Après négociation avec la Commission, la France accepta de limiter à 40 % la part des œuvres françaises et de remplacer la notion d'œuvres communautaires par celle d'œuvres européennes (loi du 18 janvier 1992 et décret n° 92-279 du 27 mars 1992). Le Conseil supérieur de l'audiovisuel peut moduler ces pourcentages selon les chaînes.

À la suite d'un amendement du rapporteur à l'Assemblée nationale, M. Pelchat, la loi du 1er février 1994 oblige les radios à diffuser un minimum de 40 % de chansons d'expression française, dont la moitié provenant de « nouveaux talents ou de nouvelles productions ».

---

(9) Rapport M. Dagnaud, « Médias : promouvoir la diversité culturelle », *Le Monde*, 6 mai 2000.

§3. LE CINÉMA

Le législateur n'a pas fait de la diffusion cinématographique une liberté publique, mais la jurisprudence l'a incluse dans la liberté d'expression. Dans ce domaine, le pluralisme vacille.

A. UNE LIBERTÉ PUBLIQUE ?

L'institution d'une censure préalable semble contraire au principe d'une liberté publique, que, pourtant, le Conseil d'État a reconnue.

a) La censure préalable

Elle naît pendant la Première Guerre mondiale et lui survit. Le cinéma reste soumis à un régime de guerre. La censure est organisée par un décret du 25 juillet 1919, qui soumet la représentation d'un film au visa du ministre de l'Instruction publique et des Beaux-Arts, après avis d'une commission de contrôle.

En application du décret du 23 février 1990, le ministre chargé de la Culture peut interdire totalement le film, interdire sa représentation aux mineurs de douze ans ou aux mineurs de seize ans.

La loi de finances du 30 décembre 1975 a créé une catégorie de films dite catégorie X, dans laquelle le ministre chargé des Affaires culturelles peut classer les films pornographiques ou incitant à la violence. Les films sont exclus du circuit normal de distribution et privés du soutien financier de l'État.

Après que le Conseil d'État eut considéré qu'un film, faute de pouvoir être interdit aux mineurs de moins de dix-huit ans, devait être inscrit sur la liste prévue par la loi du 30 décembre 1975 (CE Sect. 30 juin 2000, *Association Promouvoir, M. et Mme Mazaudier et autres*), un décret du 12 juillet 2001 a réintroduit une interdiction des films aux mineurs de moins de dix-huit ans.

b) Une liberté publique

Dans un premier temps, le Conseil d'État mit l'accent sur les pouvoirs de police municipaux, dans un second temps, sur le respect d'une liberté publique.

Dans les années 1955-1965, des maires avaient interdit la projection de films sur le territoire de leur commune. Le Conseil d'État a appliqué sa jurisprudence en matière de police municipale, qui permet l'interdiction de l'exercice d'une liberté publique, si cela est nécessaire pour la préservation de l'ordre public (CE 18 décembre 1959, *Société des films Lutétia*).

Mais il a admis que le préjudice à l'ordre public pouvait être dû au « caractère immoral » d'un film, tout en ajoutant la condition de « circonstances locales », malgré son commissaire du gouvernement, M. Mayras, pour lequel l'ordre public n'incluait pas l'ordre moral. Celui-ci voyait là la pression sur les autorités de police de groupements plus ou moins privés, de « censures officieuses ou privées ».

Dans un arrêt d'Assemblée du 24 janvier 1975, le Conseil d'État, saisi de l'interdiction du film *Suzanne Simonin, la religieuse de Diderot*, a considéré que le ministre devait « concilier les intérêts généraux dont il a la charge avec le respect dû aux libertés publiques et, notamment, à la liberté d'expression ». La juridiction administrative doit rechercher si « l'atteinte portée aux libertés publiques » est justifiée (CE Ass. 24 janvier 1975, *ministre de l'Intérieur c. société Rome-Paris Films*). La diffusion cinématographique ferait donc partie de la liberté d'expression.

B. CONCENTRATION ET DIVERSITÉ

Le régime de l'autorisation préalable s'applique également à toutes les entreprises de l'industrie cinématographique, aussi bien de production que de distribution. C'est un établissement public, le Centre national de la cinématographie (loi du 25 octobre 1946), qui accorde ces autorisations et qui gère l'aide financière publique au cinéma.

Un fonds de soutien est alimenté par une taxe sur les billets et un versement des chaînes de télévision. Un agrément permet aux producteurs de bénéficier d'une aide financière. Ce système a permis le maintien d'une production française de films. Des tentatives sont faites pour le transposer au niveau européen.

La concurrence de la télévision avait été encadrée par le contingentement des longs métrages que les chaînes hertziennes pouvaient diffuser, l'interdiction de diffusion certains soirs et l'instauration d'un délai entre la sortie du film et sa diffusion télévisuelle. La chaîne Canal + avait obtenu sur tous ces points des dérogations, dans le cahier des charges du 3 décembre 1983, moyennant une obligation de consacrer une plus grande part de son chiffre d'affaires (20 % contre 3 %) à l'investissement dans la production cinématographique.

Mais la diffusion par satellite a remis en question la place de Canal +. Le Conseil de la concurrence, saisi par la société TPS, a condamné la chaîne pour abus de position dominante (décision du 24 novembre 1998).

Parallèlement, la libre concurrence est mise à mal par les concentrations opérées au profit de réseaux exclusifs de distribution. La loi du 29 juillet 1982 a institué un médiateur du cinéma, chargé de veiller au respect de cette libre concurrence.

Le médiateur tente de protéger « l'intérêt général qui suppose le maintien d'un parc de salles diversifié » (10).

Une commission de la diffusion cinématographique a été chargée par décret du 25 octobre 1991 d'apprécier la situation des ententes et des groupements de programmation, afin de s'assurer qu'ils n'occupent pas une position dominante faisant obstacle au libre jeu de la concurrence.

Pour contrôler la création de multiplexes, la loi du 15 mai 2001 relative aux nouvelles régulations économiques, a abaissé de 1 000 à 800 places le seuil au-delà duquel la procédure d'autorisation devient obligatoire, en application de la loi du 27 décembre 1973 d'orientation du commerce et de l'artisanat.

Cette loi a institué une procédure d'agrément du Directeur général du Centre national de la cinématographie pour le lancement de cartes d'accès illimité au cinéma.

§ 4. INTERNET

A priori les réseaux ouvrent la voie à une totale liberté d'expression. Pour définir ses limites, le droit commun est-il applicable ou faut-il légiférer ?

À cette question, la loi du 1er août 2000 avait apporté une première réponse, en étendant à l'Internet les dispositions de la loi du 30 septembre 1986 relative à la liberté de communication. Mais il convenait de tenir compte de la spécificité de la communication en ligne. La loi du 21 juin 2004 a doté l'Internet d'un cadre juridique propre.

Cette loi transpose la directive 2000/31/CE du 8 juin 2000 relative au commerce électronique. Elle contient un certain nombre de dispositions destinées à renforcer les garanties dont bénéficient les « acheteurs en ligne ».

Mais la question la plus controversée lors des débats parlementaires a concerné les règles de mise en cause de la responsabilité des hébergeurs de sites et fournisseurs d'accès. À quelles conditions la responsabilité civile ou pénale de ces intermédiaires techniques peut-elle se trouver engagée, lorsque leur activité contribue à la diffusion

---

(10) Rapport du 25 avril 2000.

d'informations illicites (incitation à la haine raciale, par exemple) ou portant atteinte au droit de propriété intellectuelle ?

Le régime mis en place par la loi de 2004 pour la confiance dans l'économie numérique prévoit que leur responsabilité – civile ou pénale – ne peut être engagée que si, ayant « effectivement connaissance de l'activité ou de l'information illicite », ils n'ont pas « agi promptement pour retirer ces informations ou en rendre l'accès impossible ». Ce régime de responsabilité a été contesté devant le Conseil constitutionnel. Les auteurs de la saisine faisaient valoir, entre autres, l'existence d'un risque important pour la liberté de communication : les hébergeurs ne seraient-ils pas tentés de se mettre à l'abri des poursuites en censurant par avance les contenus qui leur seraient désignés, à tort ou à raison, comme illicites ? La loi institue ainsi, aux yeux de ses détracteurs, un dispositif de « censure privée », voire de « justice privée ».

Or le Conseil constitutionnel avait déjà examiné, en juillet 2000, une disposition similaire, et l'avait censurée comme entachée d'incompétence négative : le législateur est tenu, avait souligné le Conseil, de « préciser les conditions de forme d'une telle saisine [par un tiers estimant que le contenu hébergé est illicite ou lui cause un préjudice] », et il doit déterminer « les caractéristiques essentielles du comportement fautif de nature à engager, le cas échéant, la responsabilité pénale » des hébergeurs (2000-433 DC du 27 juillet 2000, *Loi modifiant la loi 30 septembre 1986 relative à la liberté de communication*).

Ce raisonnement, en tant que tel, était parfaitement applicable au dispositif posé par la loi de juin 2004. Mais le Conseil, par sa décision historique du 10 juin 2004, a posé que des dispositions législatives qui se bornent à tirer les conséquences nécessaires d'une directive précise et inconditionnelle ne pouvaient plus être discutées devant lui. C'était le cas en l'espèce, et le Conseil a refusé d'examiner les griefs articulés par les requérants. Il a toutefois précisé, à destination des autorités d'application de la loi, que le caractère illicite d'un contenu devrait être « manifeste » pour que l'hébergeur se trouve placé dans l'obligation de le retirer.

La loi de 2004, en outre, élargit le champ de compétence du Conseil supérieur de l'audiovisuel et étend à l'Internet, moyennant quelques adaptations, les dispositions de droit commun relatives à la protection de la propriété intellectuelle et au droit de réponse.

CHAPITRE 2
LES DROITS ÉCONOMIQUES ET SOCIAUX

Les droits économiques et sociaux ont été consacrés, au cours du XXe siècle, par des textes qui les érigent en catégorie distincte des droits civils et politiques. Ainsi, le premier projet de Constitution du 19 avril 1946 débutait par une Déclaration qui comportait deux parties : une première consacrée aux libertés, une seconde, aux droits sociaux et économiques. De même, l'ONU a adopté en 1966 deux pactes séparés relatifs, pour l'un, aux droits civils et politiques et, pour l'autre, aux droits économiques, sociaux et culturels. Dans le cadre de Conseil de l'Europe, la même distinction peut être faite entre la Convention de 1950, qui protège des droits dits de la « première génération », et la Charte sociale adoptée en 1961.

La Charte des droits fondamentaux de l'Union européenne du 7 décembre 2000 a rompu avec cette dichotomie, jugée contraire au principe d'indivisibilité des droits de l'homme. Elle rattache les différents droits qu'elle consacre à six grandes « rubriques » : dignité, libertés (au pluriel), égalité, solidarité, citoyenneté, justice.

L'ambivalence de la notion de « droits sociaux » perdure. Ces différents textes concernent à la fois les droits des travailleurs et les droits à une protection ou une solidarité de la part de la collectivité, qu'il s'agisse des personnes en général, de la famille, des enfants, des personnes handicapées, des personnes âgées... Les textes exigent une « protection » ou une « protection sociale ». Les plus faibles, comme les enfants, font l'objet d'une protection spécifique.

Section 1 Les droits des travailleurs

§ 1. LES FONCTIONNAIRES

Il faut distinguer entre les fonctionnaires civils et militaires.

A. LES FONCTIONNAIRES CIVILS

En tant que travailleurs, les fonctionnaires ont acquis, après la Deuxième Guerre mondiale, des droits qui leur étaient jusque-là refusés : le droit syndical, le droit de grève. En tant que citoyens, si leur liberté d'opinion a été affirmée tardivement dans les textes, leur liberté d'expression reste limitée.

L'article 6 § 1 de la Convention européenne des droits de l'homme, qui garantit le droit à un procès équitable, est applicable aux procédures disciplinaires concernant les fonctionnaires qui ne participent pas à l'exercice de la puissance publique (CEDH 8 décembre 1999, *Pellegrin* ; CE 23 février 2000, *M. L'Hermite*).

a) Le droit syndical

On a vu que le Conseil d'État s'opposa à la reconnaissance, au profit des fonctionnaires, du droit syndical. Hauriou l'expliquait par une opposition entre le principe hiérarchique, qui domine la fonction publique, et l'organisation syndicale.

En 1920, la question avait été débattue au Parlement. L'accord n'avait pu se faire entre la Chambre des députés et le Sénat. Les deux chambres étaient d'accord sur le principe, mais le Sénat voulait refuser le droit syndical à certains fonctionnaires, dits d'autorité.

Le statut du 19 octobre 1946 reconnaît le droit syndical aux fonctionnaires, consacré par le Préambule de la Constitution du 27 octobre 1946, pour « tout homme » : « tout homme peut défendre ses droits et ses intérêts par l'action syndicale et adhérer au syndicat de son choix ».

Ce droit est, à nouveau, affirmé par l'ordonnance du 4 février 1959 et la loi du 13 juillet 1983. Celle-ci supprime l'obligation, tombée en désuétude, du dépôt des statuts et de la liste des administrateurs auprès de l'autorité hiérarchique. Elle précise que les organisations syndicales ont qualité pour conduire des négociations avec le Gouvernement.

Un décret du 28 mai 1982 a renforcé les moyens des syndicats et garanti les modalités de l'action syndicale dans le service.

Certains fonctionnaires n'ont pas le droit syndical : outre les militaires, ce sont les diplomates, les préfets et les sous-préfets.

b) Le droit de grève

1. La reconnaissance du droit de grève

La loi du 25 mai 1864 avait supprimé le délit de coalition. Elle ne fut pas appliquée aux fonctionnaires. La question de savoir si la grève des fonctionnaires constituait toujours un délit n'était pas tellement discutée. Mais le Conseil d'État considérait qu'elle constituait non seulement une faute, mais qu'elle privait les fonctionnaires des garanties disciplinaires, car, par un acte collectif, ils s'étaient placés « en dehors de l'application des lois et règlements » (CE 7 août 1909, *Winkell*). L'État était dégagé du respect de l'article 65 de la loi du 22 avril 1905, prévoyant la communication du dossier.

Pourtant, on pouvait analyser la grève comme un abandon de service, prévu et puni par les règlements civils et militaires.

Le Conseil d'État considérait ainsi comme légale la non-application d'une loi. La justification juridique d'une telle position n'était pas facile. Pour Hauriou, cela était justifié, car « le droit de grève c'est le droit de guerre privée ». Le Conseil d'État se fondait sur le renoncement du fonctionnaire « à toutes les facultés incompatibles avec une continuité essentielle à la vie nationale ». La notion de contrat liant les fonctionnaires à l'État fut abandonnée par l'arrêt *Dlle Minaire* (CE 22 octobre 1937), qui maintint l'analyse de la grève comme plaçant le fonctionnaire en dehors de l'application des lois et règlements.

Le statut de la fonction publique édicté par le régime de Vichy légalisa cette jurisprudence. La grève était une atteinte illégale à « la continuité indispensable à la marche normale du service public » et privait le fonctionnaire des garanties en matière disciplinaire.

Encore en 1948, la doctrine s'opposait à la grève des fonctionnaires, dont la légalisation serait la consécration de la notion d'« État à éclipses » et, même, la dissolution de l'État (1).

Pourtant, la question se posait depuis la Constitution de 1946. Celle-ci disposait dans son Préambule que « le droit de grève s'exerce dans le cadre des lois qui le réglementent ». Mais la loi du 19 octobre 1946 portant statut des fonctionnaires ne mentionnait pas le droit de grève.

Dans l'arrêt *Dehaene* (CE 7 juillet 1950), le Conseil d'État admit la licéité de la grève, en se fondant sur le Préambule, mais admit aussi que des limites pouvaient y être apportées, non seulement par

---

(1) Note J. Rivero, sous CE 18 avril 1947, *S.* 1948.3.33.

le législateur, mais aussi, en l'absence de réglementation générale, par le Gouvernement, « responsable du bon fonctionnement des services publics ».

L'article 10 de la loi du 13 juillet 1983 reprend le texte du Préambule, en spécifiant son application aux fonctionnaires : « Les fonctionnaires exercent le droit de grève dans le cadre des lois qui le réglementent. »

2. Les limites du droit de grève

Comme l'y invitait le Constituant, le législateur a réglementé le droit de grève, mais de façon très ponctuelle, tout en le limitant de plus en plus.

Certaines catégories de fonctionnaires se sont vues refuser le droit de grève : ce sont les CRS (loi du 27 décembre 1947), les personnels de police (loi du 28 septembre 1948), les personnels de l'administration pénitentiaire (ordonnance du 6 août 1958), les magistrats (ordonnance du 22 décembre 1958), le personnel des transmissions du ministère de l'Intérieur (loi du 31 juillet 1968).

Une loi du 31 juillet 1963 « relative à certaines modalités de la grève dans les services publics » institue un préavis obligatoire de cinq jours et interdit les grèves tournantes. Elle s'applique, non seulement aux fonctionnaires de l'État, des départements et des communes de plus de 10 000 habitants et des établissements publics, mais aussi aux personnels des entreprises, organismes et établissements publics et privés, qui sont chargés de la gestion d'un service public.

Une loi du 22 juillet 1977, abrogée par la loi du 29 octobre 1982, puis rétablie par une loi du 30 juillet 1987, a assimilé à une grève la mauvaise exécution du service public. La même loi a rétabli une retenue du trentième du traitement pour toute grève, quelle qu'en soit la durée au cours d'une même journée de travail.

Des lois, propres à certains services publics, prévoient un service minimum en cas de grève. C'est notamment le cas pour la navigation aérienne, le service public de la radiodiffusion et de la télévision, ou les transports terrestres réguliers de voyageurs (loi du 21 août 2007).

En l'absence de réglementation générale, la jurisprudence *Dehaene* continue à s'appliquer. Non seulement le Gouvernement, mais le ministre, par circulaire, ou même tout chef de service, peut limiter le droit de grève et interdire la grève à certains agents, pour les nécessités de l'ordre public. Cette possibilité de limitation concerne, non seulement les fonctionnaires de l'État et des collectivités territoriales, mais aussi les personnels des services publics industriels et commerciaux.

Néanmoins, les agents qui ont fait une grève illicite et donc commis une faute disciplinaire se voient appliquer la procédure disciplinaire normale, contrairement à la jurisprudence *Winkell*.

La jurisprudence admet également la licéité de la réquisition, en application de la loi du 11 juillet 1938, sous le contrôle du juge administratif, dans les mêmes limites que l'interdiction de la grève.

Le Conseil constitutionnel a souligné à de nombreuses reprises que le législateur est appelé par la lettre même du texte constitutionnel à opérer une conciliation entre « la défense des intérêts professionnels, dont la grève est un moyen », et « la sauvegarde de l'intérêt général auquel la grève peut être de nature à porter atteinte » (80-117 DC du 22 juillet 1980, *Protection des matières nucléaires*). L'exercice du droit de grève peut ainsi faire l'objet, sous le contrôle du juge, d'un certain nombre de restrictions justifiées par la volonté « d'assurer la continuité du service public » (79-105 DC du 25 juillet 1979, *Droit de grève à la radio et à la télévision*), ou encore « d'assurer la protection de la santé et de la sécurité des personnes et des biens » (80-117 DC, préc.).

c) Le principe d'égale admissibilité aux emplois publics

Le principe d'égale admissibilité aux emplois publics trouve son fondement dans l'article 6 de la Déclaration de 1789 : tous les citoyens « sont également admissibles à toutes dignités, places et emplois publics, selon leur capacité, et sans autre distinction que celle de leurs vertus et de leurs talents ».

Ce principe interdit d'utiliser un système de sélection fondé sur des critères étrangers à la capacité des candidats. Tel est notamment le cas de leurs opinions politiques (CE, Ass., 28 mai 1954, *Barel*), philosophiques ou religieuses (CE, sect., 25 juillet 1939, *Delle Beis*). La liberté de conscience du fonctionnaire était déjà garantie par l'ordonnance du 4 février 1959, qui dispose que « ne pourra figurer au dossier aucune mention faisant état des opinions politiques, philosophiques ou religieuses de l'intéressé ». Sa reconnaissance formelle ne sera pourtant réalisée qu'avec la loi du 13 juillet 1983 : « La liberté d'opinion est garantie aux fonctionnaires » (art. 6). Elle pose en principe qu'« aucune distinction ne peut être faite entre les fonctionnaires, en raison de leurs opinions politiques, syndicales, philosophiques ou religieuses ».

Le principe d'égalité de traitement dans le déroulement de la carrière des fonctionnaires d'un même corps – dégagé par le Conseil d'État et consacré par le Conseil constitutionnel (76-67 DC du 15 juillet 1976, *Statut général des fonctionnaires*) – s'applique à la quasi-totalité des mesures touchant les fonctionnaires d'un même corps (règles d'avancement, d'accès à un corps supérieur ou de détachement ; avantages pécuniaires ; règles relatives au cumul...).

La loi du 16 novembre 2001 relative à la lutte contre les discriminations a élargi la liste (indicative) des motifs qui ne peuvent fonder une différence de traitement entre les agents, puisque le statut général prévoit désormais (art. 6) qu'« aucune distinction, directe ou indirecte, ne peut être faite entre les fonctionnaires en raison de leurs opinions politiques, syndicales, philosophiques ou religieuses, de leur origine, de leur orientation sexuelle, de leur âge, de leur patronyme, de leur état de santé, de leur apparence physique, de leur handicap ou de leur appartenance ou de leur non-appartenance, vraie ou supposée, à une ethnie ou une race ».

d) La liberté d'expression

La liberté d'expression pose plus de problèmes. Elle n'est pas garantie par une loi. La loi du 13 juillet 1983 garantit seulement aux fonctionnaires titulaires d'un mandat électif ou membres d'organes consultatifs que leur carrière ne sera pas affectée par leurs votes ou leurs prises de position.

La liberté d'expression est également garantie par la loi du 26 janvier 1984 pour les enseignants-chercheurs, sous les réserves imposées par « les principes de tolérance et d'objectivité ».

Certains fonctionnaires sont soumis, par leur statut, à l'obligation de réserve : ce sont les magistrats de l'ordre judiciaire, les membres du Conseil d'État, les militaires.

Certains hauts fonctionnaires sont tenus au loyalisme envers le Gouvernement : leur nomination est à la discrétion du Gouvernement. Le décret du 21 mars 1959 en donne une liste indicative.

Mais c'est la jurisprudence qui détermine, pour l'ensemble des fonctionnaires, l'obligation de réserve à laquelle ils sont soumis. Cette obligation limite leur liberté d'expression, en dehors même de l'exercice de leurs fonctions. Elle est plus rigoureuse pour les emplois supérieurs, le directeur du CNRS commettant une faute en s'associant à des « attaques violentes et injurieuses contre le Gouvernement français » (CE 13 mars 1953, *Teissier*). Mais commet aussi une faute un agent de bureau des PTT qui participe à une manifestation interdite par le Gouvernement (CE 27 mai 1955, *Dame Kowalewski*). L'obligation de réserve est atténuée pour les titulaires de mandats syndicaux.

B. LES MILITAIRES

L'extension aux militaires des droits et libertés reconnus à tous les citoyens s'est opérée de manière tardive. En matière de droits civiques par exemple, il leur a fallu attendre l'ordonnance du 17 août 1945 pour être électeurs et éligibles dans les mêmes conditions que les autres citoyens.

Aujourd'hui encore, les particularismes de la condition militaire expliquent que le statut général des militaires comporte un certain nombre de dérogations au droit commun des libertés.

Ce statut a été assez profondément refondu par la loi du 24 mars 2005.

Le nouveau texte confirme certains principes établis par le précédent statut du 13 juillet 1972. Le principe de neutralité est toujours interprété, dans la fonction publique militaire, comme interdisant aux agents en activité d'adhérer à un parti politique, à un syndicat ou à une association professionnelle. L'exercice du droit de grève demeure, naturellement, incompatible avec l'état militaire (art. 6 de la loi du 24 mars 2005). La liberté de résidence des militaires peut être limitée dans l'intérêt du service (art. 7).

Les restrictions qui pesaient sur leur liberté d'association ont en revanche été supprimées : le commandement n'a plus aucun droit de regard sur les responsabilités associatives qu'ils peuvent éventuellement exercer.

Leur liberté d'expression tend à se rapprocher de celle des fonctionnaires civils. Ils peuvent désormais s'exprimer, sans autorisation préalable, sur tout sujet non couvert par le secret-défense.

Leur droit au mariage s'exerce dans les conditions du droit commun. La loi de 1972 avait déjà réduit les catégories de militaires qui devaient obtenir une autorisation du ministre pour se marier (gendarmes, militaires servant à titre étranger et militaires dont le futur conjoint ne possède pas la nationalité française). L'autorisation de mariage ne pouvait leur être refusée que pour des motifs tirés de l'intérêt de la défense nationale (CE 15 décembre 2000, *Nelzic*). Elle n'est aujourd'hui plus nécessaire : à l'exception des militaires de la légion étrangère, les militaires se marient ou se pacsent librement avec un conjoint étranger.

En matière de sanction disciplinaire, le nouveau statut prend acte de l'arrêt *Engel* rendu le 8 juillet 1976 par la Cour européenne des droits de l'homme : les droits de la défense sont consacrés par le texte, qui garantit le droit de préparer sa défense, de s'expliquer et de se faire assister par un militaire de son choix (lors du conseil de discipline) et par un défenseur de son choix (lors du conseil d'enquête).

Depuis l'arrêt du Conseil d'État du 17 mars 1995, les sanctions qui porteraient une atteinte substantielle à la situation statutaire ou administrative de l'intéressé, et non plus seulement les sanctions disciplinaires statutaires, deviennent susceptibles de recours pour excès de pouvoir (CE Ass. 17 février 1995, *Philippe Hardouin*).

Le régime pénal a été aligné sur le droit commun par la loi du 21 juillet 1982. Les militaires ayant commis des infractions pénales étaient justiciables de juridictions militaires, les tribunaux permanents des forces armées. Désormais, en temps de paix, sur le territoire de la République, ce sont les juridictions de droit commun qui sont compétentes. Mais on a créé des chambres spécialisées dans les affaires militaires.

§2. LES DROITS DES TRAVAILLEURS DANS L'ENTREPRISE

Les travailleurs conservent leurs droits en tant que personnes, même dans leurs relations avec leur employeur (2). Ils exercent également des libertés collectives, consacrées par le Préambule de la Constitution de 1946 : droit syndical, droit de grève et droit de participer à la détermination des conditions de travail. Le Code du travail dispose, en son article L 120-2, que « nul ne peut apporter aux droits des personnes et aux libertés individuelles et collectives des restrictions qui ne seraient pas justifiées par la nature de la tâche à accomplir, ni proportionnées au but recherché ».

A. LES DROITS DE LA PERSONNE

Le Conseil d'État a affirmé l'existence des « droits de la personne » dans l'entreprise (CE 1er février 1980, *Peintures Corona*) et limité leurs restrictions à celles qui sont « nécessaires pour atteindre le but recherché ». En l'espèce, un règlement intérieur qui prévoyait que les salariés pouvaient à tout moment subir un alcootest a été jugé illégal car portant une atteinte excessive à leur liberté individuelle.

Cet arrêt a inspiré l'article L. 122-35, introduit dans le Code du travail par la loi du 4 août 1982. Il interdit au règlement intérieur d'« apporter aux droits des personnes et aux libertés individuelles et collectives des restrictions qui ne seraient pas justifiées par la nature de la tâche à accomplir ni proportionnées au but recherché ». La loi du 31 décembre 1992 généralise la protection des libertés individuelles et collectives et l'étend au recrutement.

Le 28 avril 1988, la Cour de cassation a admis pour la première fois que, même en l'absence de texte, le licenciement prononcé en

---

(2) Cf. M. Bonnechère, *Le droit du travail*, La Découverte, Repères, 1997, IV : travail, libertés, droits fondamentaux.

violation d'un droit constitutionnel (le droit d'expression des opinions) devait être soumis à une sanction originale : la nullité (Soc. 28 avril 1988, *Clavaud*). La Cour de cassation a affirmé que « le salarié jouit, dans l'entreprise et en dehors de celle-ci, de sa liberté d'expression » (Cass. soc. 14 décembre 1999, *M. Pierre c. SNC Sanijura*).

La Cour de justice des Communautés européennes a estimé que le fait de soumettre un candidat à un emploi de la Commission à un test de dépistage du sida, malgré son refus, était une atteinte au droit au respect de la vie privée, garanti par l'article 8 de la Convention européenne des droits de l'homme... mais l'employeur pouvait se fonder sur ce refus pour ne pas embaucher son auteur (CJCE 5 octobre 1994).

Ce n'est que la loi du 4 août 1982 qui a prévu des garanties de procédure en matière disciplinaire. Ces garanties n'étaient prévues, par la loi du 13 juillet 1973, que pour certains licenciements.

C'est également le droit « au respect de l'intimité de sa vie privée », « même au temps et au lieu de travail », « liberté fondamentale », que protège la Cour de cassation en interdisant à l'employeur de « prendre connaissance des messages personnels émis par le salarié et reçus par lui, grâce à un outil informatique mis à sa disposition pour son travail » (Cass. soc. 2 octobre 2001, *Société Nikon France*).

Le droit à la non-discrimination est affirmé par la directive du 27 novembre 2000 portant création d'un cadre général en faveur de l'égalité de traitement en matière d'emploi et de travail. Cette directive, on l'a vu, a été transposée par la loi du 16 novembre 2001 relative à la lutte contre les discriminations.

B. LES LIBERTÉS COLLECTIVES

Le Préambule de 1946 confère une valeur constitutionnelle à la liberté syndicale, au droit de grève et au droit à la participation des travailleurs dans l'entreprise.

L'exercice du droit de grève fait l'objet d'un « régime prétorien de caractère extraordinairement restrictif » (3). Les juges limitent la grève par la théorie de l'illicéité et celle de l'abus de droit, et « surtout des disqualifications de la grève en exécution défectueuse du contrat de travail, qui sont, au bout du compte, autant de négations du droit de grève » (*ibid.*).

---

(3) P.-D. Ollier, « Les libertés publiques propres aux travailleurs », *Droit social*, mai 1982, p. 436.

De plus, l'atteinte au droit de grève par l'employeur n'est pas sanctionnée pénalement, au contraire de l'atteinte, portée par les grévistes, à la liberté du travail.

Il a fallu attendre la loi du 25 juillet 1985 pour que soit réputé nul, contrairement à la jurisprudence antérieure de la Cour de cassation, tout licenciement pour fait de grève.

Le Préambule de 1946 prévoit la participation des travailleurs à la détermination collective des conditions de travail et à la gestion des entreprises. Le Conseil constitutionnel a reconnu la valeur constitutionnelle de ces principes, le législateur devant déterminer les conditions de leur mise en œuvre (77-79 DC du 5 juillet 1977, *Emploi des jeunes*).

Selon le Préambule, cette participation devait se faire par l'intermédiaire de délégués. Après que des délégués ouvriers élus ont été institués, après les accords de Matignon de 1936, l'ordonnance du 22 février 1945 a créé les comités d'entreprise. Ce ne sont pas des organismes de cogestion, mais plutôt « des organismes d'initiation économique pour une élite de militants » (4).

Des comités d'entreprise ont été institués au niveau de la Communauté européenne pour les entreprises et groupes d'entreprises de dimension communautaire.

La loi du 4 août 1982, dite loi Auroux, à titre expérimental, puis la loi du 3 janvier 1986, à titre permanent, ont institué un « droit à l'expression directe et collective » dans l'entreprise.

Un protocole additionnel à la Charte sociale européenne, ouvert à la signature le 5 mai 1988, affirme également le droit des travailleurs à l'information et à la consultation et le droit, pour eux, de prendre part à la détermination et à l'amélioration des conditions de travail et du milieu de travail.

C'est l'ensemble du droit du travail qui définit les droits sociaux des travailleurs : rémunération, conditions de travail, formation professionnelle, protection en cas de licenciement.

Section 2 Les droits à la solidarité

Les droits à la solidarité forment un ensemble hétérogène.

Sous cet intitulé, on relève par exemple que la Charte des droits fondamentaux de l'Union européenne regroupe les droits des

---

(4) G. Lyon-Caen, J. Pélissier, A. Supiot, *Droit du travail*, Dalloz, 1998, p. 578.

travailleurs au sein de l'entreprise (droit à l'information et à la consultation, droit de négociation, conditions de travail justes et équitables, etc.), mais aussi le droit d'accès aux prestations de sécurité sociale et aux services sociaux, le droit de bénéficier de soins médicaux, le droit d'accès aux services d'intérêt économique général, ou encore le droit à « un niveau élevé » de protection des consommateurs.

En droit interne, on peut distinguer entre une conception étroite et une conception large des droits à la solidarité.

La conception étroite s'en tient à l'alinéa 12 du Préambule de la Constitution de 1946, par lequel « la nation proclame la solidarité et l'égalité de tous les Français devant les charges qui résultent des calamités nationales ». Cette disposition conforte le principe traditionnel d'égalité devant les charges publiques.

Une acception plus large se fonde sur les alinéas 10 à 13 du Préambule de 1946 (5) pour placer à la charge de l'État l'obligation de développer ce que le Conseil constitutionnel appelle des « politiques de solidarité nationale ».

Nous examinerons ici trois exemples de droits à la solidarité : le droit à la protection de la santé, le droit au logement et le droit à l'éducation.

§1. LE DROIT À LA PROTECTION DE LA SANTÉ

Le droit à la protection de la santé énoncé par l'alinéa 11 de Préambule de 1946 impose un certain nombre d'obligations aux pouvoirs publics.

Pour les individus, il se décompose en un droit à l'accès aux soins et en un droit à bénéficier d'un environnement sain.

A. LA PROTECTION DE LA SANTÉ PUBLIQUE

La protection de la salubrité étant une composante traditionnelle de l'ordre public, les autorités détentrices du pouvoir de police ont

(5) « La nation assure à l'individu et à la famille les conditions nécessaires à leur développement » (al. 10). Elle « garantit à tous, notamment à l'enfant, à la mère et aux vieux travailleurs, la protection de la santé, la sécurité matérielle, le repos et les loisirs. Tout être humain qui, en raison de son âge, de son état physique ou mental, de la situation économique, se trouve dans l'incapacité de travailler a le droit d'obtenir de la collectivité des moyens convenables d'existence » (al. 11). Elle « garantit l'égal accès de l'enfant et de l'adulte à l'instruction, à la formation professionnelle et à la culture (al. 13).

l'obligation d'agir pour prévenir tout risque d'atteinte à l'hygiène publique. Leur carence est de nature à entraîner la mise en cause de la responsabilité de l'administration. Un certain nombre de polices spéciales interviennent en ce domaine (police du bruit, police des animaux, police de l'hygiène alimentaire, police sanitaire...)

Les obligations que la France a souscrites en ratifiant la Convention européenne des droits de l'homme lui imposent par ailleurs de prendre les mesures nécessaires pour protéger la santé des personnes résidant sur son territoire (CEDH, *Calvelli et Ciglio c. Italie*, 17 janv. 2002).

Ces obligations se manifestent de façon particulièrement nette dans certaines branches du droit. C'est le cas du droit du travail, dont on a pu dire qu'il « s'est d'abord développé comme un droit protecteur du corps des ouvriers » (6) : les employeurs sont soumis à une obligation légale de sécurité à l'égard de tous leurs salariés (art. L. 230-2 et s. du Code du travail). Le seul fait de ne pas prendre les mesures nécessaires pour les préserver d'un danger dont ils ont ou devraient avoir conscience constitue une faute inexcusable (Cass. Soc., 28 févr. 2002, *Eternit*). La loi du 23 décembre 1982 a par ailleurs instauré un droit de retrait du salarié lorsqu'il se trouve placé dans une situation de travail dont il a « un motif raisonnable de penser qu'elle présente un danger grave et imminent pour [s]a vie ou [sa] santé ».

La constitutionnalisation du droit à la protection de santé impose au législateur de mettre en œuvre des politiques de solidarité nationale : il lui incombe de pourvoir à l'instauration d'un système de protection sociale. Il peut aussi instituer des « fonds de solidarité » pour parer aux conséquences de catastrophes sanitaires (sida, amiante...)

Au nom de l'objectif de protection de la santé publique, le législateur peut porter atteinte, sous le contrôle du juge, à certains droits et libertés. La liberté du commerce et de l'industrie, par exemple, peut être restreinte par une loi limitant la publicité pour les alcools et tabacs (90-283 DC du 8 janv 1991, *Loi relative à la lutte contre le tabagisme et l'alcoolisme*). L'objectif de prévention de l'alcoolisme justifie également que les bières les plus fortement alcoolisées soient plus lourdement taxées que les autres (2002-463 DC du 12 déc. 2002, *Loi de financement de la sécurité sociale pour 2003*). Quant à l'interdiction de fumer dans tous les lieux publics, elle ne porte atteinte à aucune liberté fondamentale (CE 5 mars 2007, *Mme X et autres*).

---

(6) A. Supiot, *Le droit du travail*, PUF, Que sais-je ?, 3e éd., 2007, p. 116.

En matière de protection sociale, le Parlement dispose d'une large marge d'appréciation. Il peut notamment, lorsqu'il détermine les conditions générales de l'équilibre financier des régimes de sécurité sociale (article 34 de la Constitution), instaurer des « franchises médicales » qui laissent à la charge de l'assuré divers frais de médicaments ou de soins infirmiers. Le Conseil constitutionnel veille toutefois à ce que le montant de cette franchise ne soit pas de nature à « remettre en cause » les exigences de l'alinéa 11 du Préambule (2007-558 DC du 13 décembre 2007, *Loi de financement de la sécurité sociale*).

B. LA GARANTIE DU DROIT AUX SOINS

Le droit à la protection de la santé suppose que l'accès aux soins soit garanti à tous. C'est ce que rappelle la loi du 13 août 2004 relative à l'assurance-maladie : « l'État, qui définit les objectifs de santé publique, garantit l'accès effectif des assurés aux soins sur l'ensemble du territoire ».

La solidarité, ici, doit jouer entre riches et pauvres, mais aussi entre Français et étrangers. Ceux-ci, lorsqu'ils résident de manière stable et régulière sur le territoire français, bénéficient de plein droit des prestations sociales servies aux Français (CC 93-325 DC du 13 août 1993, *Maîtrise de l'immigration*).

La loi du 27 juillet 1999 institue une couverture maladie universelle (CMU). Elle veut éviter que certains renoncent, faute d'argent, à se faire soigner. Ses bénéficiaires doivent être français, ou étrangers en situation régulière. Pour les étrangers dépourvus de titre de séjour, la même loi du 27 juillet 1999 crée une « aide médicale de l'État » (AME) qui permet un accès gratuit aux soins « dont l'absence mettrait en jeu le pronostic vital ». Mais le Conseil d'État a estimé que le droit aux soins du mineur étranger ne pouvait être ainsi restreint : il a jugé contraire à la Convention relative aux droits de l'enfant l'exclusion des mineurs sans papiers du bénéfice de la CMU (CE 7 juin 2006, *Association Aides et autres*). En 2006, près de 200 000 personnes ont bénéficié de l'AME, essentiellement des déboutés du droit d'asile.

La loi Kouchner du 4 mars 2002 a introduit le principe de non-discrimination dans le code de la santé publique. Celui-ci dispose désormais « qu'aucune personne ne peut faire l'objet de discriminations dans l'accès à la prévention et aux soins ». Les chefs de discrimination prohibée sont ceux du code pénal, auquel la loi Kouchner ajoute « les caractéristiques génétiques ». En pratique, il semble que les catégories de population le plus souvent confrontées à des refus de soin de la part de médecins libéraux ou même hospitaliers sont les personnes infectées par le VIH/Sida, les bénéficiaires de la CMU et les étrangers en situation irrégulière. Ils hésitent trop souvent à engager des poursuites pénales, ou à saisir le Conseil de l'Ordre concerné.

Le principe de non-discrimination s'applique avec une vigueur particulière à l'hôpital et dans les centres médicaux-sociaux, car ils sont tenus, comme l'ensemble des services public, au respect de la laïcité. Diffusée par une circulaire du Premier ministre datée du 13 avril 2007, une « Charte de la laïcité dans les services publics » a rappelé les obligations des agents (respect du principe d'égalité et devoir de stricte neutralité), mais aussi ceux des patients, qui ne peuvent exciper de leurs croyances religieuses pour « récuser un agent public ou d'autres usagers », ou pour « exiger une adaptation du fonctionnement du service public ou d'un équipement public ».

C. LA PRÉSERVATION D'UN ENVIRONNEMENT SAIN

Le droit à un environnement sain a été inscrit dans le droit français par la loi du 2 février 1995 : « les lois et règlements organisent le droit de chacun à un environnement sain ».

Ce droit a été hissé au niveau supra-législatif lors de la révision constitutionnelle du 1er mars 2005 : la Charte de l'Environnement désormais « adossée » à la Constitution énonce, dans son article 1er, que « chacun a le droit de vivre dans un environnement équilibré et respectueux de la santé ».

La formulation retenue par la Charte laisse penser que ce droit n'est reconnu qu'à partir d'un certain seuil de dégradation de l'environnement : il faut que la pollution mette en danger la santé humaine. Ce droit, d'autre part, n'est pas directement invocable. Le Conseil d'État, dans un arrêt *Association Eau et rivières de Bretagne* du 19 juin 2006, a indiqué que c'est au législateur qu'il incombe de préciser ses conditions de mise en œuvre.

En ce sens, on relève que la loi de 1996 sur l'air et l'utilisation rationnelle de l'énergie met à la charge des pouvoirs publics l'obligation de développer une politique « dont l'objectif est la mise en œuvre du droit reconnu à chacun de respirer un air qui ne nuise pas à sa santé ».

Les pouvoirs publics sont par ailleurs amenés à assurer un meilleur respect du principe de précaution. Le Conseil d'État a en effet jugé que le contrôle du bilan auquel se livre le juge administratif pour juger de l'utilité publique d'une opération devait prendre en compte les mesures prises par l'administration pour satisfaire aux exigences du principe de précaution énoncé à l'article L. 200-1 du Code rural (28 juillet 1999, *Association intercommunale « Morbihan sous très haute tension* » *et autres*). Au nom du même principe, il a également prononcé le sursis à exécution d'un arrêté du ministre de l'Agriculture inscrivant au catalogue officiel des espèces et variétés de plantes cultivées en France le maïs génétiquement modifié (25 septembre 1998, *Greenpeace*).

Le principe de précaution bénéficie désormais d'une assise constitutionnelle, grâce à l'article 5 de la Charte de l'environnement. Celui-ci prévoit que « lorsque la réalisation d'un dommage, bien qu'incertaine en l'état des connaissances scientifiques, pourrait affecter de manière grave et irréversible l'environnement, les autorités publiques veillent, par application du principe de précaution et dans leurs domaines d'attributions, à la mise en œuvre de procédures d'évaluation des risques et à l'adoption de mesures provisoires et proportionnées afin de parer à la réalisation du dommage ».

De manière plus générale, une procédure de référé propre au droit de l'environnement (art. L. 554-12 CJA) permet de faire suspendre par le juge administratif tout projet d'aménagement qui ne serait pas accompagné d'une étude d'impact.

Le droit communautaire, enfin, joue vis-à-vis des pouvoirs publics le rôle d'un aiguillon. En juin 2007, la Commission européenne s'est ainsi déclarée insatisfaite par le plan d'action proposé par la France pour diminuer le taux élevé de nitrates dans l'eau de neuf rivières bretonnes. Elle a saisi la Cour de Justice de ce manquement, en lui demandant d'assortir sa condamnation d'une lourde astreinte journalière.

Droit de la « troisième génération » qui s'inscrit dans le prolongement direct du droit à la protection de la santé issu d'une génération précédente, le droit à un environnement sain dispose donc d'un certain nombre d'atouts pour devenir pleinement effectif.

§2. LE DROIT AU LOGEMENT

Au plan constitutionnel, le droit au logement s'analyse comme un droit à la solidarité. Le Conseil constitutionnel a en effet visé les alinéas 10 et 11 du Préambule de 1946 pour estimer que « la possibilité pour toute personne de disposer d'un logement décent est un objectif à valeur constitutionnelle » (94-359 DC du 19 janvier 1995, *Diversité de l'habitat*). Il s'est également référé, pour dégager cette solution, au principe constitutionnel de sauvegarde de la dignité de la personne humaine contre toute forme de dégradation. Mais cette mention, réaffirmée en 1998 (98-403 DC du 29 juillet 1998, *Lutte contre les exclusions*), était sans doute surabondante : le Conseil semble y avoir renoncé, au profit d'une référence aux seuls alinéas 10 et 11 du préambule (2004-503 DC du 12 août 2004, *Loi relative aux libertés et responsabilités locales*).

Cet objectif de valeur constitutionnelle fait peser des obligations sur les pouvoirs publics.

A. L'AFFIRMATION CONSTITUTIONNELLE D'UNE OBLIGATION DE MOYENS

Objectif de valeur constitutionnelle, la possibilité pour toute personne de disposer d'un logement décent est renforcée, au niveau conventionnel, par la Charte sociale révisée de 1996, dont l'article 31 consacre le droit au logement, mais aussi par la Charte européenne des droits fondamentaux qui vise, dans sa rubrique « solidarité », le « droit à une aide sociale et une aide au logement destinées à assurer une existence digne à tous ceux qui ne disposent pas de ressources suffisantes » (art. 34-3).

Le caractère justiciable d'un droit subjectif qui serait tiré de cet « objectif de valeur constitutionnelle » est toutefois plus que douteux. Si le juge judiciaire a parfois semblé lui reconnaître ce caractère, le juge administratif s'est très explicitement prononcé en sens contraire : nul ne peut se fonder sur la Constitution pour revendiquer le droit de disposer d'un logement (CE 22 mai 2002, *M. et Mme Fofana*).

La consécration d'un *objectif* de valeur de constitutionnelle a pour effet d'imposer au législateur l'obligation de développer une politique en faveur du logement. La loi Besson du 31 mai 1990, par exemple, institue un « fonds de solidarité » pour le logement, alimenté par l'État et par les collectivités locales (sa gestion est confiée aux départements depuis 2004). Ce fonds permet d'apporter des aides financières aux personnes en difficulté.

Elle l'oblige également à « définir les obligations respectives de l'État et des collectivités territoriales en ce qui concerne les actions à mener pour promouvoir le logement des personnes défavorisées » (CC, 90-274 DC du 29 mai 1990, *Loi visant à la mise en œuvre du droit au logement*).

Elle lui permet, surtout, de restreindre – dans une certaine mesure – l'exercice du droit de propriété. Pour inciter les propriétaires de logements vacants à les proposer à la location, la loi du 29 juillet 1998 relative à la lutte contre les exclusions a ainsi instauré une « taxe d'inhabitation », et créé une procédure de réquisition avec attributaire. Le Conseil constitutionnel s'est toutefois opposé à ce qu'elle facilite la procédure de vente aux enchères du domicile d'un débiteur défaillant (98-403 DC du 29 juillet 1998, *Lutte contre les exclusions*).

B. LA CONSÉCRATION LÉGISLATIVE D'UNE OBLIGATION DE RÉSULTAT

a) *Les obligations de l'État*

La loi DALO du 5 mars 2007 instaure, comme l'indique cet acronyme, un « droit au logement opposable ». Elle érige le droit au logement en obligation de résultat, dont l'État est le débiteur principal. Le droit au logement est qualifié d' « opposable » pour signifier que des voies de recours sont désormais ouvertes aux titulaires de ce droit.

Les personnes concernées par la loi DALO doivent résider sur le territoire français de façon régulière et ne pas être en mesure d'accéder au logement par leurs propres moyens. Cette définition vise notamment les personnes menacées d'expulsion sans relogement, les personnes hébergées ou logées à titre temporaire, les sans-abri ou les familles logées dans des conditions indécentes. Elle englobe aujourd'hui trois millions de personnes environ.

Aux termes de la loi DALO, l'État n'a plus simplement l'obligation d'apporter une aide financière aux mal-logés ou aux sans-logis. Il doit leur proposer un logement décent ou, à défaut, un hébergement d'urgence.

La mise en œuvre de ce droit repose en premier lieu sur la commission départementale de médiation, instituée par la loi du 29 juillet 1998 relative à la lutte contre les exclusions. Ces commissions ont désormais le pouvoir de déclarer « prioritaires » certains dossiers qui leur sont soumis par les intéressés. Cette décision (qui peut faire l'objet d'un recours pour excès de pouvoir) lie le Préfet, qui doit attribuer un logement aux personnes jugées prioritaires. Il mobilise à cette fin son droit de réservation dans le parc social, dit « contingent préfectoral » (30 % des logements sociaux). Il peut aussi solliciter le parc privé conventionné.

C'est une réelle obligation de résultat qui pèse sur le représentant de l'État (ou sur la collectivité territoriale qui aura accepté d'être son « délégataire » pour l'application de la loi DALO). S'il échoue, le juge administratif, saisi dans le cadre d'une procédure *ad hoc*, pourra ordonner qu'un logement soit attribué au demandeur, par la voie d'une injonction assortie le cas échéant d'une astreinte.

On voit que l'effectivité de la loi DALO – dont l'entrée en vigueur doit s'opérer de manière progressive – dépendra très largement de l'interprétation que l'administration et le juge seront disposés à en faire.

b) *Les obligations des collectivités territoriales*

Elles sont relatives au logement social, mais aussi à l'accueil des « gens du voyage ».

S'agissant du logement social, l'obligation de résultat est matérialisée par le recours à la technique du quota.

De la loi du 13 juillet 1991 d'orientation pour la ville à la loi DALO du 5 mars 2007, plusieurs lois sont intervenues pour renforcer la portée de cette obligation. Le principe est que les communes de plus de 3 500 habitants (1 500 en Ile-de-France) ou les communes membres de structures de coopération intercommunale de plus de 50 000 habitants doivent disposer de 20 % de logements sociaux parmi leurs résidences principales. Les communes qui ne respectent pas cette obligation sont soumises à un prélèvement dont le montant est indexé sur leur potentiel fiscal par habitant. Le préfet peut engager, certaines conditions étant remplies, une procédure de constat de carence. Dans les faits, cette obligation est fort mal respectée.

En matière de logement des gens du voyage, la loi du 31 mai 1990 visant à la mise en œuvre du droit au logement a imposé aux départements de prévoir des conditions d'accueil spécifiques pour les personnes « dont l'habitat traditionnel est constitué de résidences mobiles ». Elle imposait l'établissement de schémas départementaux programmant la création d'aires d'accueil pour les nomades. Toutes les communes de plus de 5 000 habitants devaient être incluses dans ces schémas.

Dix ans plus tard, la loi était restée lettre morte dans les trois quarts des communes concernées. Est alors intervenue une seconde loi Besson, la loi du 5 juillet 2000 relative à l'accueil et à l'habitat des gens du voyage. Elle a fixé un délai de dix-huit mois pour l'élaboration des schémas départementaux, puis de deux ans pour l'aménagement des aires d'accueil par les communes. Cette obligation n'est pas platonique : une commune qui ne la respecte pas s'expose à voir sa responsabilité mise en cause devant le tribunal administratif (CAA Nancy 4 déc. 2003, *Commune de Verdun*).

Pour inciter les communes à remplir leurs obligations, l'État subventionne les travaux nécessaires à la réalisation ou à la réhabilitation des aires d'accueil inscrites au schéma départemental. Il peut prendre en charge les investissements nécessaires, à concurrence de 70 %, dans la limite d'un plafond fixé par le décret. Il contribue également aux frais de gestion des aires de stationnement. L'État peut aussi, par l'intermédiaire du préfet, se substituer aux communes qui ne respecteraient pas leurs obligations et faire réaliser, à leurs frais, les aires d'accueil prévues par le schéma départemental.

En contrepartie de cette obligation d'accueil, la loi du 5 juillet 2000 permet aux communes ayant créé les aires d'accueil d'interdire le stationnement des gens du voyage sur le reste de leur territoire.

La loi du 18 mars 2003 pour la sécurité intérieure (dite « LSI ») a renforcé le pouvoir de police des maires en matière de stationnement des gens du voyage. Elle a également créé un délit d'occupation illicite du terrain d'autrui, passible de six mois d'emprisonnement et de 3 750 euros d'amende. À ces peines principales peuvent s'ajouter la saisie des véhicules automobiles (à l'exception des véhicules destinés à l'habitation), ou la suspension du permis de conduire pour une durée maximale de trois ans. Ces sanctions ne peuvent toutefois être prises que dans les communes qui se sont conformées aux obligations qui leur incombent en vertu de la loi du 5 juillet 2000. Le dispositif vise ainsi, en partie, à accélérer la mise en place des aires de stationnement.

§3. LE DROIT À L'ÉDUCATION

Le Préambule de 1946 énonce que « la Nation garantit l'égal accès de l'enfant et de l'adulte, à l'instruction, à la formation professionnelle et à la culture » (al. 13). Il ajoute que « l'organisation de l'enseignement public gratuit et laïque à tous les degrés est un devoir de l'État ».

A. L'ENSEIGNEMENT PUBLIC

L'instruction primaire a été rendue obligatoire par la loi du 28 mars 1882 pour les enfants des deux sexes, français ou étrangers. Cette obligation était imposée jusqu'à 13 ans pendant la majeure partie de la IIIᵉ République. Une loi du 9 août 1936 l'a portée à 14 ans. Depuis la rentrée de 1971 (mais en vertu d'une ordonnance du 6 janvier 1959 !), tous les enfants de moins de 16 ans doivent être scolarisés. Les maires ont l'obligation d'inscrire à l'école tous les enfants qui résident dans la commune et qui en font la demande.

Les maires ne peuvent en aucun cas exiger la production de documents attestant de la régularité du séjour des familles étrangères (CE 24 janvier 1996, *Lusilavana*).

Étant obligatoire, l'école primaire est évidemment gratuite (loi du 16 juin 1881). Entre 1928 et 1933, différents textes ont étendu cette gratuité à l'enseignement secondaire. Pour l'accès à l'Université, des droits d'inscription peuvent en revanche être exigés. Leur montant (modeste) est fixé nationalement par la voie d'un arrêté ministériel. La loi du 26 janvier 1984 garantit à tous les bacheliers la possibilité d'accéder à l'enseignement supérieur.

L'enseignement public est laïc. Ce principe s'applique aussi bien aux programmes d'enseignement qu'aux différentes catégories de personnels de l'Éducation nationale, qui doivent s'abstenir d'exprimer leurs éventuelles convictions religieuses.

B. LE FINANCEMENT PUBLIC DE L'ENSEIGNEMENT PRIVÉ

La liberté d'enseignement, c'est-à-dire le droit pour quiconque d'ouvrir une école, n'est plus remise en cause. Elle n'est pas inscrite dans le Préambule de la Constitution de 1946, mais le Conseil constitutionnel, s'appuyant sur une disposition de la loi de finances du 31 mars 1931, a vu en elle un « principe fondamental reconnu par les lois de la République » (77-87 DC du 23 novembre 1977, *Liberté d'enseignement et de conscience*).

La République (laïque) doit-elle, pour autant, apporter une aide financière à l'enseignement privé, essentiellement confessionnel ? Cette question s'est posée tout au long du XXᵉ siècle.

a) Les IIIᵉ et IVᵉ République

La loi du 30 septembre 1886 ne permettait pas d'accorder des subventions publiques à des écoles primaires privées. Elle n'admettait « que deux sortes d'établissements d'enseignement primaire : les écoles publiques, fondées et entretenues par l'État, les départements ou les communes et les écoles privées, fondées et entretenues par des particuliers ou des associations » (CE 20 février 1891, *Ville de Vitré* et *Ville de Nantes*). Il en allait différemment pour l'enseignement secondaire, régi, lui, par la loi Falloux du 15 mars 1850, ou pour l'enseignement technique, réglementé par la loi du 25 juillet 1919.

Le Gouvernement de Vichy adopta le principe inverse. Une « loi » du 6 janvier 1941 permit aux communes de contribuer à certaines dépenses des institutions privées ayant un but éducatif. Une « loi » du 2 novembre 1941 autorisa les départements, à subventionner les écoles primaires élémentaires privées. Un autre texte, du même jour, permit la création, dans les communes, de caisses des écoles privées.

Sous la IVᵉ République, des lois permettent d'accorder une aide aux élèves et aux familles. La loi Marie, du 21 septembre 1951, permet aux boursiers d'État d'être élèves des écoles privées. La loi Barangé, du 28 septembre 1951, attribue aux chefs de famille une allocation trimestrielle pour chaque enfant fréquentant l'école, publique ou privée.

b) La Vᵉ République

Un régime de subventions directes aux écoles privées est créé. Dès lors il n'y aura plus de remise en question de ce principe, malgré les conflits politiques.

Mais, sur le plan juridique, trois nouvelles questions vont se poser. L'enjeu essentiel sera constitué par les relations entre les maîtres et la direction des établissements d'enseignement privé. Les maîtres sont-ils astreints à des obligations particulières, concernant leur pratique professionnelle ou leur vie privée ? Ont-ils les droits des agents publics ? Font-ils partie de la fonction publique ?

Une deuxième question portera sur les obligations des communes. Si l'État subventionne l'enseignement privé, qu'en est-il des communes ?

Enfin, les modalités de financement des établissements d'enseignement privé doivent-elles obéir aux règles budgétaires publiques, comme celle du caractère préalable de l'autorisation budgétaire ?

Plusieurs lois marquent une extension des subventions, suivie d'une stabilisation.

1. L'extension

La loi Debré du 31 décembre 1959 permet la rémunération par l'État des maîtres des écoles privées ayant passé, avec l'État, un contrat « simple ». L'État règle aussi les dépenses de fonctionnement des écoles ayant passé un contrat « d'association à l'enseignement public ». Dans le cas de contrat simple, ce sont les communes qui peuvent participer aux dépenses de fonctionnement.

La grande majorité des écoles élémentaires catholiques préféra le contrat simple, qui leur laissait une autonomie entière, aussi bien pour l'organisation des enseignements que pour le recrutement des maîtres, tandis que, en application du contrat d'association « l'enseignement est dispensé selon les règles et programmes de l'enseignement public » et « il est confié, en accord avec la direction de l'établissement, soit à des maîtres de l'enseignement public, soit à des maîtres liés à l'État par contrat ».

Mais le législateur ne voyait dans les contrats simples qu'un régime transitoire, applicable pendant une période de neuf ans, à compter de sa promulgation, avec une prolongation de trois ans, au maximum.

La loi Pompidou du 1er juin 1971 prolonge ce régime, indéfiniment pour le premier degré, jusqu'à l'année scolaire 1979-1980 pour le second degré.

La loi Guermeur du 25 novembre 1977 permet de nouvelles subventions, ayant un autre objet : les dépenses d'investissement, pour la construction, l'aménagement et l'équipement à des fins de formation professionnelle.

D'autre part, pour les dépenses de fonctionnement, dans le cas de contrat d'association, la subvention d'État, sous forme d'un forfait par élève, est majorée par rapport à celle versée à l'enseignement public.

Les maîtres bénéficient de tous les droits des maîtres de l'enseignement public, quel que soit le contrat.

Cette augmentation des subventions s'accompagnait d'une augmentation de l'autonomie des établissements. En cas de contrat d'association, les maîtres étaient désormais nommés sur proposition de la direction de l'établissement et ils étaient tenus au respect du caractère propre de l'établissement. Le Conseil constitutionnel estima que leur liberté de conscience n'en devait pas moins être respectée (77-87 DC du 23 novembre 1977, préc.). Cette décision n'a pas empêché la Cour de cassation de considérer qu'un établissement catholique pouvait licencier une enseignante divorcée qui avait décidé de se remarier (Cass. Ass. 19 mai 1978, *Dame Roy c. Association pour l'éducation populaire de Sainte-Marthe*).

2. La stabilisation : la loi Chevènement du 25 janvier 1985

Le programme du candidat à la présidence de la République, F. Mitterrand, en 1981, prévoyait la création d'un grand service public unifié et laïque de l'Éducation nationale.

Par ailleurs, il fallait inscrire l'enseignement dans le cadre de la décentralisation scolaire, prévue par la loi du 22 juillet 1983, qui posait le principe du rattachement de chaque catégorie d'établissement à une collectivité territoriale et prévoyait l'élaboration de schémas prévisionnels de formation.

Un projet de loi, élaboré par le ministre de l'Éducation nationale, A. Savary, échoua, non pas à cause de ses dispositions financières, mais à cause du statut des personnels enseignants qu'il prévoyait. Le Comité national de l'enseignement catholique acceptait que, comme pour l'enseignement public, la carte scolaire lui fût opposable et que les crédits annuellement fixés fussent limitatifs et non évaluatifs. Mais le projet prévoyait une titularisation immédiate des professeurs certifiés et agrégés et une titularisation, dans un délai de six ans, des autres enseignants. Par ailleurs, l'État se substituait pendant six ans à une commune qui refusait de payer les forfaits d'externat pour un établissement ayant signé un contrat d'association. En application de la loi Guermeur du 25 novembre 1977, le Conseil d'État l'y obligeait (CE 12 février 1982, *Commune d'Aurillac*). Mais un amendement introduisit la titularisation des maîtres, comme condition du paiement des forfaits, après six ans.

Il provoqua une immense manifestation, organisée par le Comité national de l'enseignement catholique. Elle conduisit au retrait du projet de loi.

La loi Chevènement du 25 janvier 1985 retient le principe des crédits limitatifs. Elle maintient le contrat simple. Elle subordonnait à l'accord des communes intéressées la conclusion de contrats d'association avec les écoles primaires privées. Mais cette disposition était jugée inconstitutionnelle par le Conseil constitutionnel, au motif non pas qu'elle portait atteinte à la liberté d'enseignement, mais en ceci qu'elle risquait de conduire à ce que les conditions essentielles d'exercice d'une liberté publique ne soient pas identiques sur l'ensemble du territoire (85-185 du 18 janvier 1985, *Loi Chevènement*).

Quant au statut des enseignants, les dispositions de la loi Debré sont reprises. Ils sont nommés en accord avec la direction de l'établissement. Le Conseil constitutionnel a estimé que l'obligation de respecter le caractère propre de l'établissement était maintenue, au motif qu'elle découlait de la loi du 31 décembre 1959, article 1er, et qu'elle ne pouvait être abrogée par une loi, parce que ce serait une atteinte à l'exercice d'une liberté ayant valeur constitutionnelle, la liberté d'enseignement.

3. Nouvelles extensions

Un décret du 18 mars 1993 entérina un accord passé le 11 janvier 1993 entre le ministre de l'Éducation nationale, le Conseil national de l'enseignement catholique, la plupart des syndicats enseignants et les chefs d'établissements privés sous contrat. L'État se charge d'organiser le recrutement des professeurs des collèges et lycées privés et leur formation au sein des Instituts universitaires de formation des maîtres.

Une tentative visant à permettre aux collectivités territoriales d'augmenter leur participation aux dépenses d'équipement des établissements d'enseignement secondaire avorta. Selon le Conseil d'État, l'aide apportée par les collectivités territoriales à ces établissements est toujours régie par l'article 69 de la loi Falloux du 15 mars 1850 et donc limitée à dix pour cent des dépenses annuelles (CE Ass. 6 avril 1990, *Ville de Paris et École alsacienne*). Il s'agit de dix pour cent des catégories de dépenses autres que celles couvertes par des fonds publics au titre du contrat d'association, donc des dépenses d'équipement.

Sur proposition de M. Bourg-Broc, le législateur voulut permettre aux collectivités territoriales d'attribuer des subventions d'investissement aux établissements d'enseignement privé sous contrat de leur choix, selon des modalités qu'elles fixeraient librement, quel que soit le niveau d'enseignement scolaire concerné. La seule limite devait être globalement la parité par rapport aux investissements réalisés dans l'enseignement public, compte tenu du nombre d'élèves.

Le Conseil constitutionnel déclara cette disposition inconstitutionnelle, car contraire au principe d'égalité entre les établissements d'enseignement privé sous contrat et permettant à de tels établissements de « se trouver placés dans une situation plus favorable que celle des établissements d'enseignement public, compte tenu des charges et des obligations de ces derniers » (93-329 DC du 13 janvier 1994, *Révision de la loi Falloux*).

Le Conseil d'État a toutefois admis que les classes d'enseignement technique d'un établissement privé d'enseignement général du second degré pouvaient recevoir des subventions collectives territoriales, en application de la loi du 25 juillet 1919, sans être concernées par la limitation posée par la loi Falloux (CE 18 novembre 1998, *Région Île-de-France*).

Section 3 Les droits de l'enfant

L'idée de droits de l'enfant est récente. La Révolution avait réduit la puissance paternelle, encadrée par les tribunaux de famille. Mais le Code civil restaure la puissance paternelle. Le mineur est incapable.

Au cours du XIXe siècle, on a vu apparaître le souci de protéger l'enfant dans le travail. Au XXe siècle ce souci s'étend à d'autres domaines. La première Déclaration internationale des droits de l'enfant, adoptée par l'Assemblée de la SDN, le 26 septembre 1924, affirma que l'enfant devait être « protégé », c'est-à-dire aidé, nourri, soigné.

La Convention internationale sur les droits de l'enfant, adoptée par les Nations Unies le 20 novembre 1989, fait de l'enfant un sujet de droits. La France a ratifié cette Convention par une loi du 2 juillet 1990.

Par des lois du 26 février 2002, le Parlement a autorisé la ratification d'un protocole relevant de 15 à 18 ans l'âge minimum pour l'enrôlement obligatoire d'enfants dans les conflits armés et d'un autre protocole concernant la vente et la prostitution d'enfants.

Les frontières de l'enfance sont variables. La majorité civile, pénale et politique est aujourd'hui atteinte à 18 ans. Mais l'âge de la responsabilité civile et de la responsabilité pénale est fixée à des seuils différents, qui peuvent être de 10, 13 ou 16 ans, selon les domaines.

L'application de la Convention internationale sur les droits de l'enfant a rendu nécessaires des adaptations de la législation française, comme la suppression des discriminations entre enfant légitime et enfant naturel, la reconnaissance de la liberté d'association au profit des enfants, l'évolution de la notion d'autorité parentale vers celle de responsabilité, la représentation des enfants en justice.

La Convention européenne des droits de l'homme a également imposé des modifications législatives. La France a été condamnée pour discrimination entre enfants légitimes et adultérins quant à leurs droits successoraux (1ᵉʳ février 2000, *Mazurek*). La loi du 3 décembre 2001, relative aux droits du conjoint survivant et des enfants adultérins, a supprimé cette discrimination.

La loi du 6 mars 2000 a institué un Défenseur des enfants, qui peut recevoir des réclamations formées par des enfants mineurs, leurs représentants légaux ou des associations de défense des droits des enfants, qui estiment qu'une personne publique ou privée n'a pas respecté les droits de l'enfant.

§1. LA PROTECTION DE L'ENFANT

La Convention internationale du travail concernant l'âge minimum d'admission à l'emploi, adoptée en 1973, n'est entrée en vigueur en France que le 16 octobre 1991. Cet âge est fixé en France à 16 ans.

A. FAMILLE ET SOCIÉTÉ

Les père et mère de l'enfant doivent le protéger dans sa sécurité, sa santé et sa moralité (art. 371-2 C. civ.). Ils sont détenteurs de l'autorité parentale. La loi du 4 mars 2002, relative à l'autorité parentale, définit celle-ci comme un ensemble de droits et de devoirs ayant pour finalité l'intérêt de l'enfant (article 371-1 du Code civil). Elle pose, en principe, que « les parents associent l'enfant aux décisions qui le concernent, selon son âge et son degré de maturité ».

En cas de défaillance par les père et mère, l'ordonnance du 23 décembre 1958 donne au juge des enfants la possibilité de prendre des mesures d'assistance éducative. On a pu parler de conception paternaliste du rôle du juge des enfants en France.

La loi n° 89-487 du 10 juillet 1989 organise la prévention des mauvais traitements à l'égard des mineurs et la protection des mineurs maltraités.

Le nouveau Code pénal du 22 juillet 1992 contient un chapitre consacré aux atteintes aux mineurs et à la famille, qui regroupe les infractions de délaissement de mineur, d'abandon de famille, d'atteinte à la filiation et de mise en péril des mineurs.

En cas de placement, la loi du 30 décembre 1996 pose le principe selon lequel l'enfant ne doit pas être séparé de ses frères et sœurs.

La loi du 17 juin 1998 est « relative à la prévention et la répression des infractions sexuelles ainsi qu'à la protection des mineurs ». Elle met plus l'accent sur la prévention et la répression des infractions sexuelles que sur la protection des mineurs à l'égard de la procédure judiciaire, qui peut être une nouvelle épreuve. Une disposition du projet de loi prévoyant de ne procéder aux auditions et confrontations des mineurs victimes que lorsque ces actes étaient strictement nécessaires à la manifestation de la vérité n'a pas été adoptée. Mais l'audition du mineur fait l'objet d'un enregistrement audiovisuel qui peut être visionné et écouté au cours de la procédure. Le mineur, ou son représentant légal, peut demander que les auditions ou confrontations soient réalisées en présence d'un psychologue ou d'un médecin ou d'un membre de sa famille ou d'un administrateur *ad hoc* désigné par le Procureur de la République ou le juge d'instruction.

La loi instaure un suivi socio-judiciaire du délinquant, destiné à prévenir la récidive.

Elle crée une incrimination spécifique de bizutage.

La loi du 4 mars 2002 crée une incrimination spécifique de recours à la prostitution d'un mineur.

B. UN RÉGIME PÉNAL ET PÉNITENTIAIRE PARTICULIER

La loi du 5 août 1850 avait créé des « colonies pénitentiaires », dans lesquelles les jeunes délinquants étaient soumis à une « discipline sévère » et « appliquée aux travaux de l'agriculture ». Il s'agissait déjà d'une tentative pour « faire échapper les jeunes à la promiscuité et à la corruption des prisons » (7). Mais « le résultat corrupteur de l'internement dans ces colonies ne se révéla pas moindre que celui des prisons ».

Depuis le début du XXe siècle, les enfants sont soumis à un régime pénal particulier, inspiré par le souci de les protéger et d'éviter la récidive. La loi du 22 juillet 1912 avait établi pour les mineurs de moins de treize ans une présomption absolue d'irresponsabilité pénale. Cette présomption a été étendue à tous les mineurs de 18 ans par l'ordonnance du 2 février 1945. Elle n'est pas absolue pour les mineurs de 13 à 18 ans. Pour la détermination de la peine, ceux-ci bénéficient de l'excuse atténuante de minorité. La loi du 10 août 2007 permet d'écarter, en cas de récidive, le principe de l'atténuation de la peine pour les mineurs de plus de 16 ans.

L'ordonnance du 2 février 1945 repose sur trois principes fondamentaux ; la primauté de l'éducation sur la répression, la spécialisation des juridictions pour enfants et l'atténuation de la responsabilité des mineurs.

---

(7) G. Stefani, G. Levasseur, B. Bouloc, *Droit pénal général*, Dalloz, 2005, 19e éd., n° 450.

L'esprit de cette ordonnance a été partiellement « constitutionnalisé » par le Conseil constitutionnel, qui a reconnu la qualité de principe fondamental reconnu par les lois de la République à l'atténuation de la responsabilité pénale des mineurs en fonction de l'âge », ainsi qu'à « la nécessité de rechercher le relèvement éducatif et moral des enfants délinquants par des mesures adaptées à leur âge et à leur personnalité, prononcées par une juridiction spécialisée ou selon des procédures appropriées » (2002-461 DC 29 août 2002, *Loi d'orientation et de programmation pour la justice*).

Le droit pénal des mineurs n'en est pas moins marqué par un mouvement de durcissement progressif.

a) La garde à vue

Les mineurs de moins de 10 ans ne peuvent être ni retenus, ni gardés à vue.

Pour les mineurs de 10 à 13 ans, la loi du 4 janvier 1993 a également formulé le principe de l'interdiction de toute garde à vue. Le législateur ayant voulu rétablir cette possibilité, le Conseil constitutionnel l'a considérée comme inconstitutionnelle (93-326 DC du 11 août 1993, *Garde à vue*).

Pour cette tranche d'âge, le régime aménagé par la loi du 1er février 1994 était celui de la « retenue judiciaire ». D'une durée de dix heures, elle pouvait être prolongée une fois et concernait un enfant « contre lequel il existe des indices graves et concordants laissant présumer qu'il a commis ou tenté de commettre un crime ou un délit puni d'au moins sept ans d'emprisonnement ».

La loi du 9 septembre 2002 d'orientation et de programmation pour la justice, a élargi la possibilité de placer en « retenue judiciaire » un mineur de 10 à 13 ans, puisqu'il faut désormais que des indices « graves *ou* concordants » laissent présumer qu'il a commis ou tenté de commettre une infraction passible de 5 ans d'emprisonnement (au lieu de 7). Sa durée maximale est passée à 12 heures, renouvelables une fois.

Pour les mineurs de 13 à 16 ans et de 16 à 18 ans, la durée maximum de garde à vue et plus longue (4 heures renouvelables une fois). Son régime est entouré de garanties moindres. La visite médicale, par exemple, est obligatoire pour les moins de 16 ans, mais les plus de 16 doivent la demander. Quant à la présence de l'avocat, elle n'est obligatoire dès la première heure que pour les moins de 13 ans.

Pour tous les mineurs placés en garde à vue, l'enregistrement audiovisuel de l'interrogatoire est obligatoire.

b) La détention provisoire

La loi du 30 décembre 1987 supprime la détention provisoire pour les mineurs de moins de treize ans et, en matière correctionnelle, de moins de seize ans. En matière criminelle la loi n° 89-461 du 6 juillet 1989 la limite à six mois, renouvelables une fois. La même loi limite à un mois la détention provisoire des mineurs de plus de seize ans, quand la peine encourue n'est pas supérieure à sept ans d'emprisonnement.

Depuis la loi du 9 septembre 2002, le placement en détention provisoire des mineurs âgés de 13 à 16 ans, qui n'était possible qu'en matière criminelle, est désormais ouvert en matière correctionnelle, lorsque le mineur n'a pas respecté les conditions de son placement en centre éducatif fermé. Mesure phare de la loi du 9 septembre 2002, ces centres éducatifs fermés sont destinés à accueillir des mineurs placés sous contrôle judiciaire, ou condamnés à un sursis avec mise à l'épreuve. La famille du jeune placé en centre éducatif fermé voit suspendue la part d'allocations familiales correspondante à l'enfant délinquant, sauf si le juge des enfants en décide autrement. Le non-respect des conditions de vie dans le centre peut conduire le jeune à la mise en détention provisoire.

La loi de 2002 crée également de nouvelles peines, les « sanctions éducatives ». Les juridictions pour enfants peuvent désormais condamner un mineur de 10 à 13 ans à la confiscation d'un objet ayant servi à commettre l'infraction, à une interdiction de paraître dans certains lieux, ou encore à l'obligation de suivre un stage de formation civique d'une durée maximale d'un an.

Les mineurs incarcérés étaient moins de 1 500 en 1995. En 2004, leur nombre tendait à se rapprocher de 9 000. L'emprisonnement d'un mineur, comme l'a rappelé la Commission nationale consultative des droits de l'homme dans un avis du 8 juillet 2002, doit pourtant être, selon l'article 97 de la Convention internationale des droits de l'enfant, « une mesure de dernier ressort et d'une durée aussi brève que possible »

C. PROTECTION À L'ÉGARD DES MÉDIAS

L'article 14 de la loi du 16 juillet 1949 permet au ministre de l'Intérieur d'interdire de proposer, donner ou vendre à des mineurs de dix-huit ans les publications de toute nature présentant un danger pour la jeunesse, en raison de leur caractère licencieux ou pornographique et de la place faite au crime. La loi permet aussi d'interdire d'exposer ces publications sur la voie publique ou à l'intérieur des magasins ou des kiosques et d'en faire la publicité.

L'article 4 de l'ordonnance n° 58-1298 du 23 décembre 1958 aggrave ce régime, en prévoyant le dépôt préalable de toute publication d'un éditeur, dont trois publications ont été interdites, au cours d'une période de douze mois.

Ce texte a été modifié par la loi n° 67-17 du 4 janvier 1967, qui distingue trois interdictions : celle de proposer, donner ou vendre, celle d'exposer, celle de faire de la publicité. Elle ajoute, comme motif d'interdiction, la « place faite à la violence ».

La loi du 17 juin 1998 étend cette possibilité d'interdiction aux vidéocassettes, vidéodisques et jeux électroniques.

S'agissant des œuvres cinématographiques, le ministre de la Culture peut, en application d'un décret du 23 février 1990 modifié par le décret du 12 juillet 2001, interdire la présentation d'un film aux mineurs de moins de 12 ans, 16 ans ou 18 ans. Cette décision est susceptible de recours pour excès de pouvoir. Le Conseil d'État a ainsi censuré une décision d'interdiction d'un film aux mineurs de moins de 16 ans, estimant qu'il aurait dû être interdit aux moins de 18 ans (CE 4 fév. 2004, *Association Promouvoir*).

En matière audiovisuelle, la loi du 30 septembre 1986 modifiée confie au Conseil supérieur de l'audiovisuel la mission de veiller à la protection de l'enfance et de l'adolescence. Le CSA doit protéger le jeune public contre les programmes qui risquent de le heurter, en raison notamment de scènes violentes ou pornographiques.

Il procède par voie de recommandations, qui s'imposent aux éditeurs de programmes. Le dispositif actuellement en vigueur, issu de la recommandation du 8 juillet 2005, impose aux chaînes de définir plusieurs catégories de programmes (déconseillés aux moins de 10, 12, 16 ou 18 ans). Une signalétique adaptée doit être visible à l'écran.

En cas de non-respect de leurs obligations, les chaînes s'exposent à une sanction du CSA (CE Ass. 11 mars 1994, *SA La Cinq*).

L'accès à Internet est également de nature à mettre des mineurs en contact avec des « contenus » violents ou pornographiques. La loi du 30 septembre 1986 modifiée oblige les fournisseurs d'accès à « informer leurs abonnés de l'existence de moyens techniques permettant de restreindre l'accès à certains services ou de les sélectionner ». Par ailleurs l'article 227-24 du Code pénal interdit de fabriquer, de transporter, de diffuser un message à caractère violent ou pornographique, lorsque ce message est susceptible d'être vu ou perçu par un mineur. La Cour d'appel de Paris, dans un arrêt du 2 avril 2002, a ainsi condamné l'éditeur d'un site pornographique en soulignant « qu'il appartient à celui qui décide à des fins commerciales de diffuser des images pornographiques sur le réseau internet dont les particulières facilités d'accès sont connues, de prendre les précautions qui s'imposent pour rendre impossible l'accès des mineurs à ces messages ».

En pratique, ces dispositions sont très difficiles à faire respecter.

D. PROTECTION CONTRE LES SECTES

Un décret du 7 octobre 1998 a créé une mission interministérielle de lutte contre les sectes. Elle a succédé à l'observatoire interministériel sur les sectes, qui avait été créé par un décret du 9 mai 1996.

Une loi du 18 décembre 1998 tend à renforcer le contrôle de l'obligation scolaire. La loi du 28 mars 1882, qui a institué cette obligation, a permis qu'elle soit assurée dans la famille. La loi de 1998 exige, dans ce cas, une déclaration annuelle et à la suite de tout changement de résidence ou de « choix d'instruction ». Une enquête de la mairie est effectuée, portant sur l'état de santé et les conditions de vie de famille. L'inspecteur d'académie doit faire vérifier que l'enseignement assuré est conforme au droit de l'enfant à l'instruction. Il peut prescrire, chaque année, un contrôle des classes hors contrat.

La loi complète les articles du Code pénal punissant la mise en péril des mineurs, en faisant un délit, pour les parents, de ne pas inscrire leur enfant dans un établissement d'enseignement, après mise en demeure, sans excuse valable et, pour le directeur d'un établissement privé accueillant des classes hors contrat, de n'avoir pas pris des dispositions pour que l'enseignement soit conforme à l'objet de l'instruction obligatoire.

La loi du 12 juin 2001 punit les messages destinés à la jeunesse et faisant la promotion de personnes morales condamnées pour atteinte à la vie ou l'intégrité physique ou psychique de la personne et autres infractions susceptibles d'être commises par des sectes. Elle crée un nouveau délit d'abus frauduleux de l'état d'ignorance ou de la situation de faiblesse d'un mineur, comme d'une personne particulièrement vulnérable ou en état de sujétion psychologique ou physique, pour conduire ce mineur ou cette personne à un acte ou à une abstention qui lui sont gravement préjudiciables (article 223-15-2 du Code pénal).

§ 2. L'ENFANT, SUJET DE DROIT

La Convention internationale relative aux droits de l'enfant reconnaît à l'enfant des droits.

Il bénéficie de droits civils et sociaux, droits civils, comme la liberté d'expression, la liberté de pensée, de conscience et de religion, la liberté d'association, droits sociaux, comme le droit de bénéficier de services médicaux, le droit à un niveau de vie suffisant, le droit à l'éducation.

Il a « dans la mesure du possible », le droit de connaître ses parents (art. 7).

La loi du 8 janvier 1993 facilite le droit de l'enfant à voir établie sa filiation, en supprimant les fins de non-recevoir opposables à la recherche de paternité naturelle.

La loi du 22 janvier 2002, relative à l'accès aux origines des personnes adoptées et pupilles de l'État, maintient le droit, pour la mère, de garder l'anonymat, tout en l'informant de la « possibilité qu'elle a de lever à tout moment le secret de son identité », après avoir été « invitée à la laisser », sous pli fermé. Un Conseil national pour l'accès aux origines personnelles reçoit les demandes d'accès à la connaissance des origines, formulées par les enfants.

La loi n° 74-631 du 5 juillet 1974 abaissa la majorité de 21 à 18 ans, aussi bien sur le plan civil que politique. La loi du 10 novembre 1997 prévoit l'inscription d'office des personnes âgées de dix-huit ans sur les listes électorales.

Après les manifestations lycéennes de la fin de l'année 1990, un décret du 18 février 1991 reconnaît, tout en les encadrant, les libertés d'association, de réunion, d'expression des lycéens. Il reconnaît la liberté de réunion dans les lycées et collèges, mais donne au chef d'établissement le pouvoir d'autoriser la tenue de la réunion. Il subordonne l'exercice de la liberté d'association dans les lycées à une autorisation du conseil d'administration et en exclut les activités de caractère politique ou religieux. La libre diffusion de leurs publications est également réservée aux lycéens. Elle peut être suspendue ou interdite par le chef d'établissement.

L'article 12 de la Convention sur les droits de l'enfant demande que « les États garantissent à l'enfant qui est capable de discernement le droit d'exprimer librement son opinion sur toute question l'intéressant ». À cette fin il doit pouvoir « être entendu dans toute procédure judiciaire ou administrative le concernant ». La loi du 8 janvier 1993 prévoit l'audition de l'enfant en justice dans toutes les procédures qui le concernent et la défense de ses intérêts lorsqu'ils apparaissent en opposition avec ceux de ses représentants légaux.

Une Convention européenne sur l'exercice des droits des enfants a été ouverte à la signature le 25 janvier 1996. La France l'a signée le 4 juin 1996. Elle ne fait pas de l'enfant une partie au procès, mais lui permet d'avoir un représentant dans les procédures l'intéressant devant une autorité judiciaire.

CHAPITRE 3
LA LIBERTÉ INDIVIDUELLE

L'article 66 de la Constitution protège expressément la liberté individuelle, en proclamant que « nul ne peut être détenu arbitrairement », et en ajoutant que « l'autorité judiciaire, gardienne de la liberté individuelle, assure le respect de ce principe dans les conditions prévues par la loi ».

Mais la notion de liberté individuelle, contrairement à ce que pourrait laisser penser une lecture rapide de cette disposition de la Constitution, dépasse la seule protection contre les détentions arbitraires : son contenu n'est pas épuisé par la référence au principe de sûreté. C'est d'ailleurs peut-être pour souligner l'étendue de son champ d'application, que le Conseil constitutionnel a décidé de la qualifier de « principe fondamental reconnu par les lois de la République » (76-75 DC du 12 janvier 1977, *Fouille des véhicules*).

Au fil de ses décisions, le juge constitutionnel a entrepris de protéger la liberté individuelle « sous tous ses aspects » (83-164 DC du 29 décembre 1983, *Perquisitions fiscales*). Les analystes de sa jurisprudence (1) considèrent que la liberté individuelle protégée par l'article 66 de la Constitution inclut, de façon plus ou moins exclusive et plus ou moins exhaustive, le droit à la sûreté, la liberté d'aller et venir, le respect de la vie privée, l'inviolabilité du domicile et le secret des correspondances, la liberté du mariage ou encore, selon certains auteurs, la protection de l'intégrité physique.

Nous présenterons ici les droits et libertés dont l'exercice pose des problèmes particulièrement aigus de conciliation avec les nécessités du maintien de l'ordre : droit au respect de la vie privée (section 1), liberté d'aller et venir des étrangers (section 2), droit à la sûreté (section 3).

---

(1) V. par exemple L. Favoreu et L. Philip, *Les grandes décisions du Conseil constitutionnel*, Dalloz, 14ᵉ éd., 2007, nº 24, ou Th. Renoux et M. de Villiers, *Code constitutionnel*, Litec, 3ᵉ éd., 2005, nº 1176.

Section 1 Le droit au respect de la vie privée

Ce droit bénéficie aujourd'hui d'une protection de rang législatif, constitutionnel et conventionnel.

C'est avec la loi du 17 juillet 1970 que la notion de vie privée a fait son entrée dans notre droit. Cette loi a introduit dans le Code civil un article 9 qui pose que « chacun a droit au respect de sa vie privée ».

Le rang supralégislatif du droit au respect de la vie privée est également assuré, dans l'ordre interne, par la jurisprudence du Conseil constitutionnel. Après l'avoir analysé comme une composante de la liberté individuelle (94-352 DC du 18 janv. 1995, *Vidéosurveillance*), le Conseil l'a fait découler de l'article 2 de la Déclaration de 1789 (99-416 DC du 23 juill. 1999, *CMU*). Il évoque aujourd'hui, sans plus de précision, « l'exigence constitutionnelle de respect de la vie privée » (2004-499 DC du 29 juill. 2004, *Données à caractère personnel)*.

Enfin, la Convention européenne des droits de l'homme, en son article 8, garantit à chacun « le droit au respect de sa vie privée et familiale, de son domicile et de sa correspondance ». La Cour de Strasbourg a développé une interprétation extensive du droit au respect de la vie privée, qui inclut selon elle le droit au secret de la vie privée (le droit de « vivre à l'abri des regards étrangers »), mais aussi le droit à la liberté de la vie sexuelle.

Nombreuses sont les menaces qui pèsent sur le droit au respect de la vie privée. La presse est un de ses ennemis traditionnels (§ 1). Mais les progrès technologiques permettent de mettre à mal un de ses aspects les mieux reconnus : le secret des correspondances (§ 2). Avec le développement de la vidéosurveillance (§ 3) et les possibilités accrues de fichage des individus (§ 4), des menaces plus globales se profilent.

§ 1. PRESSE ET VIE PRIVÉE

La jurisprudence a précédé la loi sur le plan de la protection judiciaire de la vie privée. Dès 1966, la Cour d'appel de Paris admit que « le juge des référés a le pouvoir de prescrire [une saisie de publication], dans les cas où, s'agissant de faits de la vie privée, l'intervention rapide de cette mesure est seule capable de prévenir le préjudice que causerait leur divulgation et auquel l'allocation ultérieure de dommages-intérêts n'apporterait qu'une compensation par équivalent, sans le faire disparaître » (2).

Cette saisie, en l'espèce, n'était pas justifiée par l'urgence. Elle le fut pour un article, avec photographies, du fils de Gérard Philippe à l'hôpital, « pour limiter le dommage, dans toute la mesure du possible, par la saisie », la reproduction de clichés et les renseignements sur l'état de santé du mineur constituant « une immixtion intolérable dans la vie privée de la famille philippe » (C. cass. 2ᵉ Ch. civ. 12 juillet 1966, *SARL France éditions et publications c. veuve Gérard philippe*).

La loi du 17 juillet 1970, après avoir inscrit dans le Code civil (art. 9) un nouveau principe, selon lequel « chacun a droit au respect de sa vie privée », permet aux juges de prescrire, éventuellement en référé, des mesures de séquestre ou de saisie « propres à empêcher ou faire cesser une atteinte à l'intimité de la vie privée ». Pour le juge, il est devenu usuel de viser, en même temps que l'article 9 du Code civil, les articles 8 et 10 de la CEDH.

« L'atteinte à l'intimité de la vie privée d'autrui » est caractérisée comme un délit, ce que reprend le Code pénal (art. 226-1 et 226-2). Cette atteinte est constituée par la captation, la conservation, la divulgation, l'utilisation de la parole ou de l'image d'une personne sans son consentement.

Il s'agit d'un délit essentiellement commis par voie de presse, mais qui n'est pas soumis au régime particulier organisé par la loi de 1881 pour les délits de presse, en particulier, la prescription courte, de trois mois, de l'action publique.

La loi du 4 janvier 1993, portant réforme de la procédure pénale, donne la possibilité au juge de faire cesser une atteinte à la présomption d'innocence par l'insertion d'un rectificatif ou la diffusion d'un communiqué et permet à une personne nommée ou désignée dans un journal ou écrit périodique à l'occasion de l'exercice de poursuites pénales d'exercer, après un non-lieu, l'action en insertion forcée prévue par la loi du 29 juillet 1881.

Le droit à l'image est une composante désormais consacrée du droit à l'intimité de la vie privée. Il a donné matière à un abondant contentieux, dans la mesure où il doit être concilié avec le principe de la liberté d'information. Le respect de la présomption d'innocence, ou celui de la dignité de la personne humaine, figurent au nombre des limites qui ont pu être formulées par le juge (à propos de la publication de la photographie du préfet Érignac assassiné : Cass., Civ., 20 décembre 2000).

---

(2) CA Paris, 15 novembre 1966, *SA Presse office c. Gunther Sachs.*

§2. LE SECRET DES CORRESPONDANCES

Le législateur contemporain a voulu entourer de garanties particulières les échanges téléphoniques d'une part, les communications électroniques d'autre part.

A. LES ÉCHANGES TÉLÉPHONIQUES

Au lendemain de la Seconde Guerre mondiale, l'administration française a hérité du réseau d'écoutes téléphoniques installé dans les égouts parisiens par la Gestapo pendant l'occupation allemande. Jusqu'en 1960 les divers services intéressés, voire de simples particuliers, « utilisaient vraisemblablement ces moyens, apparemment sans contrôle réel, dans la plus grande dispersion » (3). Une « décision » du Premier ministre, Michel Debré, crée le Groupement interministériel de contrôle, chargé d'assurer l'ensemble des écoutes téléphoniques demandées par le Premier ministre, le ministre de l'Intérieur ou le ministre des Armées. Cette décision n'a pas été rendue publique avant 1993 (4). Les débats parlementaires relatifs à la loi du 17 juillet 1970 posèrent le problème de l'atteinte au droit au respect de la vie privée, sans aboutir à une réglementation.

En ce qui concerne les écoutes ordonnées par un juge d'instruction, la Cour de cassation et la Cour européenne des droits de l'homme avaient admis leur possibilité (6 septembre 1978, *Klass*), à condition que certaines garanties légales existent.

Mais la Cour européenne des droits de l'homme a considéré que « le droit français, écrit et non écrit, n'indique pas avec assez de clarté l'étendue et les modalités d'exercice du pouvoir d'appréciation des autorités » et a condamné la France pour des écoutes contraires à l'article 8 de la Convention (24 avril 1990, arrêts *Huvig* et *Kruslin*).

La France a dû alors adopter une loi, la loi du 10 juillet 1991. Son article 1er dispose que « le secret des correspondances émises par la voie des télécommunications est garanti par la loi ». Elle permet aux seules autorités publiques de porter atteinte à ce secret. L'autorité judiciaire qu'est le juge d'instruction peut ordonner des interceptions. Le Premier ministre peut autoriser des interceptions de sécurité.

---

(3) Commission nationale de contrôle des interceptions de sécurité, *1er rapport d'activités 1991-1992*, La Documentation française, 1993, p. 11.
(4) *Ibid.*

La loi pose des conditions de fond et de forme et apporte des limites à la durée et à l'usage des enregistrements. Elle institue une autorité administrative indépendante, la Commission nationale de contrôle des interceptions de sécurité, chargée de veiller au respect des dispositions légales.

Cette commission est informée par le Premier ministre des interceptions de sécurité. Elle peut lui adresser une recommandation, qu'il n'est pas obligé de suivre. Elle peut être saisie par des particuliers, sans avoir à leur révéler le résultat de ses investigations. En cas d'instruction, le juge même peut se voir opposer par le Gouvernement le « secret-défense ».

Une loi du 8 juillet 1998 crée une nouvelle autorité administrative indépendante : une commission du secret de la défense nationale. Elle n'a qu'un rôle consultatif, sur la déclassification et la communication, à la demande d'une juridiction française, d'informations ayant fait l'objet d'une classification au titre du secret de la défense nationale.

Les transmissions par voie hertzienne sont exclues du champ d'application de la loi.

Les interceptions judiciaires ne peuvent être décidées que par le juge d'instruction et non par des fonctionnaires de police agissant en enquête préliminaire (Cass. 27 février 1996, *Affaire Schuller-Maréchal*).

Toutes les écoutes privées ne sont pas illicites pour autant. Les écoutes réalisées sur les lieux de travail, soit pour enregistrer les conversations avec des clients, soit pour surveiller des salariés, sont légales, si elles ne sont pas effectuées à l'insu des salariés (5).

Dans les autres cas, la Commission nationale de contrôle des interceptions de sécurité stigmatise les « écoutes sauvages », qui constituent une infraction punie par le Code pénal (art. 226-15). L'infraction est constituée par le fait d'intercepter, de détourner, d'utiliser ou de divulguer des correspondances émises par la voie des télécommunications ou le fait de procéder à l'installation d'appareils conçus pour réaliser de telles interceptions.

La directive n° 97/66 du 15 décembre 1997 sur la protection des données personnelles dans le secteur des télécommunications prévoit des protections nouvelles pour répondre à des technologies nouvelles. Elle exige, notamment, que chaque abonné puisse éliminer « l'indication de l'identification de la ligne appelante », autrement dit, ne pas avoir son numéro de téléphone affiché. Il doit aussi pouvoir refuser de figurer dans un annuaire. La directive proscrit l'utilisation d'auto-

---

(5) CNCIS, *7ᵉ rapport d'activité, 1998*, La Documentation française, 1999, p. 48.

mates d'appel ou de télécopieurs à des fins de prospection directe, sans le consentement de l'abonné. Ces dernières dispositions ont été transposées en droit interne par la loi sur la confiance dans l'économie numérique du 21 juin 2004, dont l'article 22 modifie en conséquence l'article L. 33-4-1 du Code des postes et télécommunications.

B. LES COMMUNICATIONS ÉLECTRONIQUES

Le principe du respect de la vie privée s'applique aux données personnelles transmises sur le réseau Internet. Le principe de secret des correspondances posé par la loi du 10 juillet 1991 vaut également pour les messageries électroniques.

Au nom du « droit au respect de l'intimité de la vie privée », « liberté fondamentale » qui « implique en particulier le secret des correspondances », la Cour de cassation a interdit à l'employeur de « prendre connaissance des messages personnels émis par le salarié et reçus par lui, grâce à un outil informatique, mis à sa disposition pour son travail » (Cass. Soc. 2 octobre 2001, *société Nikon France*).

Mais le secret peut être aisément violé. Pour l'éviter, il faut utiliser un moyen de cryptage.

La cryptographie a longtemps été réservée à la défense nationale. La loi du 26 juillet 1996 sur les télécommunications a soumis, dans son article 17, l'utilisation et la fourniture de moyens ou de prestations de cryptologie, au-dessus d'un certain seuil, à déclaration ou autorisation. Les clefs de décodage doivent être confiées à un « tiers de confiance », pour préserver les intérêts de la défense nationale et de la sécurité intérieure ou extérieure de l'État. Le décret du 17 mars 1999 rend libre l'usage de moyens de cryptologie jusqu'à 128 éléments binaires (bits). La loi du 21 juin 2004 pour la confiance dans l'économie numérique généralise cette solution, en proclamant par son article 30 que « l'utilisation des moyens de cryptologie est libre ».

La loi du 5 novembre 2001 relative à la sécurité quotidienne permet, dans le cadre d'une procédure pénale, au Procureur de la République, au juge d'instruction ou à la juridiction de jugement d'exiger le décryptage d'un message transmis sur Internet. Le Premier ministre, ayant ordonné l'interception de communications téléphoniques, peut exiger des personnes qui fournissent des prestations de cryptologie les conventions permettant le déchiffrement des données.

Mais il est des traitements invisibles..., l'accès à Internet peut laisser des traces ou mouchards électroniques, qui permettent à des sociétés commerciales de conserver des informations, à l'insu des utilisateurs. Le Parlement européen a souhaité, en novembre 2001, que l'usage de cookies soit soumis à l'avis de l'internaute. La CNIL a recommandé, dans un communiqué du 7 décembre 2001, que le site émetteur informe les internautes de la finalité des cookies et de leur durée de validité.

La directive n° 2002/58 du 12 juillet 2002 (dite « vie privée et communications électroniques ») a été transposée en droit français par la loi du 21 juin 2004 pour la confiance dans l'économie numérique. Elle aménage la protection des internautes contre la réception de messages non sollicités (*spams*). Elle interdit d'envoyer, à des fins de prospection directe, des courriers électroniques qui n'indiquent pas clairement l'identité de la personne pour le compte de laquelle la communication est émise, ainsi que les moyens de faire cesser l'envoi des messages. La CNIL est chargée de recevoir les plaintes des internautes « harcelés » par des correspondants non respectueux de ces dispositions.

§3. LA VIDÉOSURVEILLANCE

Le fait de fixer, enregistrer ou transmettre l'image d'une personne se trouvant dans un lieu privé, sans son consentement, est une atteinte à la vie privée (art. 226-1 Code pénal). Sur le lieu de travail, elle est régie par l'article 120-2 du Code du travail qui n'autorise les restrictions aux droits des personnes et aux libertés individuelles que si elles sont justifiées par la nature de la tâche à accomplir et proportionnées au but recherché. La question posée au juge a été de savoir si elle pouvait permettre de constituer une preuve à l'encontre d'un salarié (Cass. crim. 6 avril 1994).

La loi d'orientation sur la sécurité du 21 janvier 1995 a prévu les modalités de mise en place d'un système de vidéosurveillance sur la voie publique et dans les lieux ouverts au public.

Le législateur a écarté l'intervention préalable de la Commission nationale de l'informatique et des libertés (CNIL), considérant que les images ne sont pas, en elles-mêmes, des informations indirectement nominatives. Il n'a pas suivi les exemples allemands et anglais. Il n'a pas non plus suivi les recommandations de la CNIL, qui souhaitait que la mise en place d'un système de vidéosurveillance respecte le principe de proportionnalité.

L'autorisation de mise en place d'un système de vidéosurveillance est donnée par le préfet, après avis d'une commission départementale, dont la composition « doit comporter des garanties d'indépendance », selon les termes du Conseil constitutionnel (94-352 DC du 18 janv. 1995, *Vidéosurveillance*). Pourtant, selon l'article 7 du décret du 17 octobre 1996, elle comprend, outre un magistrat du siège ou un magistrat honoraire et un membre du corps des tribunaux administratifs et des cours administratives d'appel, un maire, un représentant de la chambre de commerce et une personnalité choisie par le préfet.

La seule limite de fond est l'interdiction de surveiller l'intérieur des immeubles d'habitation et, « de façon spécifique », leurs entrées.

Les personnes surveillées ont un droit d'accès, sauf exception tenant à la sûreté de l'État, à la défense, à la sécurité publique, au déroulement de procédures engagées devant les juridictions ou d'opérations préliminaires à de telles procédures ou au droit des tiers. Ce « droit des tiers » a été interprété par le Conseil constitutionnel comme limité au cas d'atteinte au secret de la vie privée.

La loi est partiellement respectée. Une circulaire du 24 août 1998 estime que seuls 10 % des systèmes de vidéosurveillance mis en place sont déclarés. Pourtant les commissions ne donnent un avis défavorable que dans moins de 1 % des cas.

§ 4. LE FICHAGE INFORMATIQUE

Le développement des fichiers informatisés a suscité, au début des années 70, des inquiétudes pour les libertés. Le stockage d'informations, de même que leur éventuelle transmission par interconnexion des fichiers, pouvaient porter atteinte au secret de la vie privée. La sélection d'informations pouvait permettre l'établissement de normes sociales ou « profils sociaux », les individus étant classés en fonction de leur conformité, ou non, à la norme.

Les craintes concernaient l'utilisation de l'informatique, aussi bien par le ministère de l'Intérieur ou le ministère de la Défense que par les entreprises.

En 1974, un projet de « système automatisé pour les fichiers administratifs et le répertoire des individus », SAFARI, provoqua des protestations et, après la création d'une commission, le vote de la loi n° 78-17 du 6 janvier 1978, relative à l'informatique, aux fichiers et aux libertés.

Des normes européennes sont également applicables. Une Convention européenne du 28 janvier 1981, pour la protection des personnes à l'égard du traitement automatisé des données à caractère personnel, est entrée en vigueur en France le 1er octobre 1985. Le Conseil d'État considère qu'elle est d'application directe (CE, 18 nov. 1992, *LICRA*).

Elle a été complétée par un protocole additionnel, ouvert à la signature le 8 novembre 2001 et entré en vigueur le 1er juillet 2004. Il prévoit l'établissement, dans chaque État, d'une autorité de contrôle et instaure comme condition à un flux de données vers un pays tiers la nécessité d'un niveau de protection adéquat dans l'État ou l'organisation internationale destinataire.

La Convention d'application des accords de Schengen, ratifiée par la loi du 30 juillet 1991, a mis en place le « système d'information Schengen », destiné à regrouper les signalements de personnes et d'objets, utilisés par les États signataires, notamment, à l'occasion de contrôles aux frontières. Le Conseil constitutionnel n'a pas considéré qu'il portait à la « liberté personnelle » une atteinte inconstitutionnelle (91-294 DC, 25 juill. 1991, *Accord de Schengen*).

Une directive communautaire du 24 octobre 1995 est relative à la protection des personnes physiques à l'égard du traitement de données à caractère personnel et à la libre circulation de ces données. Cette directive vise à permettre la libre circulation de ces données dans le cadre du marché intérieur, sans que les États puissent y opposer des raisons tirées du défaut de protection des personnes, notamment de leur droit à la vie privée. Tous les États de la Communauté européenne doivent donc avoir une protection de droits de la personne. La directive ne concerne que les données entrant dans le domaine de compétences de la Communauté européenne, essentiellement le domaine économique. Elle exclut la sécurité publique, la défense et la sûreté de l'État, autrement dit les activités de police et de défense.

Longtemps retardée, la transposition de cette directive a fait l'objet d'un rapport préparatoire élaboré par M. Guy Braibant (6). Elle a été menée à bien par la loi du 6 août 2004 relative à la protection des personnes physiques à l'égard des traitements de données à caractère personnel, qui modifie profondément la loi du 6 janvier 1978 relative à l'informatique, aux fichiers et aux libertés. L'article premier, symboliquement, demeure toutefois inchangé : « l'informatique doit être au service de chaque citoyen [...] Elle ne doit porter atteinte ni à l'identité humaine, ni aux droits de l'homme, ni la vie privée, ni aux libertés individuelles ou publiques ».

A. DÉCLARATIONS ET AUTORISATIONS DE FICHIERS

Sous l'empire de la loi de 1978, le système français reposait sur une distinction entre les fichiers (informatiques ou manuels) selon qu'ils étaient publics ou privés. Les premiers étaient soumis à un régime d'autorisation préalable, les seconds relevaient d'une simple déclaration (en l'absence, tout au moins, de données « sensibles »).

---

(6) *Données personnelles et société de l'information*, La Documentation française, 1998.

La création de fichiers publics était donc soumise à un régime plus sévère que celle des fichiers privés.

La nouvelle loi relativise cette distinction. La déclaration est aujourd'hui le régime de droit commun pour la plupart des fichiers. Pour les catégories les plus courantes de traitements (la paie des personnels, par exemple, ou les fichiers de clients ou fournisseurs), un système de déclaration simplifié a été élaboré par la Commission nationale de l'informatique et des libertés (CNIL).

La mission de contrôle dévolue à la CNIL a donc désormais vocation à s'exercer *a posteriori*. C'est ce qui explique que le législateur, comme nous le verrons, a nettement renforcé les pouvoirs de contrôle de cette autorité administrative indépendante.

Restent toutefois soumis au contrôle préalable « les traitements susceptibles de présenter des risques particuliers au regard des droits et libertés des personnes concernées ».

Ces traitements relèvent soit d'un régime d'avis, soit d'un régime d'autorisation.

L'avis de la CNIL est obligatoire pour les traitements à risques relevant du secteur public, et pour tous les traitements intéressant la sûreté de l'État, la défense et la sécurité publique. L'avis rendu par la CNIL est publié et motivé. L'autorisation est ensuite délivrée par décret en Conseil d'État, ou arrêté ministériel.

La demande d'autorisation à la CNIL (qui dispose d'un délai de deux mois pour se prononcer) s'impose pour différents types de fichiers énumérés par la loi. Leur point commun est de stocker des données « sensibles », des données génétiques, des données biométriques (empreintes digitales, iris de l'œil, reconnaissance du contour de la main...), des informations « relatives aux infractions, condamnations ou mesures de sûreté », ou encore des données recueillies afin « d'exclure des personnes du bénéfice d'un droit, d'une prestation ou d'un contrat » (sont visées les « listes noires » constituées par des entreprises commerciales, d'assurances, ou de crédit).

B. LE CONTENU DES FICHIERS

La loi du 6 août 2004, en ses articles 6 et 7, énumère les différentes conditions de licéité de la collecte et du stockage, informatique ou manuel, des données personnelles.

Au titre des conditions générales, la loi dispose que les données doivent avoir été recueillies de façon légale et loyale ; que la finalité du traitement doit être spécifiquement déterminée ; que la durée de conservation des données doit également être proportionnée à l'objectif en vue duquel le fichier a été constitué ; que les modalités de collecte et de traitement des données doivent être pertinentes, adéquates et non excessives au regard du but poursuivi.

Le Conseil d'État a admis, contrairement à la CNIL, que la nationalité des clients des banques était, pour elles, une donnée pertinente, adéquate et non excessive (CE 30 oct. 2001, *Association française des sociétés financières*).

De façon plus spécifique, la loi interdit de collecter certaines informations.

Aux termes de l'article 8 de la loi, « il est interdit de collecter ou de traiter des données à caractère personnel qui font apparaître, directement ou indirectement, les origines raciales ou ethniques, les opinions politiques, philosophiques ou religieuses ou l'appartenance syndicale des personnes, ou qui sont relatives à la santé ou à la vie sexuelle de celles-ci ». Cette disposition a été partiellement constitutionnalisée par la décision 200-557 DC (*Loi relative à la maîtrise de l'immigration*), par laquelle le Conseil a indiqué que « si les traitements nécessaires à la conduite d'études sur la mesure de la diversité des origines des personnes, de la discrimination et de l'intégration peuvent porter sur des données objectives, ils ne sauraient, sans méconnaître le principe énoncé par l'article 1er de la Constitution, reposer sur l'origine ethnique ou la race ». Le Président de la République a indiqué, dans les jours qui ont suivi le prononcé de cette décision, que l'article 1er de la Constitution serait révisé afin de surmonter la décision du Conseil.

Ces données sont dites « sensibles ». Leur collecte est interdite par principe, autorisée par dérogation.

Les dérogations, limitativement énumérées par la loi (elles sont au nombre de dix), concernent, par exemple, les fichiers des associations à caractère religieux, politique ou syndical. Elles portent également sur les « traitements nécessaires à la constatation, à l'exercice ou à la défense d'un droit en justice ». En l'absence de disposition constitutionnelle « expresse » contraire, le Conseil s'est déclaré incompétent pour contrôler cette disposition, dans la mesure où elle se borne à tirer les conséquences nécessaires de dispositions inconditionnelles et précises de la directive du 24 octobre 1995 (2004-499 DC du 29 juillet 2004, *Données à caractère personnel*).

Un autre type d'informations a donné lieu à l'aménagement d'un régime spécifique : les données « relatives aux infractions, condamnations et mesures de sûreté ». Seuls les juridictions et les auxiliaires de justice sont en droit de traiter ce type de données, le Conseil constitutionnel s'étant opposé à ce qu'une telle faculté soit étendue aux personnes morales victimes d'infractions, ou cherchant à prévenir la fraude (*Données à caractère personnel*, préc.).

La loi du 9 mars 2004 portant adaptation de la justice aux évolutions de la criminalité prévoit la création d'un fichier automatisé des auteurs d'infractions sexuelles qui ont purgé leur peine. Le fichier est géré, sous le contrôle d'un magistrat, par les services du ministère de la Justice. Il est constamment actualisé, dans la mesure où les personnes fichées ont l'obligation de signaler tout changement d'adresse. Le Conseil constitutionnel, tenant compte en particulier du taux de récidive qui caractérise ce type d'infractions, a considéré que la création d'un tel fichier était « de nature à assurer, entre le respect de la vie privée et la sauvegarde de l'ordre public, une conciliation qui n'est pas manifestement déséquilibrée » (2004-492 DC du 2 mars 2004, *Perben II*).

Les informations relatives à la santé des personnes sont également soumises à des dispositions législatives spécifiques.

C. LES DROITS DES PERSONNES

Toute personne dispose, à l'égard des données à caractère personnel qui la concernent, d'un droit d'information, d'un droit d'opposition, d'un droit d'accès et d'un droit de rectification. Une donnée à caractère personnel n'est pas nécessairement nominative. Elle est définie par la loi comme « toute information relative à une personne physique identifiée, ou qui peut être identifiée directement ou indirectement ou par référence à un numéro d'identification ou à plusieurs éléments qui lui sont propres ».

L'obligation d'information qui pèse sur les responsables des fichiers a été alourdie par la loi du 6 août 2004. La collecte des données (par questionnaire notamment) doit désormais s'accompagner de la mention de l'identité du responsable du traitement, de la finalité poursuivie par le traitement, et de l'existence d'un droit d'opposition. La mention d'un droit d'accès et de rectification était déjà obligatoire, ainsi que l'identification des destinataires des données.

Ce droit d'être informé vaut aussi lorsque les données n'ont pas été recueillies directement auprès des personnes concernées, sauf lorsqu'il s'agit de fichiers destinés à la prévention, la recherche ou la poursuite d'infractions pénales, ou lorsque les données sont destinées, à très court terme, à être anonymisées.

Le droit d'opposition s'analyse comme la possibilité, pour toute personne, de s'opposer, « pour des motifs légitimes », à ce que des données la concernant fassent l'objet d'un traitement. La loi de 2004 étend le champ d'application de ce droit au secteur du marketing commercial.

La loi donne à toute personne un droit d'accès, c'est-à-dire le droit d'obtenir communication des informations la concernant. Ce droit d'accès n'est qu'« indirect » pour les traitements intéressant la sûreté de l'État, la défense et la sécurité publique. Son exercice requiert l'intervention d'un membre de la CNIL.

Le droit de rectification, enfin, permet à chacun d'obtenir que soient rectifiées, complétées, mises à jour ou effacées, des données le concernant.

Pour les personnes, le problème est de connaître l'existence des traitements automatisés les concernant. En principe, la commission met à la disposition du public la liste des traitements. Mais cela n'indique pas aux personnes si des données les concernant y sont mémorisées... Chaque personne figure sur plusieurs centaines de fichiers.

Lorsque la Charte des droits fondamentaux de l'Union européenne sera dotée d'une valeur contraignante, la protection des données à caractère personnel pourra se trouver renforcée. Son article 8 consacre en effet le droit de toute personne à la protection des données la concernant, ainsi que les droits d'information, d'accès et de rectification.

D. LE CONTRÔLE DU RESPECT DES RÈGLES

Pratiquement toutes les obligations édictées par la loi du 6 janvier 1978 sont sanctionnées pénalement. Leur méconnaissance constitue un délit. Le Code pénal contient une section relative aux atteintes aux droits de la personne résultant des fichiers ou des traitements informatiques (art. 226-16 à 226-24).

Les pouvoirs de contrôle de la CNIL ont été sensiblement renforcés par la loi du 6 août 2004. La loi du 6 janvier 1978 lui attribuait simplement la faculté de dénoncer au parquet les infractions dont elle avait connaissance, et d'adresser des « avertissements » aux organismes mis en cause. Elle avait interprété cette disposition comme lui ouvrant une alternative, et avait préféré la négociation à la dénonciation. Le Conseil d'État l'avait encouragée dans cette voie, en l'incitant à ne signaler au parquet que des faits « portent une atteinte suffisamment caractérisée aux dispositions dont elle a pour mission d'assurer l'application » (CE Sect. 27 octobre 1999, *Solana*).

La CNIL peut aujourd'hui, après une mise en demeure infructueuse et à l'issue d'une procédure contradictoire, infliger des sanctions pécuniaires pouvant s'élever à 300 000 euros. Elle peut également enjoindre l'organisme concerné d'interrompre le traitement des données, ou, s'il s'agit d'un traitement soumis à autorisation, elle peut retirer celle-ci.

En cas de violation des droits et libertés résultant de la mise en œuvre d'un traitement, une procédure d'urgence est aménagée : la CNIL peut ordonner l'interruption temporaire du traitement, ou le verrouillage de données (pour une durée de trois mois). Cette mesure n'est pas applicable aux traitements de souveraineté (intéressant la sûreté de l'État, la défense ou la sécurité publique), ni à ceux qui ont pour objet la recherche d'infractions pénales ou l'exécution des condamnations. La Commission dispose ici d'un simple pouvoir de signaler au Premier ministre la violation constatée.

Section 2 La liberté d'aller et venir : le cas des étrangers

Les ressortissants d'un pays membre de l'Union européenne bénéficient d'un droit à l'admission au séjour en France. Le principe de libre circulation des personnes (solennellement consacré par l'art. 18 du Traité de Maastricht) s'analyse comme un droit à la fois politique (lié à la citoyenneté européenne), et économique : il recouvre le droit d'exercer une activité professionnelle dans n'importe quel autre pays de l'Union, en qualité de travailleur salarié ou indépendant.

Mais tous les autres étrangers demeurent soumis à un régime de police quant à leur entrée et leur séjour en France.

Le Conseil constitutionnel, en effet, a considéré « qu'aucun principe non plus qu'aucune règle de valeur constitutionnelle n'assure aux étrangers des droits de caractère général et absolu d'accès et de séjour sur le territoire national ; que les conditions de leur entrée et de leur séjour peuvent être restreintes par des mesures de police administrative » (93-325 DC du 13 août 1993, *Maîtrise de l'immigration*).

De même, pour la Cour européenne des droits de l'homme, « les décisions relatives à l'entrée, au séjour et à l'éloignement des étrangers » ne sont pas soumises au respect de l'article 6 § 1 de la Convention européenne des droits de l'homme (Grande Chambre, 5 octobre 2000, *Maaouia*).

§ 1. L'ENTRÉE ET LE SÉJOUR DES ÉTRANGERS EN FRANCE

Depuis le 1er mars 2005, les conditions d'entrée et le séjour des étrangers en France sont régies par un code dit CESEDA (Code de l'entrée et du séjour des étrangers et du droit d'asile).

Ce code systématise – à droit constant – des textes épars dont le plus célèbre est l'ordonnance du 2 novembre 1945 plusieurs fois modifiée, notamment par la loi Bonnet du 10 janvier 1980, la loi Questiaux du 29 octobre 1981, la loi Joxe du 17 juillet 1984, la loi Pasqua du 9 septembre 1986, la deuxième loi Joxe du 2 août 1989, les trois lois Pasqua de 1993, la loi Debré du 24 avril 1997, la loi Chevènement du 11 mai 1998, la loi Sarkozy du 26 novembre 2003.

Le CESEDA de 2005 a déjà été modifié par deux lois : une deuxième loi Sarkozy du 24 juillet 2006, et la loi Hortefeux du 20 novembre 2007.

Cette instabilité législative reflète l'extrême politisation des enjeux associés à l'immigration (7).

A. OUVERTURE, FERMETURE ET RÉOUVERTURE DES FRONTIÈRES

Pendant trente ans, l'ordonnance du 2 novembre 1945 a fourni un cadre stable au droit de l'entrée et du séjour en France. Sa première modification publiée au *Journal officiel* date du 21 novembre 1975 : le décret publié ce jour-là entérine la fermeture des frontières à l'immigration de travail, en décidant que « la situation de l'emploi présente et à venir dans la profession demandée et dans la région considérée » permet à l'administration de refuser à un étranger la délivrance d'un titre de séjour l'autorisant à travailler.

Si nul n'a songé, au cours de ces trente années, à modifier l'ordonnance du 2 novembre 1945, c'est parce que la gestion administrative du statut des étrangers s'opérait par voie de circulaires non publiées et, surtout, cédait le pas devant le simple jeu des forces du marché.

L'ordonnance du 2 novembre 1945 voulait en effet instaurer, au profit d'un établissement public (l'Office national d'immigration), un monopole du recrutement et de l'introduction en France des travailleurs étrangers. Mais cette tentative de contrôle étatique, dans le contexte des Trente Glorieuses, fut un échec. D'une part parce qu'un très grand nombre de travailleurs migrants bénéficiaient d'une liberté complète de circulation et d'installation (Italiens à partir de la création de la CEE, Algériens après comme avant l'Indépendance, Africains de l'ancienne Communauté française...), d'autre part parce que la pression des entreprises sur les pouvoirs publics conduisait ces derniers à procéder à des régularisations massives. En 1972, deux circu-

---

(7) Sur l'ensemble du sujet, v. P. Weil, *La France et ses étrangers*, Gallimard, 2ᵉ éd., 2005. Pour une analyse précise du droit en vigueur, v. GISTI, *Le guide de l'entrée et du séjour des étrangers en France*, La Découverte, 2008.

laires dites Marcellin-Fontanet ont cherché à interdire ces régularisations, et à rendre moins attractive l'embauche d'un immigré (en imposant notamment à l'employeur de produire un certificat de logement de l'étranger). Ces circulaires, appliquées d'ailleurs avec beaucoup de laxisme, furent annulées pour incompétence (CE 13 janvier 1975, *Da Silva et CFDT*).

C'est en 1974, suite au premier choc pétrolier, que la décision fut prise de suspendre l'immigration. Deux circulaires (non publiées) des 5 et 9 juillet suspendent respectivement l'introduction de travailleurs étrangers et l'entrée en France de leur famille. La circulaire du 21 novembre 1975 consacre, au bénéfice des Français et des étrangers régulièrement installés en France, le principe de l'opposabilité de la situation de l'emploi.

La fermeture des frontières devant les immigrés (popularisée dans les années 1990 par le slogan « immigration zéro ») s'est opérée progressivement et, surtout, partiellement.

Progressive, cette fermeture s'est réalisée à coup de textes réglementaires souvent contestés devant le juge administratif, et au fil de lois qui ont sans cesse limité les possibilités d'entrée et de séjour en France – sans jamais parvenir, toutefois, à empêcher complètement l'entrée de travailleurs, dits « clandestins », très prisés par certains secteurs d'activité à la recherche d'une main-d'œuvre précaire et bon marché. La loi Bonnet du 10 janvier 1980 organise, pour la première fois, les conditions de l'expulsion d'un étranger en situation irrégulière. Elle institue notamment la rétention administrative (voir *infra).* L'exécution forcée des mesures d'éloignement des étrangers constitue, depuis cette date, un véritable abcès de fixation des politiques dite de « maîtrise des flux ».

Partielle, la fermeture des frontières a toujours épargné trois catégories d'étrangers, définies de manière plus ou moins restrictive d'une loi à l'autre : ceux à qui la situation de l'emploi n'est pas opposable en raison de la spécificité ou de la rareté de leurs qualifications ; les demandeurs d'asile, qui bénéficient d'un régime dérogatoire du droit commun ; les conjoints et les enfants mineurs des étrangers régulièrement installés en France.

Mais la réouverture des frontières à l'immigration de travail, décidée par la loi du 24 juillet 2006 et confirmée par celle du 20 novembre 2007, s'est accompagnée d'un renversement complet de perspective. Elle repose en effet sur la distinction entre « immigration choisie » (censée aider la France à affronter la pénurie de main-d'œuvre qui s'annonce) et « immigration subie », issue pour l'essentiel du regroupement familial.

Cette distinction nouvelle emporte un certain nombre de conséquences sur les conditions d'admission au séjour des différentes catégories d'étrangers.

B. LES DIFFÉRENTES CATÉGORIES D'ÉTRANGERS ADMIS À SÉJOURNER EN FRANCE

À très grands traits, on peut en distinguer quatre : les demandeurs d'asile, les visiteurs, les bénéficiaires de la procédure de regroupement familial, les travailleurs.

a) Les demandeurs d'asile et les réfugiés

Le droit de l'asile a été profondément restructuré par la loi Villepin du 10 décembre 2003.

Les demandeurs sollicitent désormais, auprès d'un guichet unique, « l'asile » (sans autre qualification). La demande est examinée sous trois angles différents, correspondant aux trois types de protection susceptibles d'être accordée : la protection constitutionnelle, la protection conventionnelle, et la protection subsidiaire.

La *protection constitutionnelle* est fondée sur l'alinéa 4 du Préambule de la Constitution de 1946 : « tout homme persécuté en raison de son action en faveur de la liberté a droit d'asile sur les territoires de la République ». Ce droit figure également dans le corps de la Constitution, puisque la loi constitutionnelle du 25 novembre 1993, destinée à permettre la conclusion d'engagements internationaux limitant la compétence des États pour l'examen des demandes d'asile, a expressément réservé le droit de la France de « donner asile à tout étranger persécuté en raison de son action en faveur de la liberté ou qui sollicite la protection de la France pour un autre motif ».

La *protection conventionnelle* découle de la Convention de Genève du 28 juillet 1951 relative au statut de réfugié. Peut prétendre à ce statut « toute personne qui, craignant avec raison d'être persécutée du fait de sa race, de sa religion, de sa nationalité, de son appartenance à un certain groupe social ou de ses opinions politiques, se trouve hors du pays dont elle a la nationalité, et ne peut, ou, du fait de cette crainte, ne veut, se réclamer de la protection de ce pays ». La Convention a été mise en œuvre, en droit français, par la loi du 25 juillet 1952. Elle a longtemps fait l'objet d'une interprétation très restrictive, « persécution » étant identifié à « persécution émanant des autorités publiques », ou « exercée par des particuliers [mais] encouragée ou volontairement tolérée par l'autorité publique » (CE 10e sous-sect. 22 mars 1996, *Geevaratuam*).

Cette doctrine dite de « l'agent de persécution » a été abandonnée par la loi du 10 décembre 2003. Les persécutions prises en compte pour la reconnaissance de la qualité de réfugié peuvent désormais être le fait, non plus exclusivement d'autorités de l'État, mais également d'acteurs non étatiques « dans les cas où les autorités de l'État refusent ou ne sont pas en mesure d'offrir une protection » (art. 2, III, 1°). Mais si les pouvoirs publics de l'État considéré sont en mesure d'offrir cette protection sur une certaine partie du territoire, les autorités françaises pourront rejeter la demande d'asile en considérant que le requérant bénéficie déjà, dans son pays, d'une forme d'asile que la loi qualifie « d'asile interne ».

La *protection subsidiaire* est le troisième type de protection aménagée par la loi de 2003. Elle se substitue à l'asile territorial qui avait été institué par la loi du 11 mai 1998. Comme pour l'asile territorial, il s'agit d'offrir une protection à un étranger qui établit « que sa vie ou sa liberté est menacée dans son pays ou qu'il y est exposé à des traitements contraires à l'article 3 de la Convention européenne de sauvegarde des droits de l'homme et des libertés fondamentales », c'est-à-dire qu'il risque d'être torturé ou soumis à des traitements inhumains ou dégradants.

L'asile territorial avait permis d'accueillir en France des personnes qui ne pouvaient pas se réclamer de la Convention de Genève parce qu'elles étaient persécutées par des groupes privés, et qui ne pouvaient pas non plus prétendre à l'asile constitutionnel parce qu'elles n'étaient pas spécialement des « combattants de la liberté ». Le législateur avait notamment à l'esprit la situation des Algériens victimes de la terreur islamiste. De fait, ils furent les principaux bénéficiaires du dispositif (2 500 au total, avec quelques dizaines de Turcs et de Roumains).

La protection subsidiaire qui remplace l'asile territorial permet d'aboutir à des décisions un peu plus généreuses, la notion de traitement inhumain et dégradant s'appliquant par exemple à certaines condamnations pénales, comme la lapidation pour adultère (Commission de recours des réfugiés, 5 janv. 2007, *Mme Eshraghi*) ou les coups de fouet pour adultère également (Commission de recours des réfugiés, 9 juin 2006, *Mehrzadeh*). Entre aussi dans le champ de la protection subsidiaire le refus de se soumettre à certaines coutumes, comme le mariage forcé.

Au plan de la procédure, l'Office français de protection des réfugiés et des apatrides (OFPRA), créé par la loi du 25 juillet 1952, joue désormais le rôle d'un « guichet unique ». Il examine toutes les demandes d'étrangers désireux d'obtenir l'asile, de quelque nature qu'il soit.

Ses décisions sont susceptibles de recours devant une juridiction administrative spécialisée, la Commission de recours des réfugiés. Première juridiction administrative française par le nombre d'affaires jugées, la Commission porte, depuis la loi du 20 novembre 2007, un nom plus en conformité avec ses missions : elle se nomme désormais « Cour nationale du droit d'asile ». La Cour se trouve rattachée, administrativement et budgétairement, au Conseil d'État devant qui l'OFPRA ou le demandeur d'asile peuvent se pourvoir en cassation contre ses décisions.

L'étranger qui sollicite la reconnaissance de la qualité de réfugié doit être autorisé à demeurer provisoirement sur le territoire français jusqu'à ce qu'il ait été statué sur sa demande (CE Ass. 13 déc. 1991, *M. Dakoury* et *M. Nkodia*). Le Conseil constitutionnel a confirmé que le respect du droit d'asile imposait cette solution (93-325 DC du 13 août 1993, *Maîtrise de l'immigration*).

Le demandeur doit être entendu par l'OFPRA, sauf si sa demande apparaît manifestement infondée. Le formulaire de demande d'asile doit, depuis août 2004, être rédigé en français. Pour remplir un dossier depuis une zone d'attente (cas très fréquent), il convient, depuis un décret du 31 mai 2005 d'être soit francophone soit fortuné. L'article 18 de ce décret n° 2005-617 prévoit en effet que « l'administration met un interprète à la disposition des étrangers maintenus en zone d'attente ou en centre ou en local de rétention administrative [...] *dans le seul cadre* des procédures de non-admission ou d'éloignement dont ils font l'objet. Dans les autres cas, la rétribution du prestataire est à la charge de l'étranger ».

Le statut de réfugié est difficile à obtenir (le taux de reconnaissance du statut, toutes nationalités confondues, est à peine supérieur à 15 %), mais il est très protecteur. Depuis la loi du 17 juillet 1984, les réfugiés reçoivent de plein droit une carte de résident valable dix ans. Leur extradition est impossible (CE Ass. 1er avr. 1988, *Bereciartua Echarri*). Leur expulsion est soumise à certaines conditions : il faut des raisons de sécurité nationale ou d'ordre public. Elle est exclue en direction d'un pays présentant un danger pour la vie ou la liberté du réfugié.

b) Les visiteurs

Un très grand nombre d'étrangers désireux de séjourner en France pour une durée inférieure à trois mois sont dispensés de visa : il s'agit naturellement des ressortissants d'un État membre de l'Union européenne, mais aussi des membres de l'Espace économique européen (Norvège, Lichtenstein, Islande), des citoyens suisses, ou encore des ressortissants d'une trentaine de pays avec lesquels la France ou la Communauté européenne a conclu des accords en ce sens (pays souvent riches – Canada, Etats-Unis, Japon, Australie... – mais parfois aussi pays pauvres – Mexique, Corée du Sud, Nicaragua...).

Pour les ressortissants des autres États, la détention d'un visa de court séjour est obligatoire. Ce visa, dit aussi « visa Schengen », peut être délivré par n'importe lequel des 22 États membres de « l'espace Schengen ». Le Conseil constitutionnel ayant considéré que la détermination par le Conseil de l'Union, à la majorité qualifiée, des pays tiers dont les ressortissants doivent être munis d'un visa, affectait les conditions essentielles d'exercice de la souveraineté nationale, la Constitution a dû être révisée le 25 juin 1992. L'uniformisation des procédures et des conditions de délivrance des visas de court séjour a impliqué une nouvelle révision constitutionnelle, le 25 janvier 1999.

Les conditions d'octroi du visa de court séjour ont été durcies au fil du temps. Dans un pays comme le nôtre où de nombreuses familles ont des parents ou amis soumis à l'obligation de visa, ces règles emportent des conséquences souvent très lourdes.

L'octroi du visa court séjour est en effet subordonné à la présentation par l'étranger d'une justification de son séjour. Dans le cas d'une visite privée ou familiale, le demandeur doit présenter une attestation d'accueil (ancien « certificat d'hébergement »), délivrée par le maire de la commune où réside la personne qui se propose de l'héberger. La loi du 26 novembre 2003, précisée par un décret du 17 décembre 2004, prévoit que l'hébergeant doit disposer de conditions de logement « convenables » (les agents communaux peuvent aller vérifier sur place) et qu'il doit s'engager à subvenir aux frais de séjour de l'étranger. Une assurance doit être obligatoirement souscrite (par l'étranger ou par l'hébergeant) afin de « couvrir, à hauteur d'un montant minimum fixé à 30 000 euros, l'ensemble des dépenses médicales et hospitalières, y compris d'aide sociale, susceptibles d'être engagées pendant toute la durée de son séjour en France ». La demande, qu'elle soit accordée ou non, est frappée d'une taxe de 45 euros.

Le maire est tenu de motiver le refus de délivrance d'une attestation d'accueil. Un recours pour excès de pouvoir peut le cas échéant être formé à son encontre, après recours hiérarchique auprès du préfet.

Contre les décisions de refus de visa, une commission de recours a été instituée par un décret du 10 novembre 2000. Elle est obligatoirement saisie avant tout recours contentieux. Le Conseil d'État exerce, sur les refus de visa, un contrôle de proportionnalité visant à vérifier, notamment, qu'une atteinte excessive n'a pas été portée au droit au respect de la vie privée et familiale (CE 10 avril 1992, *Aykan* ; CE 17 décembre 1997, *Préfet de l'Isère c. M. Arfaoui*).

c) Les bénéficiaires de la procédure de regroupement familial

Le Conseil d'État a dégagé, en 1978, un principe général du droit inspiré du Préambule de la Constitution de 1946 : « la faculté, pour les étrangers, de faire venir auprès d'eux leur conjoint et leurs enfants mineurs » (CE Ass. 8 décembre 1978, *GISTI*). Dans une décision du 13 août 1993, le Conseil constitutionnel a expressément ancré cette solution dans l'alinéa 10 du Préambule (« la Nation assure à l'individu et à la famille les conditions nécessaires à leur développement »). La Convention européenne des droits de l'homme protège quant à elle le droit de toute personne au « respect de sa vie privée et familiale » (article 8).

Les étrangers régulièrement installés en France bénéficient donc d'un droit à y être rejoints par leurs conjoints et leurs enfants mineurs. Mais l'exercice de ce droit est devenu plus difficile au fil du temps, tout au moins pour les étrangers qui ne sont pas les destinataires privilégiés de la « politique d'attractivité de la France ». Pour ces derniers (titulaires d'une carte de séjour portant la mention « scientifique », ou « compétences et talents », ou « salariés en mission »), une procédure allégée est prévue. À certains égards, ils sont même mieux lotis que les Français désireux de faire venir en France ou de régulariser le séjour de leur conjoint étranger.

Pour la grande majorité des étrangers soumis au droit commun du regroupement familial, les conditions sont désormais strictes et nombreuses.

Le regroupement familial concerne uniquement les couples mariés. Les enfants doivent être mineurs, et ne peuvent pas, sauf exception, rejoindre leurs parents les uns après les autres (principe de l'interdiction du regroupement partiel). À de très rares exceptions près, la régularisation d'enfants déjà présents en France est impossible (principe de d'interdiction du regroupement familial sur place).

Pour introduire une demande de regroupement familial, l'étranger doit résider en France depuis 18 mois au mois. Il doit être en possession d'un titre de séjour (même « étudiant », le Conseil constitutionnel n'ayant pas admis que les étudiants soient exclus du droit à mener une vie familiale normale – 93-325 DC du 13 août 1993, *Loi relative à la maîtrise de l'immigration*). Il doit disposer de « ressources personnelles stables et suffisantes » (d'un montant au moins égal au SMIG augmenté d'un 1/5e), et d'un logement considéré comme « normal pour une famille comparable vivant dans la même région géographique ». L'étranger doit en outre, depuis la loi du 24 juillet 2006, « se conformer aux principes essentiels qui, conformément aux lois de la république, régissent la vie familiale en France ».

C'est le préfet qui statue sur cette demande, dans un délai de six mois. Le refus doit être motivé. S'il est saisi, le juge administratif exerce sur ce refus le contrôle de proportionnalité qu'appelle toute mise en cause de l'article 8 de la Convention européenne des droits de l'homme.

Mais le durcissement des conditions à remplir a surtout concerné les membres de sa famille que l'étranger souhaite faire venir en France.

Outre les conditions classiques tenant à la protection de l'ordre public (imposant notamment aux demandeurs de subir un examen médical), la loi du 20 novembre 2007 ouvre la possibilité, à titre expérimental, d'identifier par ses empreintes génétiques un enfant qui souhaite rejoindre en France un de ses parents, afin d'établir la réalité de sa filiation avec sa mère. Plus généralement, on demande désormais à ces étrangers vivant à l'étranger de prouver qu'ils sont... « intégrés » à la société française. On s'assure en effet, avant de leur attribuer un visa, qu'ils connaissent la langue française et les « valeurs de la République ». Si leur niveau est jugé insuffisant, ils sont tenus de suivre une formation dispensée sous le contrôle du consulat. Une fois arrivés en France, ils devront en outre conclure avec l'État un « contrat d'accueil et d'intégration ». La manière dont ils auront exécuté ce contrat sera prise en compte lorsqu'ils demanderont, après un délai de trois ans, une carte de résident.

Dans l'intervalle, une carte « vie privée et familiale » est délivrée au conjoint admis au regroupement familial, ou au conjoint d'un Français. Si une rupture de la vie commune intervient au cours de ces trois années, l'autorisation de séjourner en France ne peut être reconduite.

d) *Les travailleurs*

La loi du 24 juillet 2006 organise la reprise de l'immigration de travail.

Cette réouverture des frontières aux travailleurs étrangers concerne essentiellement les métiers dans lesquels l'économie française connaît des difficultés de recrutement. Pour ces métiers, la situation de l'emploi n'est plus opposable à la demande de délivrance d'une autorisation de travail. En pratique, cela signifie que l'employeur, qui conduit la procédure dite d'introduction d'un travailleur étranger, n'est plus tenu de rechercher préalablement des candidats sur le marché national du travail.

La liste des métiers concernés est établie par voie de circulaire. Celle du 29 avril 2006 et celle du 20 décembre 2007 ont ainsi déclaré « ouverts » aux ressortissants des nouveaux États membres de l'Union plus de 150 métiers. Pour les autres étrangers (à l'exception des Algériens et Tunisiens), 30 métiers seulement ont été ouverts. La liste des métiers est déclinée par zones géographiques, certaines régions étant plus déficitaires que d'autres. Ces listes peuvent être élargies par des accords bilatéraux, dans le cadre d'une politique dite de gestion concertée des flux migratoires. Le premier de ces accords a été conclu avec le Sénégal en février 2008. Il ouvre une soixantaine de métiers à des Sénégalais dont le nombre, pour l'année 2008, ne devra pas être supérieur à 1000.

Pour compléter ce dispositif, la loi Hortefeux du 20 novembre 2007 a prévu une procédure de régularisation des étrangers travaillant en France de manière irrégulière, sous réserve qu'ils exercent leur profession dans un secteur « sous tension ». Une circulaire du 8 janvier 2008 a fixé les conditions (strictes) de ce mouvement de régularisation.

L'objectif fixé par le Président de la République élu en 2007 est de permettre au Parlement et/ou au Gouvernement de fixer des quotas qui permettraient, d'une part, de plafonner le nombre annuel de migrants admis à séjourner en France et, d'autre part, de fixer à 50 % du total la part de l'immigration « économique ». Par « immigration économique » (ou « choisie »), il faut entendre « entrée en France par une voie autre que le regroupement familial ». Les titulaires d'une carte « vie privée et familiale » ont le droit d'exercer une activité professionnelle, mais ils ne sont apparemment pas considérés comme ayant été « choisis » par la France...

Pour parvenir à imposer, au moins dans les textes, cette politique de quota, une révision de la Constitution est nécessaire. L'objectif est à la fois de limiter les possibilités de regroupement familial et de rendre possible une déclinaison du quota de 50 % de migrants économiques « selon les grandes régions de provenance des flux migratoires ». Les raisons de cette ventilation géographique du quota global n'ont pas été publiquement explicitées. Elles traduisent sans doute l'adhésion de l'actuel gouvernement à l'idéologie de la « diversité » (comprendre « ethno-raciale »).

Le 7 février 2008, une commission présidée par Pierre Mazeaud a entrepris de réfléchir à la modification en ce sens du cadre constitutionnel républicain.

§2. LES MESURES D'ÉLOIGNEMENT

Pour le Conseil constitutionnel, les mesures d'éloignement sont des mesures de police, qui n'entrent pas dans le champ d'application de l'article 8 de la Déclaration de 1789 et n'ont donc pas à respecter le principe de nécessité ou de proportionnalité des peines.

Ces mesures sont de trois types : l'expulsion, la reconduite à la frontière, l'extradition.

A. L'EXPULSION

L'expulsion est une mesure par laquelle un préfet (depuis 1997) ou le ministre de l'Intérieur (en cas d'expulsion « en urgence absolue ») ordonne à un étranger de quitter le territoire national, au motif que sa présence fait peser un danger ou une menace grave sur l'ordre public. La loi du 29 octobre 1981 exigeait que l'expulsé ait fait l'objet d'une condamnation définitive d'un an au moins d'emprisonnement ferme, mais la loi du 26 novembre 2003 a supprimé cette condition.

L'étranger qui est frappé par une mesure d'expulsion ne peut plus revenir en France, sauf si l'arrêté d'expulsion a été annulé par le juge administratif ou abrogé par l'administration. La loi du 26 novembre 2003 prévoit à cet effet une procédure de réexamen systématique qui permettra au préfet, cinq ans après sa décision initiale, d'évaluer la persistance de la menace pour l'ordre public. L'intéressé sera admis à présenter des observations écrites, et à contester devant le juge le refus, explicite ou implicite, d'abrogation de l'arrêté d'expulsion.

Les mineurs ne sont jamais expulsables.

D'autres catégories d'étrangers bénéficient d'une certaine protection contre l'expulsion. Depuis la loi du 26 novembre 2003, on distingue entre une protection relative (l'expulsion ne peut être décidée qu'en cas de « nécessité impérieuse pour la sûreté de l'État ou la sécurité publique ») et la protection quasi-absolue (l'expulsion n'est possible qu'en cas de « comportements de nature à porter atteinte aux intérêts fondamentaux de l'État ou liés à des activités à caractère terroriste », ou – depuis la loi du 26 juillet 2004 – « constituant des actes de provocation explicite et délibérée contre une personne déterminée ou un groupe de personnes »). Le degré de protection est fonction de l'étroitesse du lien avec la France : l'étranger résidant régulièrement en France depuis plus de dix ans, par exemple, bénéficie d'une protection relative ; elle devient quasi-absolue s'il y réside régulièrement depuis plus de vingt ans.

Le juge administratif est compétent pour contrôler la légalité des arrêtés d'expulsion. Il veille au respect des garanties procédurales qui entourent l'adoption de la mesure : l'étranger doit avoir été entendu par une commission composée de magistrats, il a le droit d'être assisté par un conseil, de bénéficier de l'aide juridictionnelle, d'être accompagné d'un interprète. Le principe du contradictoire doit être respecté.

Traditionnellement, le juge administratif n'exerçait qu'un contrôle restreint sur la légalité interne des arrêtés d'expulsion. Depuis un arrêt *Belgacem* (CE Ass. 19 avril 1991), il opère un contrôle de proportionnalité pour apprécier l'existence d'une violation de l'article 8 de la Convention européenne des droits de l'homme consacrant le droit au respect de la vie privée et familiale. Il s'adapte ainsi à la jurisprudence de la Commission européenne des droits de l'homme (aff. *Djeroud*, 15 mars 1990).

Dans un arrêt d'Assemblée du 6 novembre 1987 (CE Ass. 6 novembre 1987, *Mantumona Buayi*), le Conseil d'État a considéré que le procès-verbal de notification du pays vers lequel était effectuée l'expulsion était une décision distincte de l'arrêté d'expulsion, et soumise à un contrôle normal de sa part.

B. LA RECONDUITE À LA FRONTIÈRE

La reconduite à la frontière, décidée par arrêté préfectoral, concerne les étrangers en situation irrégulière.

Cette procédure vise plus de 60 000 personnes par an. C'est elle qui polarise le discours (récurrent) relatif à la « lutte contre l'immigration clandestine ».

Depuis le 30 décembre 2006, date de l'entrée en vigueur d'une réforme prévue par la loi du 24 juillet de la même année afin d'accélérer les procédures de reconduite, le refus de délivrance d'un titre, son non-renouvellement ou son retrait peuvent être accompagnés d'une OQTF (Obligation de quitter le territoire français). Passé un délai d'un mois, cette OQTF vaut mesure d'éloignement forcé. Cela signifie que l'étranger peut être placé en rétention administrative (voir *infra*), même s'il a contesté la légalité de la décision de refus de titre et d'OQTF. Dans cette hypothèse, le tribunal administratif doit statuer dans un délai de 72 heures.

L'OQTF tient donc lieu, désormais, d'arrêté préfectoral de reconduite à la frontière. Celui-ci subsiste toutefois dans l'hypothèse d'une notification « en main propre », c'est-à-dire dans le cas où l'étranger sans papiers est physiquement appréhendé.

Sur ce terrain, des objectifs chiffrés ont été fixés. La volonté d'atteindre ces objectifs (25 000 en 2007, 26 000 en 2008) suscite de réelles tensions entre la police et la population (devant les écoles notamment, ou dans les hôpitaux). La Cour de Cassation, dans un arrêt rendu le 7 février 2007 par la 1re chambre civile (*Préfet de Seine Saint-Denis*), s'est fondée sur l'article 5 de la Convention européenne des droits de l'homme pour imposer un principe de « loyauté » dans les techniques d'interpellation d'un étranger en situation irrégulière : « l'administration ne peut utiliser la convocation à la préfecture d'un étranger qui sollicite l'examen de sa situation administrative [...] pour faire procéder à son interpellation en vue de son placement en rétention ». Le Conseil d'État, quelques jours plus tôt, avait jugé légale la possibilité de monter ce type de « souricière » (CE, 6 février 2007, *LDH et autres*).

L'arrêté de reconduite à la frontière peut être contesté devant le juge administratif. La loi prévoit les mêmes cas de protection que pour l'expulsion.

Le recours est enfermé dans des délais très brefs : il doit être formé dans les quarante-huit heures si l'arrêté a été notifié « en main propre », ou dans un délai d'un mois en cas d'OQTF. Depuis le 1er janvier 2005, c'est devant la Cour administrative d'appel (et non plus devant le Conseil d'État) qu'il peut être fait appel du jugement.

C. L'EXTRADITION

La procédure d'extradition consiste, pour un État, à remettre une personne qui se trouve sur son territoire à un autre État qui la recherche pour la juger ou pour lui faire exécuter une peine.

Le régime juridique de l'extradition est régi, en France, par un certain nombre de principes constitutionnels, par la loi du 10 mars 1927, et par des principes généraux du droit. Dans la grande majorité des cas, une convention internationale ou bilatérale est également applicable.

La procédure fait intervenir un organe judiciaire, la chambre de l'instruction (8) de la Cour d'appel territorialement compétente, mais aussi l'autorité exécutive, puisque c'est le ministre de la justice qui proposera au Président de la République, en cas d'avis favorable de la chambre de l'instruction, de signer un décret autorisant l'extradition.

Les voies de recours, dès lors, sont ouvertes à la fois devant la Cour de Cassation, qui pourra casser l'avis de la Chambre de l'instruction, et devant le Conseil d'État. Celui-ci admet, depuis 1937 (CE Ass. 28 mai 1937, *Decerf*), les recours en excès de pouvoir dirigés contre les décrets d'extradition. Il contrôle non seulement la régularité de la procédure, mais la légalité interne du décret d'extradition (CE Ass. 24 juin 1977, *Astudillo Calleja*). Il examine également sa conformité à la convention internationale applicable (CE, 30 mai 1952, *Dame Kirkwood*).

À l'occasion du contrôle exercé sur la légalité des décrets d'extradition, le Conseil a dégagé un certain nombre de principes généraux du droit applicables à la matière : le système juridique de l'État requérant doit respecter « les droits et libertés fondamentaux de la personne humaine » (CE Ass., 26 septembre 1984, *Lujambio Galdeano*) ; un réfugié ne peut être remis aux autorités de son pays (CE Ass., 1er avril 1988, *Bereciartua-Echarri*) ; la France n'extrade pas vers un pays qui pratique la peine de mort (CE, 27 février 1987, *Fidan*).

---

(8) Nouveau nom (depuis 2000) de la chambre d'accusation. Depuis la loi du 9 mars 2004, c'est également à la chambre de l'instruction qu'il incombe de décider de l'exécution des mandats d'arrêt européens (voir *infra*).

Le Conseil constitutionnel a estimé que le fait d'extrader un individu pour des faits amnistiés ou prescrits porte atteinte aux conditions essentielles d'exercice de la souveraineté nationale (98-408 DC du 22 janvier 1999, *Cour pénale internationale*). Répond également à des exigences d'ordre constitutionnel la nécessité pour les autorités françaises de s'assurer que l'extradition est demandée pour des faits punissables en vertu de la loi nationale de l'État requérant.

La Cour européenne des droits de l'homme, quant à elle, interdit une extradition qui risquerait d'entraîner un traitement inhumain ou dégradant, comme le maintien dans le « couloir de la mort » d'une prison américaine (CEDH 7 juillet 1989, *Soering*).

Entre États membres de l'Union européenne, la procédure d'extradition n'existe plus. Depuis le 1er janvier 2004, les États qui l'ont transposée dans leur droit interne (une dizaine dont la France) appliquent en effet une décision-cadre du Conseil de l'Union du 3 juin 2002 instituant un *mandat d'arrêt européen*.

Contrairement à l'extradition, qui suppose une décision du pouvoir exécutif, la procédure est désormais entièrement judiciaire : le mandat d'arrêt est directement transmis d'autorité judiciaire à autorité judiciaire, afin d'obtenir l'arrestation et la remise d'une personne recherchée. Après les attentats du 11 mars 2004 à Madrid, le juge espagnol Baltazar Garzon a ainsi obtenu, dans des délais très rapides, l'arrestation et la remise à l'Espagne de suspects arrêtés un peu partout en Europe.

L'exécution d'un mandat d'arrêt européen peut amener un État à remettre un de ses nationaux à l'État d'émission du mandat. Ceci contrevient à un principe traditionnel du droit français, en vertu duquel la France n'extrade pas ses ressortissants. Mais le Conseil d'État, dans un avis du 26 septembre 2002 (9), a estimé qu'un tel principe était dénué de valeur constitutionnelle.

Dans le même avis, il a également constaté que le mécanisme du mandat d'arrêt européen permettait à la France de refuser de livrer une personne dont la remise est demandée dans un but politique. La transposition de la décision-cadre peut donc s'opérer dans le respect d'un principe fondamental reconnu par les lois de la République dégagé en 1996 par le Conseil (CE Ass., *Moussa Koné*, 3 juillet 1996). En revanche, a estimé le juge du Palais-Royal, « la décision-cadre ne paraît pas assurer le respect du principe [constitutionnel], rappelé par le Conseil d'État dans un avis du 9 novembre 1995, selon lequel l'État doit se réserver le droit de refuser l'extradition pour les infractions qu'il considère comme des infractions à caractère politique ».

---

(9) Conseil d'État, *Rapport public 2003*, *EDCE* n° 54, p. 192-196.

La Constitution devait donc être révisée pour permettre au législateur de transposer la convention-cadre relative au mandat d'arrêt européen. C'est ce qui fut fait par la loi constitutionnelle du 25 mars 2003 insérant un nouvel alinéa à l'article 88-2 de la Constitution.

§ 3. LA DÉTENTION ADMINISTRATIVE

La détention administrative, c'est-à-dire la privation de la liberté d'aller et venir par décision d'une autorité administrative, connaît des formes diverses propres aux étrangers, sous des termes variés, formés d'un préfixe et d'un dérivé du verbe « tenir » : maintien, rétention, détention, retenue.

La *rétention administrative* consiste à maintenir, dans des locaux qui ne relèvent pas de l'administration pénitentiaire, un étranger qui se trouve sous le coup d'une mesure d'éloignement du territoire (mesure de « réadmission » par un État étranger, arrêté d'expulsion, arrêté de reconduite à la frontière, signalement Schengen de non-admission, interdiction judiciaire du territoire).

Les lieux de rétention sont soit des « centres », dont la liste est fixée par arrêté ministériel (l'arrêté du 2 novembre 2007 en énumère trente, dont trois dans les DOM), soit de simples « locaux » désignés par arrêté préfectoral (salles de commissariats, chambres d'hôtel réquisitionnées par l'administration...). Un décret du 19 mars 2001 a pérennisé cette distinction, en dépit d'un avis très critique de la Commission nationale consultative des droits de l'homme.

La rétention étant destinée à permettre à l'administration d'organiser le départ de l'étranger, sa durée a vocation à être brève : elle est de 48 heures, sur décision du préfet. Mais celui-ci, à l'expiration du délai, peut demander au juge des libertés et de la détention de prolonger de quinze jours la rétention de l'étranger. Le juge peut accepter ou, si l'étranger dispose de garanties de représentation, décider de l'assigner à résidence (10). Peut-il se prononcer sur la régularité de la procédure et décider de mettre fin à la rétention ? La Cour de cassation a répondu par l'affirmative, au titre de la compétence donnée à l'autorité judiciaire par l'article 66 de la Constitution et l'article 136 CPP pour protéger la liberté individuelle (Cass. 2e ch. civ. 28 juin 1995, *Bechta*). La loi du 26 novembre 2003

---

(10) Les étrangers qui font l'objet d'une proposition d'expulsion peuvent aussi être assignés à résidence. Cette décision est prise par le préfet, en cas de reconduite à la frontière ou d'expulsion de droit commun, ou par le ministre de l'Intérieur, en cas d'expulsion en urgence absolue.

prévoit qu'à l'expiration des quinze jours de prolongation accordés par le juge, l'administration peut, une nouvelle fois, demander une prolongation de la rétention, d'une durée de quinze jours au plus (« en cas d'urgence absolue ou de menace d'une particulière gravité pour l'ordre public, ou lorsque l'impossibilité d'exécuter la mesure d'éloignement résulte de la perte ou de la destruction des documents de voyage de l'intéressé »). Au total, la rétention administrative peut donc durer trente-deux jours.

Le Conseil constitutionnel n'a pas jugé excessive une telle durée de rétention, dès lors que « l'autorité judiciaire conserve la possibilité de [l']interrompre à tout moment [...], de sa propre initiative ou à la demande de l'étranger, lorsque les circonstances de droit ou de fait le justifient » (2003-484 DC du 20 novembre 2003). En 1986, le Conseil avait pourtant jugé qu'une rétention de *neuf* jours constituait une atteinte à la liberté individuelle (86-216 DC du 3 septembre 1986, *Entrée et séjour des étrangers*).

Le *maintien en zone d'attente* concerne l'étranger qui arrive en France par voie ferroviaire, maritime ou aérienne sans être autorisé à entrer sur le territoire, ou qui se présente à la frontière pour demander son admission au titre de l'asile.

Ces zones – il en existe plus de cent vingt – se trouvent à proximité ou sur l'emprise d'un port, d'une gare, d'un aéroport. Il s'agit de structures de type hôtelier. Sur la zone aéroportuaire de Roissy, par exemple, l'administration loue deux étages d'un hôtel IBIS.

La décision de maintien en zone d'attente est prise par le chef du service de contrôle aux frontières (police nationale ou douanes), pour une durée maximum de quatre jours. Au-delà, le juge des libertés et de la détention peut prolonger le maintien pour une durée supplémentaire de huit jours, renouvelable. Au total, le maintien en zone d'attente peut donc durer vingt jours. L'intervention du juge judiciaire se traduit par la tenue d'une audience publique : l'étranger, présent, peut bénéficier des services d'un avocat et d'un interprète.

En zone d'attente comme en centre de rétention, les étrangers ont le droit d'être traités dignement. Le décret du 19 mars 2001 relatif aux centres et locaux de rétention administrative prévoit que les centres « doivent disposer d'espaces aménagés ainsi que d'équipements adaptés de façon à assurer l'hébergement, la restauration et la détente des étrangers ». Le décret du 30 mai 2005 relatif à la détention et aux zones d'attente précise les normes applicables (surface des chambres, modalités d'accès au téléphone, équipements sanitaires...). Il prévoit que le local réservé aux avocats est accessible en toutes circonstances.

Mais la situation réelle de ces lieux surpeuplés les situe bien souvent « aux frontières de l'humanité », selon l'expression d'un député qui a pu en visiter plusieurs au cours de l'année 2000 (11). Les associations qui y ont accès (une dizaine pour les zones d'attente, la CIMADE seule pour les centres de rétention), ainsi que le Comité européen pour la prévention de la torture, qui a notamment inspecté le terrible centre de Marseille-Arenc, tentent d'alerter l'opinion sur le sort des étrangers retenus ou maintenus en zone d'attente. Des enquêtes journalistiques portent également témoignage de la violence, physique ou morale, qui s'exerce en ces lieux (12).

La création, en 2005, d'une Commission nationale de contrôle des centres et locaux de rétention administrative et des zones d'attente ne semble pas avoir beaucoup amélioré la situation. Elle a été supprimée en 2008, suite à la création d'un Contrôleur général des lieux de privation de liberté (*infra* p. 278).

Section 3 Le droit à la sûreté

Composante fondamentale de la liberté individuelle, le droit à la sûreté, c'est-à-dire le droit de ne pas être arrêté ni détenu arbitrairement, est placé sous la protection de l'autorité judiciaire.

Il découle de l'article 66 de la Constitution que les mesures « de nature à porter atteinte à la liberté individuelle » ne peuvent intervenir à la seule diligence d'une autorité chargée de l'action publique, mais requièrent la décision d'une autorité de jugement (95-360 DC du 2 février 1995, *Injonction pénale*). De même, pour des perquisitions au domicile d'un contribuable, « l'intervention de l'autorité judiciaire doit être prévue pour conserver à celle-ci toute la responsabilité et tout le pouvoir de contrôle qui lui reviennent » (83-164 DC du 29 décembre 1983, *Perquisitions fiscales*).

La Convention européenne des droits de l'homme impose également l'intervention d'un juge pour priver une personne de sa liberté (art. 5), comme pour décider du « bien-fondé de toute accusation en matière pénale » (art. 6-1).

En vertu de ces principes constitutionnels et conventionnels, la police et la gendarmerie, dans leur mission de recherche et de constatation des infractions, doivent obéir en tout à l'autorité judiciaire. Le problème est que les personnels concernés demeurent soumis à

---

(11) L. Mermaz, Avis présenté le 14 novembre 2000 au nom de la commission des lois de l'Assemblée nationale.

(12) A. de Loisy, *Bienvenue en France. Six mois d'enquête clandestine dans la zone d'attente de Roissy*, Le Cherche Midi, 2005.

l'autorité hiérarchique d'autorités exécutives non-judiciaires : ministre de l'Intérieur pour la police, ministre de la Défense pour la gendarmerie. Cette dépendance fait planer toutes sortes de menaces sur la liberté individuelle et la sûreté, de sorte que l'« on s'est demandé s'il ne fallait pas placer la police judiciaire sous l'autorité exclusive du juge judiciaire, proposition aussi régulièrement évoquée qu'oubliée » (13).

§1. CONTRÔLES ET VÉRIFICATIONS D'IDENTITÉ

Le contrôle d'identité consiste, pour l'autorité de police, à examiner les documents de nature à prouver l'identité d'une personne. Il est obligatoire de s'y soumettre (art. 78-1 du Code de procédure pénale).

Si la personne contrôlée refuse ou ne peut produire les documents exigés, une vérification d'identité pourra être décidée. La « vérification d'identité » fut introduite lors de la guerre d'Algérie, par une ordonnance du 2 février 1961 prise en application de la loi d'habilitation du 4 février 1960. La vérification d'identité, contrairement au contrôle d'identité, permet une rétention de la personne au poste de police. Cette rétention ne peut excéder quatre heures, et le retenu a le droit de faire prévenir toute personne de son choix. L'usage de menottes ou d'entraves est théoriquement limité aux cas où le retenu est dangereux pour lui-même ou pour autrui. Certaines garanties sont prévues, comme le droit de faire aviser le Procureur de la République ou la tenue et la signature d'un procès-verbal. Ces garanties sont prévues à peine de nullité.

Les contrôles et vérifications d'identité relèvent tantôt d'une opération de police administrative (la police cherche à prévenir un trouble à l'ordre public), tantôt d'une opération de police judiciaire (la police recherche les auteurs d'une infraction).

En pratique, cette distinction est peu opératoire, d'autant que ce sont les mêmes hommes (les officiers de police judiciaire) qui sont chargés des deux types de contrôles.

Les contrôles d'identité opérés dans le cadre d'une opération de police administrative ont été admis, dans le silence des textes, par la Cour de cassation qui a toutefois souligné qu'un tel contrôle ne pouvait donner lieu à aucune rétention dans les locaux de la police (Cass. crim. 5 janvier 1973, *Friedel*). La loi « Sécurité et liberté »

(13) P. Rolland, *La protection des libertés en France,* Dalloz, Connaissance du droit, 1995, p. 38.

du 2 février 1981 a donné une assise légale à ces contrôles décidés « pour prévenir une atteinte à l'ordre public ». Mais ce n'est qu'en 1986 (loi du 3 septembre) que l'obligation de se soumettre à de tels contrôles a été imposée (article 78-1 du CPP, préc.). Cette loi de 1986 prévoit en outre que les opérations de vérification d'identité peuvent donner lieu à une prise d'empreintes digitales ou de photographies.

Pour limiter l'ampleur des contrôles qui peuvent ainsi être pratiqués à titre simplement « préventif », la Cour de cassation a exigé que le risque d'atteinte à l'ordre public soit « directement rattachable au comportement de la personne dont l'identité est contrôlée » (Cass. 10 nov. 1992, *Procureur général c. Bassilika*). Mais le législateur est intervenu pour faire échec à cette jurisprudence. Il a permis, par la loi du 10 août 1993, que l'identité de toute personne soit contrôlée « quel que soit son comportement », « pour prévenir une atteinte à l'ordre public, notamment à la sécurité des personnes et des biens ». Le Conseil constitutionnel a admis la constitutionnalité de cette formule, tout en exigeant que l'autorité concernée justifie, « dans tous les cas, des circonstances particulières établissant le risque d'atteinte à l'ordre public qui a motivé le contrôle » (93-323 DC du 5 août 1993, *Contrôles d'identité*). La Cour de Cassation s'est explicitement appuyée sur cette réserve pour conclure à la nullité d'une procédure (Cass., crim. 28 juin 1995, *Bechta*).

La même loi de 1993 légalise les « opérations coup-de-poing », c'est-à-dire les contrôles massifs et indiscriminés, lorsqu'ils sont décidés « sur réquisition écrite du procureur de la République aux fins de recherche et de poursuite d'infractions qu'il précise », étant précisé que « le fait que le contrôle d'identité révèle des infractions autres que celles visées par les réquisitions du procureur ne constitue pas une cause de nullité des procédures incidentes ».

La Commission nationale de déontologie de la sécurité, dans son rapport 2004, a mis en garde contre la pratique, dans les quartiers dits « sensibles », de contrôles d'identité systématiques, répétés, et vécus par la population comme une forme de harcèlement.

Dans la période récente, les contrôles d'identité visant spécifiquement les étrangers ont connu, pour les raisons présentées plus haut, une extension considérable.

Le principe est que les étrangers doivent toujours être en mesure de présenter les pièces ou documents sous couvert desquels ils se trouvent en France. Les contrôles qui leur sont applicables sont dérogatoires du droit commun des contrôles et vérifications d'identité. D'où l'intérêt crucial qui s'attache à la question de savoir comment il est possible de reconnaître, sur la voie publique par exemple, un étranger.

Dans un premier temps, la Cour de cassation avait proposé de se fonder sur des « signes extérieurs d'extranéité » (Cass. crim. 25 avril 1985, *Bogdan et Vuckovic*). Soucieux de prévenir les dérives que pouvait entraîner l'élasticité de cette notion, le Conseil constitutionnel a exigé que les contrôles soient décidés en fonction de « critères objectifs », « excluant toute discrimination de quelque nature qu'elle soit entre les personnes » (93-325 DC du 13 août 1993, *Maîtrise de l'immigration*).

En pratique, cette injonction est d'autant plus mal respectée que son application aurait pour effet de freiner la poursuite des objectifs chiffrés d'arrestation de sans-papiers.

La loi du 10 août 1993 permet, par ailleurs, de contrôler l'identité de « toute personne » aux frontières intérieures de l'espace Schengen. Cette zone s'étend jusqu'à vingt kilomètres des frontières entre la France et les États parties à la Convention de Schengen, et comprend les ports, aéroports et gares ferroviaires ou routières ouverts au trafic international. Si ce contrôle peut concerner toute personne, il vise à « vérifier le respect des obligations de détention, de port et de présentation des titres et documents prévus par la loi ».

Plus explicite, la loi du 4 janvier 1994 permet, dans les mêmes zones, à des agents des douanes, de vérifier « le respect des obligations de détention, de port et de présentation des pièces ou documents prévue (*sic*) à l'article 8 de l'ordonnance du 2 novembre 1945 relative aux conditions d'entrée et de séjour des étrangers en France ».

La loi du 24 avril 1997 permet, aux mêmes fins et dans la même zone, aux officiers et agents de police judiciaire de procéder à la visite sommaire des véhicules.

§2. LA FOUILLE DES VÉHICULES

À deux reprises, le Conseil constitutionnel s'est opposé à ce que les officiers et agents de police judiciaire se voient accorder le pouvoir de procéder à la fouille des véhicules. Dans sa décision 76-75 DC du 12 janvier 1977, il a censuré une disposition législative qui leur permettait de « procéder à la visite de tout véhicule » se trouvant sur la voie publique, à la seule condition que cette visite ait lieu en présence du propriétaire ou du conducteur. Le Conseil a estimé qu'une telle habilitation, par sa généralité et son imprécision, portait atteinte « aux principes essentiels sur lesquels repose la protection de la liberté individuelle ».

Dans sa décision 94-352 DC du 18 janvier 1995 sur la loi d'orientation relative à la sécurité, il a considéré que la fouille d'un véhicule, sans autorisation préalable de l'autorité judiciaire, était contraire à l'article 66 de la Constitution, qui confie à l'autorité judiciaire la protection de la liberté individuelle.

Il a en revanche admis, en 1997, que puissent être pratiquées, aux frontières intérieures de l'espace Schengen, des « visites sommaires » de véhicules, c'est-à-dire de contrôles uniquement destinés « à s'assurer de l'absence de personnes dissimulées » (97-389 DC du 22 avril 1997). Mais les voitures particulières étaient exclues du champ d'application de la loi, les cas d'application du texte étaient précisément définis, et l'opération de contrôle, impliquant le cas échéant une immobilisation du véhicule pour une durée maximum de quatre heures, devait être réalisée « sous la direction et le contrôle permanent du procureur de la République ».

Non déférée au Conseil constitutionnel, la loi du 15 novembre 2000 relative à la sécurité quotidienne a permis aux officiers de police judiciaire, sur réquisition du Procureur de la République, de procéder à la visite des véhicules, aux fins de recherche et de poursuite des actes de terrorisme, des infractions en matière d'armes et d'explosifs et des faits de trafic de stupéfiants.

Cette possibilité a été étendue, par la loi pour la sécurité intérieure du 18 mars 2003, à la recherche et à la poursuivre des infractions de vol et de recel. Les officiers de police judiciaire peuvent également procéder à la visite des véhicules circulant ou arrêtés sur la voie publique « lorsqu'il existe à l'égard du conducteur ou d'un passager une ou plusieurs raisons plausibles de soupçonner qu'il a commis, comme auteur ou comme complice, un crime ou un délit flagrant ».

Le Conseil a jugé que ces dispositions étaient conformes aux exigences constitutionnelles (2003-467 DC du 13 mars 2003, *Loi pour la sécurité intérieure*).

§3. LA GARDE À VUE

La garde à vue est le maintien d'une personne dans les locaux de police, sur décision d'un officier de police judiciaire, lorsqu'il existe une ou plusieurs raisons plausibles de soupçonner qu'elle a commis ou tenté de commettre une infraction (art. 63 et 77 du Code de procédure pénale). Elle vise donc un suspect (présumé innocent), jamais un témoin.

Elle est décidée, sous le contrôle du procureur, dans le cadre d'une enquête préliminaire ou d'une enquête pour flagrant délit ou crime flagrant. Dans le cadre d'une instruction, elle est placée sous le contrôle du juge qui a délivré la commission rogatoire.

Le législateur est allé jusqu'à porter à dix jours la durée de la garde à vue, en cas d'atteinte à la sûreté de l'État, par la loi du

15 janvier 1963 créant la Cour de sûreté de l'État. Celle-ci a été abrogée par la loi du 4 août 1981.

Aujourd'hui la durée normale de la garde à vue est de 24 heures. Le procureur de la République (ou le juge d'instruction) peut la prolonger de 24 heures. Mais la loi Perben II du 9 mars 2004 prévoit que, pour les formes les plus graves de criminalité, la garde à vue peut faire l'objet de deux prolongations supplémentaires de 24 heures chacune. Elles sont décidées par le juge des libertés et de la détention, ou par le juge d'instruction. La loi du 9 septembre 1986 permettait déjà de prolonger jusqu'à quatre jours la garde à vue en cas d'infraction terroriste ou de trafic de stupéfiant. Ces prolongations étaient décidées par le président du tribunal de grande instance.

Les gardés à vue bénéficient d'un certain nombre de droits, dont ils doivent être informés dès le début de la procédure.

Ils ont, depuis la loi du 4 janvier 1993, le droit de s'entretenir avec un avocat. L'article 63-4 du Code de procédure pénale pose que ce droit peut s'exercer « dès le début de la garde à vue ». La confidentialité de l'entretien avec l'avocat (qui ne peut excéder une durée de trente minutes), est garantie par la même disposition. Depuis la loi Perben II du 9 mars 2004, le gardé à vue ne peut demander à rencontrer immédiatement un avocat s'il est soupçonné d'avoir commis certains crimes ou délits : il devra attendre quarante-huit heures s'il est gardé à vue pour faits de proxénétisme, crime commis en bande organisé, crime aggravé d'extorsion, ou délit d'association de malfaiteurs. Le délai est porté à soixante-douze heures s'il est gardé à vue pour trafic de stupéfiants ou actes de terrorisme.

La personne placée en garde à vue a le droit de faire prévenir par téléphone « une personne avec laquelle elle vit habituellement ou l'un de ses parents en ligne directe, l'un de ses frères et sœurs ou son employeur, de la mesure dont elle est l'objet » (art. 63-2 CPP).

Elle peut, à sa demande, être examinée par un médecin désigné par le procureur de la république ou l'officier de police judiciaire. Un membre de la famille est également fondé à formuler cette demande d'examen médical. Le médecin se prononce sur l'aptitude de la personne au maintien en garde à vue. Il sera à nouveau consulté, le cas échéant, lors de la décision de prolongation de la garde à vue.

Le ministre de l'Intérieur, par une circulaire du 11 mars 2003, a rappelé aux fonctionnaires de police et aux officiers de gendarmerie l'existence de ces différentes séries de garanties. Plus généralement, il a souligné que « l'obligation de traiter avec dignité les personnes gardées à vue est une disposition d'ordre public qui s'impose à tous ». La nécessité d'un tel rappel s'explique notamment par le fait que la France a été condamnée par la Cour européenne des droits de l'homme pour traitements inhumains et dégradants commis pendant une garde à vue (27 août 1992, *Tomasi c. France* et 1er avril 2004, *Rivas c. France*), et même pour actes de torture (28 juillet 1999, *Selmouni c. France*).

§ 4. LA DÉTENTION PROVISOIRE

La détention provisoire, qui consiste à enfermer une personne présumée innocente, est, par définition, exceptionnelle : la loi du 7 février 1933 avait déjà posé des limites au pouvoir du juge d'instruction d'ordonner ce qu'on appelait alors la mise en « détention préventive ».

La loi du 17 juillet 1970 tente de lier la compétence du juge d'instruction (« l'homme le plus puissant de France »), en ne permettant ce qu'on appelle désormais la détention « provisoire » que pour des motifs précis : « en matière criminelle ou en matière correctionnelle, lorsque la peine encourue est égale ou supérieure à deux années d'emprisonnement, la détention provisoire ne peut être ordonnée que pour les nécessités de l'instruction ou dans l'intérêt de l'ordre public ». L'ordonnance doit être spécialement motivée.

Toutefois, les juges d'instruction (et, aujourd'hui, les juges des libertés et de la détention) ont interprété la loi de façon telle qu'ils n'ont pas réduit les mises en détention provisoire. Celles-ci continuent à fournir près de la moitié de la population carcérale.

La France est régulièrement condamnée par la Cour européenne des droits de l'homme pour des détentions provisoires dont la durée dépasse « la limite du raisonnable » (*Letellier c. France*, 26 juin 1991).

La loi du 30 décembre 1996 rappelle, à l'article 144 CPP, le caractère « exceptionnel » que doit revêtir la détention provisoire, ce que précisait déjà l'article 137. Celle-ci doit être « l'unique moyen » de parvenir à certaines fins, limitativement énumérées : conserver les preuves, empêcher une pression ou une concertation, protéger la personne mise en examen, garantir son maintien à la disposition de la justice, mettre fin à l'infraction ou prévenir son renouvellement, mettre fin à un trouble exceptionnel et persistant à l'ordre public.

La loi du 15 juin 2000 ne modifie pas les motifs de la détention provisoire, mais transfère au juge des libertés et de la détention le pouvoir, détenu jusqu'ici par le juge d'instruction, d'ordonner le placement en détention provisoire. Elle limite les cas dans lesquels celle-ci peut être utilisée, ainsi que sa durée. Elle ne l'autorise que lorsque la personne mise en examen encourt une peine criminelle ou une peine correctionnelle d'une durée égale ou supérieure à trois ans d'emprisonnement, cinq ans pour les délits contre les biens (art. 143-1 CPP).

La loi du 4 mars 2002 étend la possibilité de détention provisoire pour une personne mise en examen pour un délit contre les biens puni d'une peine de trois ans d'emprisonnement, si cette personne a déjà été poursuivie, dans les six mois qui précèdent, pour un délit puni d'une peine supérieure ou égale à deux ans d'emprisonnement.

La loi du 15 juin 2000 limite la durée de la détention provisoire, en matière correctionnelle, à quatre mois. Elle ne peut être prolongée, jusqu'à un an, en matière correctionnelle, que si la personne encourt une peine de plus de cinq ans ou a déjà été condamnée à une peine criminelle ou à une peine d'emprisonnement de plus d'un an (art. 145-1 CPP). En matière criminelle, une limitation dans le temps est enfin définie : deux ans, en principe, trois ans, si la peine encourue est supérieure à vingt ans de réclusion ou de détention criminelle, quatre ans, en cas de trafic de stupéfiants, terrorisme, proxénétisme, extorsion de fonds, crimes commis en bande organisée (art. 145-2 CPP).

La loi d'orientation et de programmation pour la justice du 9 septembre 2002 élargit à nouveau les conditions de placement en détention provisoire. Celle-ci est désormais possible lorsque la peine correctionnelle encourue est de trois ans, même en cas de délit contre les biens. Les délais de détention provisoire peuvent être prolongés, de quatre mois supplémentaires en matière correctionnelle, et de six mois en matière criminelle.

La loi permet au procureur de la République d'empêcher la mise en liberté d'une personne, ordonnée par le juge des libertés et de la détention ou le juge d'instruction, par un référé-détention formé devant le premier président de la Cour d'appel.

§5. LA PRISON

La condition pénitentiaire, en France, est l'une des plus dures d'Europe.

Surpopulation, recours massif à la détention préventive, conditions matérielles très dégradées, faible intérêt pour les politiques de réinsertion : le rapport publié en 2006 par le Commissaire aux Droits de l'Homme du Conseil de l'Europe a mis en évidence les nombreux maux qui rongent les prisons françaises (14).

---

(14) Commissaire européen aux Droits de l'Homme, *Rapport 2006 sur le respect effectif des Droits de l'Homme en France,* Éd. De l'Équateur, 2006.

La situation est d'ailleurs bien connue. Grâce au travail de l'Observatoire international des prisons, aux enquêtes menées par des parlementaires, aux rapports de la Commission nationale consultative des droits de l'homme, ou encore à l'abondante littérature de témoignage publiées ces dernières années, nul ne peut ignorer que les conditions de vie des détenus, en France, restent trop souvent placées sous le signe de la violence et de l'arbitraire.

Le contrôle juridictionnel et non-juridictionnel des conditions de détention ne cesse pourtant de s'affirmer, sous l'influence notamment de l'action menée au niveau européen.

A. L'AIGUILLON EUROPÉEN

Le Conseil de l'Europe déploie, en faveur d'un meilleur respect des droits des détenus, une action multiforme.

Outre le Comité européen pour la prévention de la torture qui veille au respect des droits de l'ensemble des personnes privées de liberté (*supra* p. 137), l'Assemblée parlementaire et le Comité des ministres tentent depuis de nombreuses années de faire évoluer la situation carcérale dans les 47 États membres.

Dès 1973, un ensemble de règles a été publié pour harmoniser les politiques pénitentiaires des États du continent. Plusieurs fois révisées, ces normes forment, depuis une Recommandation du 11 janvier 2006, un corpus dit « RPE » (Règles pénitentiaires européennes).

Ce corpus, inspiré des recommandations du Comité européen pour la prévention de la torture et de la jurisprudence de la Cour de Strasbourg, est constitué de 108 règles relatives aux droits fondamentaux des personnes détenues, au régime de détention, au maintien de l'ordre et de la sécurité dans les établissements pénitentiaires, ainsi qu'à l'administration et au contrôle des prisons.

Il n'est pas doté de portée contraignante, mais les États, qui ont contribué à son élaboration, s'engagent à le respecter. En France, la Direction de l'administration pénitentiaire assure à ces règles une assez large publicité, et rend compte régulièrement de leur suivi.

Mais c'est surtout par le biais du contrôle juridictionnel exercé par la Cour européenne des droits de l'homme que l'aiguillon européen se fait sentir. « La justice », selon la Cour, « ne saurait s'arrêter à la porte des prisons » (*Campbell et Fell c. Royaume-Uni*, 28 juin 1984).

Les détenus forment le tiers des recours qui parviennent au juge de Strasbourg, et on a pu dire que la jurisprudence européenne forme un « code virtuel pour le traitement des détenus ».

Quatre terrains sont particulièrement favorables à l'affirmation des droits des détenus.

Il s'agit au premier chef de l'article 3 de la Convention, qui consacre le droit à ne pas être soumis à des traitements inhumains ou dégradants. Il a été appliqué par la Cour à certains régimes de détention. L'isolement, par exemple, ne doit jamais être total : la « torture blanche », c'est-à-dire l'« isolement social et sensoriel absolu susceptible d'entraîner une destruction de la personnalité », n'a pas sa place en Europe (*Irlande c. Royaume-Uni*, 18 janvier 1978). Un isolement non total mais très long peut aussi être analysé comme une violation de l'article 3 (*LLascu et autres c. Modova et Russie*, 8 juillet 2004).

La Cour a par ailleurs déduit de l'article 3 qu'une obligation positive de protection de la santé incombait aux États. Cette obligation, affirmée de manière générale, vaut pour les prisons. Les détenus doivent être nourris convenablement (*Moisejevs c. Lettonie* du 15 juin 2006). Ils ne doivent pas être maintenus en détention lorsque leur état appelle des soins qu'ils ne peuvent y recevoir (pour le maintien en détention d'une personne souffrant de graves troubles mentaux : *Rivière c. France* du 11 juill. 2006 ; pour un détenu atteint de leucémie : *Mouisel c. France* du 14 nov. 2002).

Sur le terrain de l'article 6, la Cour européenne des droits de l'homme a jugé que les détenus devaient bénéficier des droits de la défense prévus par la Convention, c'est-à-dire pouvoir s'entretenir sans témoin avec leur avocat (*Can c. Autriche* du 30 septembre 1985) et se faire représenter par un conseil devant une instance disciplinaire interne à une prison (*Campbell et Fell c. Royaume-Uni* du 28 juin 1984).

L'article 8, qui garantit le droit au respect de la vie privée, voit évidemment sa portée très limitée dans le contexte carcéral. L'exercice de ce droit n'en emporte pas moins l'interdiction pour l'administration, sauf exceptions, d'ouvrir le courrier des détenus (*Demirtepe c. France* du 21 décembre 1999).

Enfin, le respect des exigences de l'article 13 (droit au recours effectif) a amené le Conseil d'État à infléchir sensiblement sa jurisprudence traditionnelle sur les mesures d'ordre intérieur.

B. L' ÉVOLUTION DU DROIT INTERNE

Les conditions de détention dans les prisons françaises ont longtemps été dominées par l'arbitraire. Engagé en 1945, le processus de soumission du droit pénitentiaire au principe de légalité n'a réellement pris son essor que dans la période récente.

a) L'essor du contrôle juridictionnel

En matière de garantie juridictionnelle des droits des personnes incarcérées, la compétence est partagée entre l'ordre judiciaire et l'ordre administratif. Les litiges relatifs à l'exécution de la peine relèvent de la compétence du juge judiciaire ; la contestation des mesures prises par l'administration pénitentiaire a lieu devant le juge administratif (TC 22 février 1960, *Dame Fargeaud d'Epied*).

Le contrôle exercé par le juge administratif a beaucoup évolué depuis l'arrêt d'Assemblée *Pascal Marie* du 17 février 1995, par lequel le Conseil d'État a accepté d'examiner la légalité d'une sanction de mise en « cellule de punition ». Par sa nature et sa gravité, a estimé le Conseil, cette sanction constitue une décision faisant grief ; le recours dirigé à son encontre est recevable.

La compétence du juge administratif s'est ensuite étendue à d'autres mesures. Le Conseil d'État a notamment admis que le placement à l'isolement d'un détenu constituait, « eu égard à l'importance de ses effets sur les conditions de détention », une décision susceptible d'être contestée devant le juge administratif (CE 30 juillet 2003, *M. Remli*).

Un grand nombre de décisions prises par l'administration pénitentiaire demeurent toutefois analysées par le juge comme des mesures d'ordre intérieur, insusceptibles à ce titre de tout recours contentieux. C'est par exemple le cas du placement à titre provisoire en quartier disciplinaire (CE 12 mars 2003, *Frérot*) ou du transfèrement d'un établissement pénitentiaire à l'autre (CE 23 février 2000, *Glaziou).*

Le régime de responsabilité de l'administration pénitentiaire a également connu une importante évolution avec l'arrêt *Chabba* du 23 mai 2003 : en cas de suicide d'un détenu, l'existence d'une faute simple suffit désormais à engager la responsabilité de l'administration. L'exigence d'une faute lourde reste toutefois maintenue lorsque la mort du détenu a été causée par un co-détenu.

En tant que juge des référés, le Conseil d'État a clairement indiqué que l'exercice par les détenus des libertés fondamentales « au sens de l'article L. 521-2 » (voir *supra* pp. 109-110) « est subordonné aux contraintes inhérentes à leur détention » (ord. du 27 mai 2005, *Section française de l'Observatoire des prisons*). En l'espèce il s'agissait de la liberté de réunion : le Conseil reconnaît au garde des Sceaux la faculté de refuser l'organisation, dans les prisons, de réunions relatives au référendum sur le traité établissant une Constitution pour l'Europe. Les conditions de recevabilité d'un référé-liberté sont, au demeurant, très restrictives.

S'agissant des modalités de l'application des peines, deux lois ont permis un réel progrès du contrôle juridictionnel.

Le mouvement de juridictionnalisation de l'application des peines a connu une première avancée avec la loi du 15 juin 2000 renforçant la protection de la présomption d'innocence et les droits des victimes. Les aménagements de peine demandés par les détenus (placement à l'extérieur, semi-liberté, fractionnement et suspension de la peine, libération conditionnelle...) font désormais l'objet d'un débat contradictoire devant le juge d'application des peines. Celui-ci doit désormais rendre, en certaines matières, un jugement motivé susceptible d'appel.

La loi Perben II du 9 mars 2004 a considérablement élargi les pouvoirs du juge d'application des peines. En matière d'aménagement des courtes peines, il dispose depuis lors de très larges attributions. Il peut notamment ordonner un régime de semi-liberté, un placement sous surveillance électronique, une libération conditionnelle... Or les condamnés, depuis le 1er janvier 2006, peuvent interjeter appel de la quasi-totalité des décisions du JAP devant la nouvelle Chambre de l'application des peines de la Cour d'appel, ou devant le président de celle-ci.

La loi du 25 février 2008 relative à la rétention de sûreté marque une interruption brutale de ce mouvement de juridictionnalisation du droit de l'application des peines. Elle prévoit qu'un comité d'experts pourra évaluer, avant la fin de sa peine, la « dangerosité » d'une personne condamnée à 15 ans et plus d'emprisonnement pour meurtre, assassinat, torture, acte de barbarie ou viol. Si le « comité » estime que le condamné est toujours dangereux, celui-ci pourra être enfermé dans un centre de rétention socio-médico-judiciaire. Cette décision est valable un an, mais *pourra être prolongée indéfiniment*.

Le principe de cette rétention « de précaution », qui consiste à enfermer quelqu'un pour des crimes qu'il pourrait éventuellement commettre, a été admis par le Conseil constitutionnel (2008-562 DC). Mais il est peu probable que la loi du 25 février 2008, si elle devait un jour être appliquée, bénéficie d'une telle indulgence devant la Cour européenne des droits de l'homme.

b) Le développement d'un contrôle non-juridictionnel

Compte tenu du risque d'arbitraire qui pèse sur les lieux d'enfermement, il est essentiel que des observateurs extérieurs soient admis à y pénétrer.

Ce rôle est exercé par certains corps d'inspection (inspection générale des services judiciaires, inspection des services pénitentiaires, inspection du travail), mais aussi, depuis la loi du 15 juin 2000 relative à la présomption d'innocence, par les parlementaires qui disposent d'un droit de visite assez largement ouvert. Un grand nombre d'associations, d'autre part, travaillent à maintenir un lien entre la prison et « l'extérieur ».

Trois Autorités administratives indépendantes sont en outre compétentes en la matière.

La Commission nationale de déontologie de la sécurité exerce un droit de regard sur la manière dont les personnels pénitentiaires exercent leur mission.

Le Médiateur de la République, dans le cadre d'une convention signée en 2005 avec le garde des Sceaux, a installé des permanences en milieu pénitentiaire. Ses délégués sont saisis de réclamations qu'ils tentent de résoudre par la négociation (pertes de paquetage lors des transfèrements, difficultés rencontrées par les détenus pour renouveler leur titre de séjour ou pour participer aux consultations électorales, problèmes d'accès aux soins...).

Enfin, la loi du 30 octobre 2007 a créé une nouvelle Autorité administrative indépendante : le Contrôleur général des lieux de privation de liberté. L'instauration d'une telle Autorité était un préalable nécessaire à l'approbation par la France d'un protocole se rapportant à la Convention contre la torture et autres peines ou traitements inhumains ou dégradants, protocole adopté par l'Assemblée générale des Nations-Unies le 18 décembre 2002 et entré en vigueur le 23 juin 2006.

Le Contrôleur général des lieux de privation de liberté est nommé par décret en Conseil des ministres après avis des commissions compétentes de chaque Assemblée. Son mandat, non renouvelable, est de 6 ans.

Il « peut visiter à tout moment, sur le territoire de la République, tout lieu où des personnes sont privées de leur liberté par décision d'une autorité publique, ainsi que tout établissement de santé habilité à recevoir des patients hospitalisés sans leur consentement ». La définition des lieux concernés englobe donc, outre les prisons, les centres éducatifs fermés pour mineurs, les locaux de garde à vue, les dépôts des tribunaux, les centres de rétention administrative, les zones d'attente... Le décret du 12 mars 2008 en a tiré les conséquences, en prévoyant que la Commission nationale de contrôle des centres et locaux de rétention administrative et des zones d'attente cesserait d'exister le 1er juillet 2008.

En cas d'infraction, le Contrôleur général pourra saisir la justice. Il dispose par ailleurs d'un pouvoir d'avis et de recommandation.

Sa saisine est très large : le Premier ministre, tout parlementaire, mais aussi « toute personne physique [et] toute personne morale s'étant donné pour objet le respect des droits fondamentaux ». On mesure, ici encore, l'importance du rôle que les associations de défense des droits sont appelées à jouer en matière de protection non juridictionnelle des libertés.

BIBLIOGRAPHIE

Manuels et mémentos

BURGORGUE-LARSEN Laurence, *Libertés fondamentales*, Montchrestien, Pages d'amphi, 2003.

CABRILLAC Rémy, FRISON-ROCHE Marie-Anne, REVET Thierry, *Libertés et droits fondamentaux*, Dalloz, 13ᵉ éd., 2007.

CHARVIN Robert et SUEUR Jean-Jacques, *Droits de l'homme et libertés de la personne*, Litec, 5ᵉ éd., 2007.

CHAGNOLLAUD Dominique et DRAGO Guillaume (dir.), *Dictionnaire des droits fondamentaux*, Dalloz, 2006.

FAVOREU Louis *et al., Droit des libertés fondamentales*, Dalloz, Précis, 3ᵉ éd., 2004.

LEBRETON Gilles, *Libertés publiques et droits de l'homme*, A. Colin, 7ᵉ éd., 2005.

LOCHAK Danièle, *Les droits de l'homme*, La Découverte, coll. Repères, 2ᵉ éd., 2005.

MATHIEU Bertrand et VERPEAUX Michel, *Contentieux constitutionnel des droits fondamentaux*, LGDJ, 2002.

MORANGE Jean, *Manuel des droits de l'homme et des libertés publiques*, PUF, Droit fondamental, 2007.

PRÉLOT Pierre-Henri, *Droit des libertés fondamentales*, Hachette Supérieur, 2007.

STIRN Bernard, *Les libertés en questions*, Montchrestien, Clefs, 6ᵉ éd., 2006.

SUDRE Frédéric, *Droit international et européen des droits de l'homme*, PUF, Droit fondamental, 8ᵉ éd., 2006.

TURPIN Dominique, *Libertés publiques et droits fondamentaux*, Seuil, 2004.

WACHSMANN Patrick, *Les droits de l'homme*, Dalloz, Connaissance du droit, 4ᵉ éd., 2002.

WACHSMANN Patrick, *Libertés publiques*, Dalloz, 5ᵉ éd., 2005.

Textes et commentaires

BRAIBANT Guy, *La Charte des droits fondamentaux de l'Union européenne*, Seuil, Points, 2001.

COHEN-JONATHAN Gérard, *La protection internationale des droits de l'homme*, La Documentation française, documents d'études, *1. Europe*, 2002, *2. Organisations universelles*, 2007.

DELMAS-MARTY Mireille, LUCAS DE LEYSSAC Claude, *Libertés et droits fondamentaux*, Seuil, Points, 2002.

LAGELÉE Guy, MANCERON Gilles, *La conquête mondiale des droits de l'homme*, Le Cherche Midi, éd. Unesco, 1998.

ROBERT Jacques, OBERDORFF Henri, *Libertés fondamentales et droits de l'homme*, Montchrestien, 7ᵉ éd., 2007.

TEXTES AYANT MARQUÉ L'ÉVOLUTION DU DROIT DES LIBERTÉS

Textes nationaux

Assemblée constituante :

26 août 1789 : Déclaration des droits de l'homme et du citoyen (placée en tête de la Constitution du 3 septembre 1991).

2-17 mars 1791 : décret d'Allarde, liberté du commerce et de l'industrie.

14-17 juin 1791 : loi Le Chapelier, liberté du travail.

1er Empire :

16 décembre 1808 : Code d'instruction criminelle.

12, 13, 15, 16, 17 et 20 février 1810 : Code pénal.

Monarchie de Juillet :

28 juin 1833 : loi Guizot, liberté de l'enseignement primaire.

30 juin 1838 : loi sur les aliénés.

IIe République :

27 avril 1848 : décret portant abolition de l'esclavage.

4 novembre 1848 : Constitution : suffrage universel masculin, abolition de la peine de mort en matière politique.

9 août 1849 : loi sur l'état de siège.

15 mars 1850 : loi Falloux, liberté de l'enseignement secondaire.

Second Empire :

25 mai 1864 : loi supprimant le délit de coalition (droit de grève).

IIIe République :

24 mai 1872 : loi portant organisation du Conseil d'État.

12 juillet 1875 : loi établissant la liberté de l'enseignement supérieur.

16 juin 1881 : gratuité de l'enseignement primaire.

30 juin 1881 : loi sur les réunions publiques.

29 juillet 1881 : loi sur la liberté de la presse.

28 mars 1882 : loi sur l'enseignement primaire.

21 mars 1884 : loi relative à la création des syndicats professionnels.

30 octobre 1886 : l'enseignement primaire, service d'État.

8 décembre 1897 : loi : droits de la défense de l'inculpé.

1er juillet 1901 : loi sur la liberté d'association.

9 décembre 1905 : loi de séparation des églises et de l'État.

25 juillet 1919 : décret sur la diffusion cinématographique.

23 octobre 1935 : décret : renforcement du maintien de l'ordre public.

10 janvier 1936 : loi relative aux groupes de combat et milices privées.

Gouvernement provisoire de la République française :

21 avril 1944 : ordonnance : droit de vote des femmes.

2 février 1945 : ordonnance relative à l'enfance délinquante.

2 novembre 1945 : ordonnance relative aux conditions d'entrée et de séjour des étrangers en France.

IVe République :

27 octobre 1946 : Constitution.

3 avril 1955 : loi instituant un état d'urgence.

31 décembre 1957 : Code de procédure pénale.

Ve République :

4 octobre 1958 : Constitution.

31 décembre 1959 : Loi Debré sur les rapports entre l'État et les établissements d'enseignement privé.

4 juin 1970 : loi relative à la protection de la vie privée.

1er juillet 1972 : loi relative à la lutte contre le racisme.

3 janvier 1973 : loi instituant le Médiateur de la République.

3 mai 1974 : décret de ratification de la Convention européenne des droits de l'homme.

17 janvier 1975 : loi sur l'interruption volontaire de grossesse.

30 juin 1975 : loi d'orientation en faveur des handicapés.

6 janvier 1978 : loi relative à l'informatique, aux fichiers et aux libertés.

17 juillet 1978 : loi sur la liberté d'accès aux documents administratifs.

2 octobre 1981 : déclaration d'acceptation des requêtes individuelles, en application de la Convention européenne des droits de l'homme.

29 juillet 1982 : loi sur la communication audiovisuelle.

4 août 1982 : loi Auroux sur les droits des travailleurs dans l'entreprise.

6 janvier 1986 : loi fixant les règles relatives à l'indépendance des membres des tribunaux administratifs et cours administratives d'appel.

30 septembre 1986 : loi relative à la liberté de communication.

1er décembre 1988 : loi sur le revenu minimum d'insertion.

27 juin 1990 : loi relative aux droits et à la protection des personnes hospitalisées en raison de troubles mentaux.

10 juillet 1991 : loi relative au secret des correspondances émises par voie de télécommunications.

22 juillet 1992 : Code pénal.

4 janvier 1993 : réforme de la procédure pénale.

27 juillet 1993 : réforme du Conseil supérieur de la magistrature.

29 juillet 1994 : loi relative au respect du corps humain ; loi relative au don et à l'utilisation du corps humain, à l'assistance médicale à la procréation et au diagnostic prénatal.

21 janvier 1995 : loi d'orientation sur la sécurité.

29 juillet 1998 : loi d'orientation relative à la lutte contre les exclusions.

15 novembre 1999 : loi relative au pacte civil de solidarité.

6 mars 2000 : loi instituant un défenseur des enfants.

12 avril 2000 : loi relative aux droits des citoyens dans leurs relations avec l'administration.

6 juin 2000 : loi tendant à favoriser l'égal accès des femmes et des hommes aux mandats électoraux et fonctions électives.

6 juin 2000 : loi portant création d'une Commission nationale de déontologie de la sécurité.

15 juin 2000 : loi renforçant la protection de la présomption d'innocence et les droits des victimes.

30 juin 2000 : loi relative au référé devant les juridictions administratives.

16 novembre 2001 : loi relative à la lutte contre les discriminations.

4 mars 2002 : loi relative aux droits des malades.

29 août 2002 : loi d'orientation et de programmation pour la sécurité intérieure.

9 septembre 2002 : loi d'orientation de et de programmation pour la justice ; 18 mars 2003 : loi pour la sécurité intérieure.

26 novembre 2003 : loi relative à la maîtrise de l'immigration, au séjour des étrangers en France et à la nationalité.

10 décembre 2003 : loi relative au droit d'asile.

9 mars 2004 : loi portant adaptation de la justice aux évolutions de la criminalité.

21 juin 2004 : loi relative à la bioéthique.

6 août 2004 : loi relative à la protection des personnes physiques à l'égard des traitements de données à caractère personnel.

22 avril 2005 : loi sur les droits des malades et sur la fin de vie.

24 juillet 2006 : loi relative à l'immigration et à l'intégration.

5 mars 2007 : loi instituant le droit opposable au logement.

20 novembre 2007 : loi relative à la maîtrise de l'immigration, à l'intégration et à l'asile.

25 février 2008 : loi relative à la rétention de sûreté et à la déclaration d'irresponsabilité pénale pour cause de trouble mental.

Textes internationaux

28 juin 1919 : Traité de Versailles : création de la Société des Nations (SDN).

10 décembre 1948 : Déclaration universelle des droits de l'homme.

4 janvier 1950 : Convention de sauvegarde des droits de l'homme et des libertés fondamentales.

28 juillet 1951 : Convention de Genève relative au statut des réfugiés.

25 mars 1957 : Traité de Rome, instituant la Communauté économique européenne.

18 octobre 1961 : Charte sociale européenne.

16 décembre 1966 : Pacte international relatif aux droits civils et politiques ; Pacte international relatif aux droits économiques, sociaux et culturels.

28 janvier 1981 : Convention européenne pour la protection des personnes à l'égard du traitement des données à caractère personnel.

26 novembre 1987 : Convention européenne pour la prévention de la torture et des peines ou traitements inhumains ou dégradants.

20 novembre 1989 : Convention internationale des droits de l'enfant.

11 mai 1994 : Protocole n° 11 de la Convention européenne des droits de l'homme portant restructuration du mécanisme de contrôle établi par la Convention.

7 février 1992 : Traité de Maastricht sur l'Union européenne.

3 mai 1996 : Charte sociale européenne révisée.

4 avril 1997 : Convention européenne pour la protection des droits de l'homme et de la dignité de l'être humain à l'égard des applications de la biologie et de la médecine.

2 octobre 1997 : Traité d'Amsterdam, modifiant le Traité sur l'Union européenne et le traité instituant la Communauté européenne.

17 juillet 1998 : Traité instituant la Cour pénale internationale.

29 juin 2000 : Directive relative à la mise en œuvre du principe d'égalité de traitement entre les personnes sans distinction de race ou d'origine ethnique.

27 novembre 2000 : Directive portant création d'un cadre général en faveur de l'égalité de traitement en matière d'emploi et de travail.

7 décembre 2000 : Charte des droits fondamentaux de l'Union européenne.

INDEX

Collection **SYSTÈMES**

La collection « Systèmes » entend répondre au besoin de synthèse et de spécialisation des savoirs qui s'affirme aujourd'hui. Destinée aux étudiants mais également à un public plus large, elle présente des ouvrages clairs et concis, permettant aux lecteurs d'approfondir leurs connaissances sur des sujets tels que droit constitutionnel, droit administratif, droit des affaires, droit civil, droit social, économie, administration, finances publiques, fiscalité, finances locales, sociologie et philosophie juridiques, questions européennes et droit communautaire...

ABATE B. : *La nouvelle gestion publique,* 2000.
ALLIX D. : *Le droit pénal,* 2000.
AUBY J.-B. : *La décentralisation et le droit*, 2006.
BARILARI A. : *L'État de droit : réflexion sur les limites du juridisme*, 2000.
BARILARI A. : *Les contrôles financiers comptables, administratifs et juridictionnels des finances publiques*, 2003.
BARILARI A. et BOUVIER M. : *La LOLF et la nouvelle gouvernance financière de l'État*, 2ᵉ éd. 2007.
BARILARI A. : *La modernisation de l'administration,* 1994.
BARILARI A. : *Réussir vos dissertations*, 1995.
BASDEVANT-GAUDEMET B. (sous la direction de) : *Contrat ou institution : un enjeu de société*, 2004.
BASTION J.-C. et CHABANNIER : *Le droit des élections locales*, 2004.
BIGAUT Ch. : *La responsabilité pénale des hommes politiques*, 1996.
BIGAUT Ch. : *Les cabinets ministériels*, 1997.
BLANC J. : *Les péréquations financières dans les finances locales*, 1996.
BLANC J. : *Finances locales comparées*, 2002.
BLUMANN Cl. : *La fonction législative communautaire*, 1995.
BOISSEAU J.-L. : *Stratégie et tactiques de la presse territoriale*, 1996.
BORRAS Ph. et GARAY A. : *Le contentieux du recouvrement fiscal*, 1994.
BOSSIS G. et ROMI R. : *Droit du cinéma*, 2004.
BOUINOT J. : *La ville intelligente*, 2004.
BOURJOL M. : *La coopération intercommunale*, 1996.
BOUVIER M. : *Introduction au droit fiscal et à la théorie de l'impôt,* 9ᵉ éd., 2008.
BOUVIER M. : *Les finances locales*, 12ᵉ éd., 2008.
BRANCHET B. : *La révision de la Constitution sous la Vᵉ République*, 1994.
BRANCHET B. : *La fonction présidentielle sous la Vᵉ République*, 2008.
BREHON N.-J. : *Le budget de l'Europe*, 1997.
BRURON J. : *Droit pénal fiscal*, 1993.
BRURON J. : *Droits et garanties du contribuable vérifié*, 1991.
BRURON J. : *Le contrôle fiscal*, 1991.
CALAMARTE-DOGUET M.-G. : *Le droit de la recherche*, 2005.
CAMBY J.-P. (coordonné par) : *La réforme du budget de l'État*, 2ᵉ éd., 2004.
CASSIA P. : *Les référés administratifs d'urgence*, 2003.
CHABANOL D. : *Le juge administratif*, 1993.
CHAMBON F. et GASPON O. : *La déontologie administrative*, 1997.
CHEVALLIER J. : *Institutions politiques*, 1996.
CHIAVERINI Ph. et MARDESSON D. : *Tribunaux administratifs et cours administratives d'appel*, 1996.

COMMUNIER J.-M. : *Le droit communautaire des aides de l'État*, 2000.
DEFFERRARD F. : *Le suspect dans le procès pénal*, 2005.
DELION A. : *Droit des entreprises et participations publiques*, 2003.
DELOT D. : *Fiscalité personnelle des dirigeants d'entreprise*, 2003.
DELOT D. : *La responsabilité fiscale des dirigeants d'entreprise*, 2003.
DEMEESTÈRE R. : *Le contrôle de gestion dans le secteur public*, 2ᵉ éd., 2005.
DESTAIS N. : *Le système de santé. Organisation et régulation*, 2003.
DONNAT F. : *Contentieux communautaire de l'annulation*, 2008.
DOUAY M. : *Le recouvrement de l'impôt*, 2005.
DUGRIP O. et SAÏDJ L. : *Les établissements nationaux*, 1992.
DUPUIS G. : *Le centre et la périphérie en France*, 2000.
DURAND V. et SALLÉ V. : *Introduction à l'analyse financière de l'entreprise*, 1997.
FIALAIRE J. : *Le droit des services publics locaux*, 1998.
GAUVIN A. : *La nouvelle gestion du risque financier*, 2000.
GOUIRAND P., SPINDLER J. et DURAND H. : *Économie et politique du tourisme*, 1994.
GOURION P.-A., PEYRARD G. et SOUBEYRAND N. : *Droit du commerce international*, 4ᵉ éd., 2008.
GOURION P.-A. et RUANO-PHILIPPEAU M. : *Droit de l'Internet dans l'entreprise*, 2003.
DU GRANRUT Cl. : *La citoyenneté européenne*, 1997.
DU GRANRUT Cl. : *Une Constitution pour l'Europe*, 2004.
GRÉGOIRE L. : *Le dépôt de bilan*, 1997.
GRYNFOGEL C. : *Droit communautaire de la concurrence*, 3ᵉ éd., 2008.
GUETTIER Ch. : *La responsabilité administrative*, 1996.
GUÉVEL D. : *Droit des affaires*, 2ᵉ éd., 2001.
GUÉVEL D. : *Droit du commerce et des affaires*, 3ᵉ éd., 2007.
GUGLIELMI G.-J. : *Introduction au droit des services publics*, 1994.
HAMON F. : *Le référendum. Étude comparative*, 1995.
HAMON F. : *Droit des fonctions publiques*, vol. 1 : « Organisation et gestion », 2002, vol. 2 : « Carrières, droits et obligations », 2002.
HAMONIAUX T. : *L'intérêt général et le juge communautaire*, 2001.
HAQUET A. : *La loi et le règlement*, 2007.
HECKLY C. : *Fiscalité et mondialisation*, 2006.
HEEM V. et HOOTE D. : *La lutte contre le blanchiment des capitaux*, 2004.
HEYMANN-DOAT A. et CALVÈS G. : *Libertés publiques et droits de l'homme*, 9ᵉ éd., 2008.
ISAÏA H. : *L'évaluation des nouveaux contrats de plan État-Région (2000-2006)*, 1999.
JAN P. : *Le procès constitutionnel*, 2001.
JEULAND E. : *Droit processuel*, 2003.
JOIN-LAMBERT Ch. (sous la direction de) : *L'État moderne et l'administration*, 1994.
KERNINON J. : *Les cadres juridiques de l'économie mixte*, 2ᵉ éd., 1994.
KHAYAT D. : *Le droit du surendettement des particuliers*, 1997.
LABIA P. et BERNARD-GÉLABERT M.-C. : *Zones d'aménagement du territoire. Mode d'emploi*, 1997.
LABIE F. : *La fiscalité du sport*, 2000.
LACHAUME J.-F. : *L'administration communale*, 2ᵉ éd., 1997.
LAMARQUE D. : *L'évaluation des politiques publiques locales*, 2004.
LAPOUBLE J.-C. : *Droit du sport*, 1999.
LAURENT Ph. et BOYER B. : *La stratégie financière des collectivités locales*, 2ᵉ éd., 1997.
LAVAL N. : *Le juge pénal et l'élu local*, 2002.

LE JEUNE P. : *Introduction au droit des relations internationales*, 1994.
LEYGUES J.-C. : *Les politiques internes de l'Union européenne*, 1994.
LONDON C. : *Environnement et instruments économiques et fiscaux*, 2001.
LONG M. : *La tarification des services publics locaux*, 2001.
MAGNET J. : *Éléments de comptabilité publique*, 5ᵉ éd., 2001.
MAGNET J. : *Les comptables publics*, 2ᵉ éd., 1998.
MAGNET J. : *Les gestions de fait*, 2ᵉ éd., 2001.
MAILLOT D. et FONTERS J.-L. : *La fiscalité des professions libérales*, 1992.
MAISL H. : *Le droit des données publiques*, 1996.
MALAURIE-VIGNAL M. : *L'abus de position dominante*, 2003.
MANESSE J. : *L'aménagement du territoire*, 1998.
MARIEL F. et WEYBERT J. : *Le droit des sociétés par actions et ses implications comptables*, 2004.
MARKUS J.-P. : *Les juridictions ordinales*, 2003.
MARTIN J.-L. et CABANIS A : *Histoire constitutionnelle et politique de la France de la Révolution à nos jours*, 2000.
MATT J.-L. : *La Sécurité sociale : organisation et financement*, 2001.
MATTRET J.-B. : *L'analyse financière des communes*, 2ᵉ éd., 2007.
MÉLIN F. : *La faillite internationale*, 2004.
MÉLIN F. : *Droit des obligations*, 2006.
MESTRALLET G., SAMSON J. et TALY M. : *La réforme de la gouvernance fiscale*, 2005.
MIALON M.-F. : *Les pouvoirs de l'employeur*, 1996.
MIALON M.-F. : *Les relations collectives dans l'entreprise*, 1999.
MOLINIER J. : *Droit du contentieux européen*, 1996.
MOLINIER J. et DE GROVE-VALDEYRON N. : *Droit du marché intérieur européen*, 2ᵉ éd., 2008.
MORAUD J.-Ch. et PICQUENOT L. : *La nouvelle comptabilité des communes : un guide pour la M 14*, 1996.
MORDACQ F. : *La LOLF, un nouveau cadre budgétaire pour réformer l'État*, 2006.
MULLER-QUOY I. : *Le droit des assemblées locales*, 2001.
NICINSKI S. : *Droit public de la concurrence*, 2005.
ORSONI G. : *L'administration de l'économie*, 1995.
PASTOREL J.-P. : *L'expertise dans le contentieux administratif*, 1994.
PELLAS J.-R. : *La fiscalité du patrimoine continuel*, 2003.
PELLET R. : *Les finances sociales : économie, droit et politique*, 2001.
PELLISSIER G. : *Le principe d'égalité en droit public*, 1996.
PERTEK J. : *Les avocats en Europe*, 2000.
PETIT Y. : *Droit international du maintien de la paix*, 2000.
POUSSIN Ph. : *Histoire des idées économiques de Platon à Adam Smith*, 1994.
RAMPELBERG R.-M. : *Repères romains pour le droit européen des contrats*, 2005.
RANSAN N. et F. : *Les successions, aspects civils et fiscaux*, 2ᵉ éd., 1995.
RASERA M. : *La démocratie locale*, 2002.
RICHER D. : *Les droits du contribuable dans le contentieux fiscal*, 1997.
ROLIN E. : *Le Conseil d'État, juge de l'extradition*, 1999.
ROUSSET M. : *L'action internationale des collectivités locales*, 1998.
ROUTIER R. : *La responsabilité du banquier*, 1997.
SAURON J.-L. : *Droit communautaire et décision nationale*, 1998.
SCHULTZ P. : *Éléments du droit des marchés publics*, 2ᵉ éd., 2002.
SOUSSE M. : *Droit public des contrats de construction*, 1998.
STIRN B. : *Les sources constitutionnelles du droit administratif*, 5ᵉ éd., 2006.
TERRAZZONI A. : *L'administration territoriale en Europe*, 1992.
VALLEMONT S. (sous la direction de) : *Le débat public : une réforme dans l'État*, 2001.
ZILLER J. : *Les Dom-Tom*, 3ᵉ éd., 2001.

Traitement informatique, impression, façonnage par

ZA Les Grands Camps — 46090 Mercuès

Dépôt légal : juin 2008
Numéro d'impression : 80879 L

L.G.D.J.-Lextenso éditions
N° éditeur : 4340

Imprimé en France